Piaf Edith

" Vorobyshek" na Balu Udachi

ЭДИТ ПИАФ

«ВОРОБЫШЕК» НА БАЛУ УДАЧИ

ЭКСМО
алгоритм
МОСКВА
2012

УДК 82-94
ББК 85.364.1
П 32

Перевод с французского
С. А. Володиной, А. О. Малининой

Пиаф Э.

П 32   «Воробышек» на балу удачи / Эдит Пиаф. — М. : Эксмо :
Алгоритм, 2012. — 352 с. — (Легенды авторской песни).

ISBN 978-5-699-55625-0

В книгу вошли воспоминания великой французской певицы, актрисы Эдит Пиаф, ее друга, режиссера Марселя Блистэна, и ее сводной сестры Симоны Берто. Мемуары Пиаф — это лишенный ложной стыдливости, эмоциональный рассказ о любви, разочарованиях, триумфальных взлетах, об одиночестве и счастье, о возлюбленных и о друзьях, ставших благодаря ей знаменитыми артистами: о Шарле Азнавуре, Иве Монтане, Эдди Константине и др.

Воспоминания Марселя Блистэна и сводной сестры Эдит Пиаф — это взволнованный, увлекательный рассказ о великой певице Франции. Словно кадры фильма, проходят перед читателем яркие эпизоды судьбы Эдит Пиаф, полной драматических коллизий.

УДК 82-94
ББК 85.364.1

ISBN 978-5-699-55625-0

Эдит Пиаф

НА БАЛУ УДАЧИ

I

> Но день придет, и звезды среди дня
> Заблещут в небе синем для меня.
> Тогда прощайте, серые дожди!
> И здравствуй, жизнь, и счастье — впереди!

Отчего бы мне не начать эти воспоминания — а я намерена вести их по прихотливому велению памяти — с того самого дня, когда судьба взяла меня за руку, чтобы сделать певицей, которой я, видимо, должна была стать?

Это случилось за несколько лет до войны, на улице, прилегающей к площади Этуаль, на самой обычной улочке под названием Труайон. В те времена я пела где придется. Аккомпанировала мне подруга, обходившая затем наших слушателей в надежде на вознаграждение.

В тот день — хмурый октябрьский полдень 1935 года — мы работали на углу улицы Труайон и авеню Мак-Магона. Бледная, непричесанная, с голыми икрами, в длинном, до лодыжек, раздувающемся пальто с продранными рукавами, я пела куплеты Жана Ленуара:

> Она родилась, как воробышек,
> Она прожила, как воробышек,
> Она и помрет, как воробышек!

5

Пока подруга обходила «почтенное общество», я увидела, что ко мне направился какой-то господин, похожий на знатного вельможу. Я обратила на него внимание еще во время пения. Он слушал внимательно, но нахмурив брови.

Когда он остановился передо мной, я была поражена нежно-голубым цветом его глаз и немного печальной мягкостью взгляда.

— Ты что, с ума сошла? — сказал он без всякого предисловия.— Так можно сорвать себе голос!

Я ничего не ответила.

Разумеется, я знала, что такое «сорвать» голос, но это не очень меня беспокоило. Были другие, куда более важные заботы.

А он между тем продолжал:

— Ты абсолютная дура!.. Должна же ты понять...

Он был отлично выбрит, хорошо одет, очень мил, но все это не производило на меня никакого впечатления. Как истинно парижская девчонка, я реагировала на все быстро, за словом в карман не лезла и поэтому в ответ лишь пожала плечами:

— Надо же мне что-то есть!

— Конечно, детка... Только ты могла бы работать иначе. Почему бы с твоим голосом не петь в каком-либо кабаре?

Я могла бы ему возразить, что в продранном свитере, в этой убогой юбчонке и туфлях не по размеру нечего рассчитывать на какой-либо ангажемент, но ограничилась лишь словами:

— Потому что у меня нет контракта!

И добавила насмешливо и дерзко:

— Конечно, если бы вы могли мне его предложить...

— А если бы я вздумал поймать тебя на слове?

— Попробуйте!.. Увидите!..

Он иронически улыбнулся и сказал:

— Хорошо, попробуем. Меня зовут Луи Ленде. Я хозяин кабаре «Джернис». Приходи туда в понедельник к четырем часам. Споешь все свои песенки, и... мы посмотрим, что с тобой можно сделать.

Говоря это, он написал свое имя и адрес на полях газеты, которую держал в руке. Затем оторвал этот кусок газеты и вручил мне вместе с пятифранковым билетом. Уходя, он повторил:

— В понедельник, в четыре. Не забудь!

Я засунула бумажку и деньги в карман и снова стала петь. Этот господин позабавил меня, но я не очень поверила ему.

Вечером, когда мы с подругой вернулись в нашу узкую, похожую на шкаф комнату в убогой гостинице на улице Орфила, я решила, что не пойду на это свидание.

К понедельнику я совершенно забыла о назначенной встрече. Я еще лежала после полудня в постели, когда внезапно вспомнила о разговоре на улице Труайон.

— А ведь, кажется, сегодня мне предстоит встретиться с господином, который спросил, отчего я не пою в кабаре!

Кто-то рядом заметил:

— На твоем месте я бы пошла. Мало ли что может произойти!

Я усмехнулась.

— Может быть! Но я не пойду. Не верю больше в чудеса!

Тем не менее, спустя час, поспешно одевшись, я уже бежала к метро. Почему я переменила свое решение? Не могу ответить. Когда Рокки Марчиано, бывший чемпион мира по боксу, думает о том, что мог бы легко стать и гангстером, когда он вспоминает все ловушки, которые его подстерегали в жизни и которых он избежал без особых усилий, «просто так», наконец, когда он размышляет обо всех своих победах,— то говорит, что «на небе» есть кто-то, кто его очень любит. Я готова поверить в эти слова. Я шла на свидание без особых надежд, убежденная, что напрасно потеряю время, но... теперь мне ни за что на свете не хотелось бы пропустить это свидание.

«Джернис» находился на улице Пьер-Шаррон в доме 54. Было пять часов, когда я пришла туда; Лепле ждал меня у входа. Взглянув на часы, он сказал:

— Опоздание на час. Неплохое начало! Что будет, когда ты станешь звездой?

Я не ответила и последовала за ним, впервые переступив порог одного из тех фешенебельных ночных кабачков, казавшихся такой бедной девчонке, как я, пределом роскоши. Эти кабаре, где, по моим представлениям, подавали исключительно шампанское и икру, принадлежали к тому миру, в который я и мне подобные не допускались.

Пустой зал, кроме одного угла, где я увидела рояль, был погружен в полумрак. Там сидели двое — дама, о которой я позднее узнала, что она жена врача, и пианист, настоящий ас своего дела, и к счастью для меня, ибо я не имела ни малейшего представления о нотах.

Это не мешало ему превосходно — насколько я могу судить теперь, аккомпанировать мне. Я спела Лепле весь свой репертуар, по правде говоря, скорее разношерстный, чем сложный. В нем было все что угодно — от «жестоких» песенок Дамиа до сладких мелодий Тино Росси. Лепле прервал меня, когда, покончив с песнями, я собиралась приступить к оперным ариям.

Немного смущенная вначале, я довольно быстро освоилась. Чем, в сущности, я рисковала? А после того как Лепле вознаградил меня за первые усилия несколькими обнадеживающими словами, я вложила в исполнение все сердце. И, пожалуй, не ради того, чтобы добиться ангажемента — он все еще казался мне маловероятным, — а просто чтобы доставить удовольствие этому господину, которому угодно было заинтересоваться мной и к которому я теперь испытывала доверие и почти симпатию.

Не пожелав, однако, выслушать арию из «Фауста», Лепле подошел и с удивительной мягкостью положил мне руку на плечо.

— Очень хорошо, детка,— сказал он.— Ты добьешься славы, я уверен. Твой дебют состоится в пятницу, и ты будешь получать сорок франков в день. Только нужно подумать о другом репертуаре. У тебя собственная манера пения, нужны песни, отвечающие твоей индивидуальности. Для начала выучи четыре: «Ни-ни, собачья шкура», «Бездомные девчонки», «Сумрачный вальс» и «Я притворяюсь маленькой». Выучишь к пятнице?

— Конечно!

— И вот еще что. У тебя нет другого платья?

— У меня есть черная юбка — лучше этой, и, кроме того, я вяжу себе свитер. Но он еще не закончен...

— А к пятнице ты успеешь закончить?

— Наверняка!

Я была не очень уверена в этом, но ответ сам сорвался с губ и прозвучал убедительно. Не могла же я рисковать всем из-за такой несущественной, как мне казалось, детали туалета.

— Хорошо,— сказал Лепле.— Завтра в четыре часа приходи сюда репетировать. — И с лукавым блеском в глазах добавил: — Постарайся успеть до шести! Из-за пианиста...

Я уже собиралась уходить, но он удержал меня:

— Как тебя зовут?

— Эдит Гассион.

— Такое имя не годится для эстрады.

— Меня зовут еще Таней.

— Если бы ты была русской, это было бы недурно...

— А также Дениз Жей...

Он поморщился:

— И все?

— Нет. Еще Югетт Элиа...

Под этим именем я была известна на танцевальных балах. Лепле отверг его так же решительно, как и остальные.

— Не густо!

Пристально и задумчиво посмотрев на меня, он сказал:

— Ты настоящий парижский воробышек, и лучше всего к тебе подошло бы имя Муано*.

К сожалению, имя малышки Муано уже занято! Надо найти другое. На парижском арго «муано» — это «пиаф». Почему бы тебе не стать мом Пиаф?**

Еще немного подумав, он сказал:

— Решено! Ты будешь малышкой Пиаф!

Меня окрестили на всю жизнь.

Назавтра я пришла на репетицию даже немного раньше назначенного времени. Лепле ждал меня вместе с актри-

---

* Moineau — воробей (*фр.*) — *Примеч. перев.*
** Mome — малютка, малышка (*фр.*) — *Примеч. перев.*

сой Ивонн Балле, о которой мне было известно, что она вместе с Морисом Шевалье была «звездой» в «Паласе» и «Казино де Пари». Должно быть, Лепле предварительно рассказал ей обо мне (так он обычно поступал в отношении тех, кого любил), ибо она проявила, как мне сегодня кажется, удивительную любезность. Выглядела я замарашкой, но она словно не обратила на это внимания и с первой минуты отнеслась ко мне, как к товарищу по профессии, как к артистке. Пусть она знает, что я об этом не забыла и сохранила к ней чувство глубокой признательности.

Когда я кончила, она поздравила меня, предсказала мне карьеру, а затем, повернувшись к Лепле, добавила:

— Я хочу сделать этой девочке первый подарок как артистке. Певицы реалистического репертуара считают, что никак не могут обойтись без красного платка. Я против этой глупой моды. У малышки Пиаф не будет красного платка...

Сказав это, Ивонн Балле отдала мне свой шарф. Великолепный белый шелковый шарф. Который очень пригодился мне в день дебюта.

Наступила пятница. Я была не совсем готова. Репертуар свой я, впрочем, подготовила. Выучила три песни из тех, что выбрал для меня Лепле. Четвертая «Я притворяюсь маленькой», из репертуара Мистенгетт,— никак не давалась мне; вероятно, потому, что не очень нравилась. Мне так и не удалось ее выучить. Было решено, что я буду петь три песенки. С этой стороны, стало быть, все обстояло благополучно.

Но мой свитер! Не хватало еще одного рукава. Я все же принесла его с собой и, сидя в артистической, лихорадочно вязала, повторяя про себя текст песен. Каждые пять минут Лепле приоткрывал дверь в спрашивал:

— Ну как, рукав закончен?

— Почти...

Представление уже давно началось, и наступила минута, когда откладывать больше мой выход стало невозможно. По пятницам в «Джернис» обычно собиралось избранное общество. Сегодня Лепле хотел показать «всему Парижу» свою последнюю находку. Но я была лишь аттракционом в перегруженной номерами программе, и не могло быть и речи о том, чтобы выпустить меня после ведущих артистов «Джернис».

Сочтя, что он уже проявил достаточно терпения, Лепле явился за мной.

— Твоя очередь!.. Пошли!..

— Но...

— Знаю. Надень свой свитер! Будешь петь так...

— Но у него лишь один рукав!

— Что из того? Прикроешь другую руку шарфом. Не жестикулируй, поменьше двигайся — и все будет хорошо!

Возразить было нечего. Спустя две минуты я была готова к первому выступлению перед настоящим зрителем.

Лепле лично вывел меня на сцену.

— Несколько дней назад,— сказал он,— я проходил по улице Труайон. На тротуаре пела девочка, маленькая девочка с бледным и печальным лицом. Ее голос проник мне в душу. Он взволновал меня, потряс. Я хочу теперь познакомить вас с ней — это настоящее дитя Парижа. У нее нет вечернего платья, и если она умеет кланяться, то лишь потому, что я сам вчера только научил ее это делать. Она предстанет перед вами такой же, какой я ее встретил на улице: без грима, без чулок, в дешевой юбчонке... Итак, перед вами малышка Пиаф.

Я вышла. Объяснение леденящей душу тишине, которая меня встретила, я нашла лишь много лет спустя. То не было выражением какой-то враждебности, а естественной реакцией хорошо воспитанных людей, задававших себе вопрос: не сошел ли внезапно с ума их хозяин?

Людей, которые пришли в кабаре, чтобы развлечься, и были недовольны, когда им напоминали о том, что на земле, совсем рядом с ними, а не где-то за тридевять земель, живут такие девушки, как я, которые недоедают и буквально погибают в нищете. Уж очень не вязалось мое поношенное платьишко и бледное, как у привидения, лицо с роскошной обстановкой вокруг. Не вызывало сомнений, что они обратили тоже на это внимание. Панический страх, о существовании которого еще минуту назад я даже не подозревала, внезапно парализовал меня.

Я бы охотно повернулась и ушла со сцены. Но дело в том, что я не принадлежу к числу тех, кто пасует перед трудностями. Наоборот, они еще более подстегивают меня. В тот момент, когда я уже чувствую себя побежденной, у меня откуда-то берутся новые силы для продолжения борьбы. Я не покинула, стало быть, сцену. Прислонившись к колонне, заложив назад руки и откинув голову, я начала петь:

А у нас, у девчонок, ни кола ни двора,
У верченых-крученых, эх, в кармане дыра.
Хорошо бы девчонке скоротать вечерок,
Хорошо бы девчонку приголубил дружок...

Меня слушали. Мало-помалу мой голос окреп, вернулась уверенность, и я даже рискнула посмотреть в зал. Я увидела внимательные, серьезные лица. Никаких улыбок. Это меня ободрило. Зрители были «в моих руках». Я продолжала петь, и в конце второго куплета, позабыв об осторожности, к которой призывал мой неоконченный свитер, сделала жест, всего один — подняла вверх обе руки. Само по себе это было не плохо, но результат оказался ужасным. Мой шарф, прекрасный шарф Ивонн Балле, соскользнул с плеча и упал к моим ногам.

Я покраснела от стыда. Теперь ведь все узнали, что свитер был с одним рукавом. Слезы навернулись на глаза. Вместо успеха меня ждал полный провал. Сейчас раздастся смех, и я вернусь за кулисы под общий свист...

Никто не рассмеялся. Последовала долгая пауза. Не могу сказать, сколько она длилась, мне она показалась бесконечной. Потом раздались аплодисменты. Были ли они начаты по сигналу Лепле? Не знаю. Но они неслись отовсюду, и никогда еще крики «браво» не звучали для меня такой музыкой. Я пришла в себя. Я боялась худшего, а мне была устроена «бесконечная овация». Я готова была расплакаться.

Внезапно, когда я собиралась объявить вторую песенку, в наступившей тишине раздался чей-то голос:

— А их у малышки, оказывается, полным-полно за пазухой!

Это был Морис Шевалье.

С тех пор мне приходилось слышать разные комплименты, но ни один из них не вспоминаю я с таким удовольствием, как этот.

Но после выступления радость моя погасла. Слишком уж все было хорошо! Я была совсем девчонкой, но жизнь успела надавать мне достаточно пинков и сделала подозрительной. Когда привыкаешь к подзатыльникам, не так-то легко приспособиться к иному отношению. Ясно, что все эти люди лишь посмеялись надо мной. Они аплодировали мне в насмешку...

Лепле успокоил меня. Он сиял.

— Ты их победила,— повторил он.— И так будет завтра и все последующие дни!

Он оказался добрым пророком, и мне не терпится сказать, чем я обязана Лепле. Любовь к песне мне привил, конечно, отец, но певицу из меня сделал Лепле. Певицу, которой было еще чему поучиться, но которой он внушил главное, дал первые и лучшие советы. Я словно и сейчас слышу его.

— Никогда не делай уступок зрителю! Великий секрет заключается в том, чтобы оставаться самим собой. Всегда будь сама собой!

По натуре довольно независимая, я не любила советчиков. Но Лепле относился ко мне так трогательно и тепло, что его поучения никогда не рождали во мне чувство протеста. Довольно скоро я стала звать его просто папой.

Я пела у него каждый вечер. Лепле и его друзья очень ловко делали мне устную рекламу. Меня никто не знал. Мои фотографии никогда не печатались в газетах, и, тем не менее, люди приезжали специально, чтобы послушать меня.

«Джернис» был модным заведением, и я перевидала здесь всех знаменитостей того времени — министров (среди них был один, который плохо кончил), богатых иностранцев, находившихся проездом в Париже, завсегдатаев скачек, банкиров, крупных адвокатов, промышленников, писателей и, разумеется, артистов кино и театра. Как настоящее дитя Парижа, я быстро освоилась со своим новым положением, и, немного опьяненная успехом, искусственный характер которого тогда ускользал от моего внимания, я, всего только неделю назад распевавшая во все горло на улицах, как Мари из романа Эжена Сю «Парижские тайны», находила совершенно естественным то, что каждый вечер мне аплодирует самый пресыщенный зритель столицы.

Разумеется, я не всегда отдавала себе в этом отчет.

Лепле сообщал, например, что в зале находятся Мистенгетт или Фернандель. «Ну и что?» — отвечала я, нисколько этим не взволнованная, и с великолепным и неосознанным апломбом шла петь свои песенки. Абсолютно уверенная в себе, несмотря на слепящий луч прожектора. Если бы я только понимала, сколько мне еще придется учиться, чтобы овладеть той профессией, которой я решила посвятить себя, то потеряла бы голос от волнения и, вместо того чтобы смело выходить перед столь взыскательными судьями, обратилась в бегство...

Но я не заглядывала так далеко и млела от свалившегося на меня счастья. Ведь я была «артисткой» — так, по крайней мере, мне представлялось — и принимала знаки поклонения, которые вознаграждали меня за все былые дни нищеты. Я была счастлива еще и потому — зачем скрывать? — что у меня появилось немного денег. Спустя несколько дней Лепле разрешил мне принимать деньги от публики. После выступления я ходила между столиками. Клиенты были людьми щедрыми, а один из них, сын короля Фуада, однажды вечером вручил мне билет в тысячу франков. Это был если не первый увиденный мною билет такого достоинства, то, во всяком случае, первый, принадлежавший мне лично.

Среди других воспоминаний, относящихся к этому периоду моей жизни, одно особенно дорого мне. Связано оно с приходом в кабаре Жана Мермоза, знаменитого летчика, которого его друзья прозвали Архангелом. Однажды Жан Мермоз пригласил меня за свой столик. Другие делали до него это тоже, но с дерзкой развязностью и безразличием клиентов, у которых карманы набиты деньгами. Эти люди явно желали оказать честь бедной певичке, предоставляя ей возможность поразвлечь их немного. В отличие от них Мермоз сам подошел ко мне и произнес слова, которые я никогда не забуду:

— Сделайте мне удовольствие, мадемуазель, и примите бокал шампанского.

Я смотрела на него с изумлением. Вид у меня был преглупый. Ведь меня впервые назвали «мадемуазель»!

Еще большую радость я испытала через несколько минут, когда Мермоз купил у цветочницы всю корзину цветов для меня одной. Цветы мне дарили тоже впервые!

Вежливость такого человека, как Мермоз, производила тем большее впечатление, что некоторые посетители принимали меня неохотно. Помню одного известного театрального режиссера (я не стану называть его имя), который даже посоветовал Лепле просто-напросто выставить меня за дверь.

— Эта маленькая Пиаф убийственно вульгарна,— сказал он ему.— Если ты ее не выкинешь, клиенты перестанут ходить в твое кабаре!

— Тем хуже для меня! — ответил ему Лепле.— Я, может быть, закрою «Джернис», но не брошу девчонку на произвол судьбы.

Ему пришлось также — но об этом я узнала много позднее — уволить одного из своих администраторов, когда этот человек, испытывавший ко мне неизвестно по каким причинам ненависть, заявил:

— Я или Пиаф, Лепле. Выбирайте!

Лепле любил меня, как отец. Он без устали повторял, что у меня талант. Но, вспоминая сегодня, как я пела тогда, я должна признать, что такое утверждение было довольно спорным. Мое пение интересовало лишь немногих слушателей. Я поняла это после того, как получила свой первый «гонорар» у Жана де Ровера, директора «Комедиа».

В тот вечер Жан де Ровера (его настоящее имя Куртиадес) принимал у себя знатного гостя — министра со свитой. И он решил развлечь своих гостей — показать маленькую певичку, услышанную им накануне в «Джернис», ту самую малышку Пиаф, которую надо было послушать поскорее, пока она не успела вернуться к себе на дно, откуда ее ненадолго извлекли.

Я пришла в своем обычном свитере с круглым воротником, в трикотажной юбчонке. Меня сопровождал аккордеонист. Мои песенки? Мне позволили их спеть, но довольно быстро дали понять, что ждут от меня другого. Я была своеобразным феноменом, любопытным образчиком человеческой породы, приглашенным лишь для того, чтобы позабавить гостей. Они были об этом предупреждены, я сравнительно быстро в этом убедилась.

Стоило мне открыть рот или сделать незаметное движение, как они прыскали от смеха.

— Ну и смешная же она!.. Просто умора!.. Да еще с характером!

Я была для них клоуном. Надо мной смеялись, пусть беззлобно, но с той бессознательной жестокостью, которая заставила меня пережить ужасные минуты.

Прибежав к Лепле вся в слезах, я упала ему на плечо.

— Если бы вы только это видели, папа! Все потешались надо мной... Я ничего, ничего не умею делать. Мне надо еще всему учиться... А я уже вообразила себя артисткой!

Он успокоил меня.

— Раз ты, моя девочка, это почувствовала, тогда все хорошо. Когда сама знаешь, чего тебе не хватает, достичь этого можно всегда. Все зависит от воли и трудолюбия, За тебя я спокоен. Ты своего добьешься.

II

> Как живой, передо мной
> Чужестранец молодой,
> Наша встреча...
> В сигаретном дыму
> Сердце мчалось к нему
> Каждый вечер.

Начав новую жизнь, я, конечно, втайне сознавала, что мне чертовски повезло и что отныне от меня одной зависит не очутиться снова в том жалком состоянии, из которого меня извлек Лепле. Я продолжала встречаться со своими прежними друзьями, но переехала из Бельвиля в одну из гостиниц близ площади Пигаль. Вставала я поздно, но к своей профессии относилась серьезно и вторую половину дня, как правило, проводила у издателей песен. Я уже поняла, что у меня должен быть свой репертуар. Но сделать его было нелегко.

Я не собираюсь дурно отзываться об издателях. У меня среди них немало друзей. И сегодня я должна признать, что они правы, когда проявляют в своем деле большую осторожность. Стоит им увлечься, потерять голову — и они пропали! Вынужденные вкладывать значительные капиталы в издание любой песни, они всякий раз сильно рискуют, ибо не знают заранее, будет ли песня, как бы хороша она ни была, иметь успех. Поэтому они никогда не могут действовать наверняка. У писателя есть свои несколько тысяч читателей, которые купят его новую книгу, едва она поступит в книжный магазин. Отправляя книгу в набор, его издатель уверен: что бы ни случилось, столько-то экземпляров книги он продаст и деньги свои вернет.

С песнями все обстоит иначе. Оставив все надежды, вы устремляетесь в неизвестность. Песенка, которая вызывала сомнения, может стать популярна, а шедевр, на котором строились все коммерческие расчеты,— провалиться. Издатели это знают и потому весьма осторожны. Могу ли я их обвинять сегодня в том, что они не приняли меня с распростертыми объятиями, когда я наносила им свои первые визиты?

Я хотела, чтобы мне дали возможность первой исполнять новые песни. Я слишком многого хотела. Ведь я не записывалась на грампластинки, не выступала на радио и в мюзик-холлах. Мое имя не было известно широким кругам публики. Хорошо было уж то, что мне разрешали петь песенки из репертуара других певцов, если они не оговаривали свое исключительное право на их исполнение.

Сегодня я все это понимаю. Но в те времена осторожная позиция издателей возмущала меня, и нередко хотелось уйти от них, хлопнув дверью. Но я сдерживала себя и, огорченная и удрученная, шла поплакать в жилетку Лепле.

— Они признают меня, когда я ни в ком не буду нуждаться!

— Такова жизнь! — философски отвечал он.— И самое смешное заключается в том, что, когда ты прославишься, десятки из них будут доказывать, что без их помощи ты бы никогда не пробилась!

Утешенная, я улыбалась.

И на другой день с новыми силами отправлялась к издателям...

Чтобы получить песенку, я готова была пойти на что угодно. История с «Чужестранцем» подтверждает это.

Однажды я пришла к издателю Морису Декрюку, в его контору на бульваре Пуассоньер. Он был из тех, кто первым поверил в меня и проявил дружеское участие. Его пианист проигрывал новые песни. Все они мне не нравились. Внезапно появилась очень элегантная блондинка, пришедшая репетировать свою программу. Это была певица Аннет Лажон.

Морис Декрюк представил нас друг другу, и после обычного обмена любезностями я скромно отошла в уголок, предоставив в распоряжение Аннет Лажон пианиста и рояль. Она начала с «Чужестранца»:

Добротой лучился взор,
И в глазах горел костер
Непонятный...

До этого мне не приходилось слышать песни, написанные моим нынешним другом Маргерит Монно. Тогда ее имя было еще мало известно. А это было одно из ранних и лучших ее произведений. С первых же тактов я была потрясена, забыла обо всем — забыла о комнате, в которой нахожусь, забыла о развешанных на ее стенах ярких литографиях, о расставленных ящиках с нотами и даже о самом Декрюке, стоявшем рядом со мной, положив руку на спинку стула. Это было похоже на умопомрачение. Или на классический удар в солнечное сплетение. Простые слова песни выражали мои собственные чувства. Точно такие же или похожие на них слова я произносила в жизни сама. И я понимала, что с подобным текстом смогу быть без особого труда искренней, правдивой и трогательной.

Когда Аннет Лажон кончила, я подошла к ней.

— О мадам!.. Не откажите в любезности исполнить песню еще раз. Это так чудесно!

Без тени подозрения, вероятно польщенная, Аннет Лажон повторила «Чужестранца». Я слушала с пристальным вниманием, стараясь не упустить ни слова, ни звука. Я осмелилась попросить у Аннет Лажон исполнить песню в третий раз, и она опять не отказала мне. Могла ли она подозревать, что за это время я выучу песню наизусть?

Аннот Лажон должна была репетировать и другие песни. Мое настойчивое присутствие могло показаться ей неуместным, и я удалилась. Я забралась в кабинет директора и решила не уходить до тех пор, пока не скажу Морису Декрюку два слова с глазу на глаз. Едва Аннет Лажон ушла, как я бросилась в атаку.

— Декрюк, будьте добры, отдайте мне «Чужестранца»!

Он посмотрел на меня с огорчением.

— Я вас очень люблю, детка, но вы просите невозможного. Почему бы вам не спеть...

Я не дала ему продолжать.

— Нет, мне не нужно никакой другой.

— Но Аннет спела ее впервые всего неделю назад, и она хочет быть некоторое время ее единственной исполнительницей. Это совершенно естественно...

— Я хочу эту песню! К тому же я уже знаю ее!

— Вы знаете ее?

— Мне не хватает двух-трех слов, но я как-нибудь с этим справлюсь.

Декрюк покачал головой.

— Поступайте как хотите! Я вам ничего не давал, я ничего не знаю, ничего не видел и ничего не слышал...

Издатель вел себя честно, но неделю я его изрядно ненавидела.

Вечером, придя в «Джернис», я объявила Лепле, что у меня есть «сенсационная» песня.

Он сказал просто:

— Покажи!

Не без смущения я призналась ему, что не смогла договориться с издателем и даже не располагаю «сокращенным вариантом» этой песни, которую уже так смело называла своей.

— Но я ее знаю и исполню сегодня вечером!

Он заметил, что без нот будет трудно аккомпанировать.

— Не волнуйтесь, папа! — возразила я.— Все устроится.

Я знала, что могу целиком довериться пианисту «Джернис», если мне память не изменяет — Жану Юреме. Достаточно было три или четыре раза напеть ему мелодию, чтобы он подобрал вполне приемлемый аккомпанемент.

И в тот же вечер я спела «Чужестранца».

Я не ошиблась в выборе этого произведения. И хотя песенка была написана не для меня, я верно почувствовала, что она превосходно отвечает моей индивидуальности. Успех был большой... «Чужестранец» надолго остался в моем репертуаре.

Спустя несколько дней Аннет Лажон пришла послушать меня. К счастью, я не знала, что она находится в зале. Мне сказали об этом после выступления. Чрезвычайно смущенная, я пошла поздороваться с ней. Она встретила меня холодно и, должна признать, это было оправданно.

— Вы сердитесь на меня? — спросила я.

Она улыбнулась.

— Нисколько! «Чужестранец» — чудесная песенка. На вашем месте я бы, вероятно, поступила точно так же.

Я глубоко убеждена, что Аннет Лажон сама не верила в свои слова, но, по натуре человек добрый, она решила проявить снисхождение.

И я была искренне рада, когда спустя некоторое время она получила «Гран при» за пластинку «Чужестранец».

Все тому же Лепле я обязана и своим первым участием в гала-концерте в цирке Медрано 17 февраля 1936 года. Я не забыла число.

Этот блестящий по исполнительским силам вечер был организован для сбора средств в пользу вдовы незадолго перед тем скончавшегося великого клоуна Антонэ. Поль Колен нарисовал обложку программки.

Спектакль открывался вступительным словом Марселя Ашара.

На афише были имена всех участников концерта, представлявших кино, театр, цирк и спорт.

Я гордилась тем, что нахожусь в их числе и что мое имя стоит в афише рядом с Шарлем Полиссье и Гарри Пидьсе (по алфавиту) и набрано том же шрифтом, что и имена других моих «коллег» — Мориса Шевалье, Мистенгетт, Прежана, Фернанделя и Мари Дюба.

Меня провожал Лепле. Мы выглядели довольно странной парой: он — высокий, изящный, в костюме от лучшего портного, я — маленькая, типичная парижаночка из района Бельвиль-Менильмонтан в своем свитере и трикотажной юбке.

Выступала я перед самым антрактом. Вышла взволнованная — ведь это было мое первое выступление перед зрителем «больших премьер»! — но исполненная решимости петь как можно лучше, чтобы оказаться достойной той чести, которую мне оказали, пригласив участвовать в таком концерте. Дебют оказался вполне удачным.

Лепле поцеловал меня, когда я выходила с арены.

— Ты совсем маленькая,— сказал он мне,— но большие помещения отлично подходят тебе.

Послушная добрым советам, я много работала и делала изрядные успехи. На это обратили внимание. Меня стали замечать в нашей среде. Я записала у «Полидора» свою первую грампластинку — «Чужестранца»,— и на нотах этой песенки моя фотография — кстати, ужасная — соседствовала с Аннет Лажон и Дамиа. Директора мюзик-холлов меня еще не знали, хотя я уже дебютировала на радио. После первого же выступления там я подписала с «Радио-Сите» контракт на десять недель.

Жак Буржа — мой добрый Жако, о котором я еще скажу,— впервые подарил мне песню, предназначенную специально для меня. На слова его прекрасной поэмы «Песня одежд» композитор Аккерман написал музыку. Я чувствовала, что нахожусь на пути к успеху, мною руководили верные друзья, я была счастлива.

— А ведь это только начало,— сказал мне однажды Лепле.— Через три недели мы выступаем в Канне, ты будешь петь на балу — в пользу «Детских кроваток»*.

---

* «Детские кроватки» (фр.) — ежегодное благотворительное мероприятие, сбор средств от которого поступает в пользу детей-инвалидов. — Примеч. перев.

III

Он застонал и упал ничком
С маленькой дыркой над виском.
Браунинг, браунинг...
Игрушка мала и мила на вид,
Но он на полу бездыханный лежит.
Браунинг, браунинг...
Из маленькой дырки в конце ствола
Появляется смерть, мала и мила.
Браунинг, браунинг...

Лепле, радовавшийся возможности повезти меня в Канн и показать красоты не знакомого мне еще Лазурного берега, строил радужные планы. А над нами уже собирались грозовые тучи.

Предчувствовал ли он, что его дни сочтены? Думаю, да.

— Моя маленькая Пиаф,— сказал он однажды.— Мне сегодня приснился страшный сон. Я увидел свою бедную мать, она мне сказала: «Знаешь, Луи, час пробил. Готовься. Я скоро приду за тобой».

Я посоветовала ему не верить снам. На это он сказал:

— Может быть, детка. Но это не простой сон... Я ведь видел маму, понимаешь? Она меня ждет. Я чувствую, что умру. Меня огорчает лишь то, что ты останешься одна, а ты еще нуждаешься во мне. Тебе будут чинить зло, а меня не будет рядом, чтобы отводить удары.

Я ему сказала, что не хочу и слышать такие слова, что в Канне его мрачные мысли рассеются, и мы снова заговорили о предстоящих концертах. А потом я и вовсе позабыла об этом разговоре.

Прошла неделя. 6 апреля, в час ночи, я поцеловала папу Лепле перед уходом из «Джернис». Он напомнил мне, что завтра нужно быть в форме перед выступлением в «Мюзикхолле молодых», открытой передаче «Радио-Сите» из зала Плейель, и что я должна заехать за ним в десять утра, чтобы совершить небольшую прогулку в Булонский лес.

— Стало быть,— заключил он,— ложись пораньше! Я лицемерно ответила, что иду домой, и без всяких угрызений совести удрала на Монмартр к товарищам, ждавшим меня, чтобы отметить уход одного из них в армию. Наша небольшая компания провела веселую ночь в кабачке на площади Пигаль, и лишь в восемь часов утра я впервые подумала о том, что надо бы лечь в постель. Рассчитывая немного поспать, я решила позвонить Лепле и попросить его отменить нашу встречу.

— Алло, папа? — спросила я.

— Да.

— Вы не сердитесь, что я беспокою вас так рано? Но я не спала всю ночь — я вам объясню почему — и сейчас умираю от усталости. Поэтому, если вы ничего не имеете против, мы нашу встречу на десять часов пе...

Я не успела договорить — суровый голос прервал меня:

— Немедленно приезжайте! Сейчас же!

— Еду.

Мне и в голову не пришло, что я говорила не с Лепле. Меня поразило другое: папа не обратился ко мне на «ты», он был сердит. Я не спала и плохо выступлю в зале Плейель. Но раз он желает меня видеть, нечего и размышлять. Я вскочила в такси и поехала к Лепле на авеню Гранд-Арме.

Перед домом стояла небольшая толпа, удерживаемая кордоном полицейских. Это было странно, и я начала беспокоиться. По счастью, Лепле был не единственным жильцом в этом доме. Я назвалась инспектору, стоявшему при входе. Он пропустил меня, и я вместе с каким-то мужчиной вошла в лифт.

— Вы и есть малышка Пиаф? — спросил он меня, пока кабина ползла вверх.

— Да.

Думая, что имею дело с журналистом, собирающимся взять у меня интервью, я ждала новых вопросов. Они не последовали. Человек лишь пристально наблюдал за мной, словно желая запомнить навсегда. Так мы поднялись до этажа Лепле, не сказав ни слова.

Дверь в его квартиру была раскрыта. В коридоре перешептывались незнакомые люди. Была здесь и Лора Жарни, кельнерша из «Джернис». Она сидела в кресле вся в слезах. От нее-то я и узнала страшную весть:

— Какой ужас! Луи убит!

Трудно, не впадая в литературные штампы, выразить словами то, что я тогда почувствовала. Как передать ощущение полной пустоты, нереальности, охватившее меня в течение одной секунды и сделавшее безразличной и бесчувственной, будто чуждой окружающему миру? Кругом входили и выходили люди. Они говорили со мной, но я им не отвечала. Я была словно живым трупом.

Не произнося ни слова,— мне потом это рассказали,— с застывшим взглядом загипнотизированного человека и вялой походкой сомнамбулы я направилась к комнате Лепле. Он лежал на постели. Поразившая его пуля прошла через глаз, но не обезобразила лицо...

Рыдая, я упала на постель...

Начались ужасные дни.

Мне хотелось запереться дома, никого не видеть, чтобы поплакать в одиночестве. Хотелось остаться наедине со своим горем.

Но я забывала о том, что следствие продолжалось. Лепле умер при таинственных обстоятельствах. Не зная, какой версии придерживаться, комиссар Гийом решил выслушать всех, кто в какой бы то ни было мере был связан с директором «Джернис», — его друзей, служащих кабаре, артистов, завсегдатаев, всех... вплоть до актера Филиппа Эриа, который в то время и не думал, что станет позднее известным писателем и самым фотогеничным из членов Гонкуровской академии.

Я провела много часов в уголовном розыске, в каком-то мрачном кабинете; инспектора задавали мне тысячу вопросов, повторяя, что это не допрос, а дача показаний. Меня не подозревали в убийстве Лепле, но полицию интересовало, не была ли я соучастницей в этом деле. Вечером мною «занялся» сам комиссар Гийом. Ему не понадобилось и часа, чтобы отослать меня домой. Однако меня «просили» — настолько это было важно — находиться в распоряжении полиции.

Я вышла на набережную Орфевр усталая до потери сознания. Однако мне захотелось пройтись, и ноги сами привели меня к «Джернис». Заведение было, конечно, закрыто. Но некоторые служащие были там — официанты, метрдотели, цветочница и несколько артистов. Один из них — предпочитаю не называть его имя — с усмешкой сказал мне:

— Твой покровитель умер. С твоим талантом ты скоро снова будешь петь на улице.

Травля началась. Ужасная, гадкая. У сердечного, доброго и щедрого человека, каким был Лепле, в Париже было немало обязанных ему людей. Они даже не пришли на его похороны. Число моих собственных друзей тоже уменьшилось.

Я была замешана в скандале, обо мне писали страшные вещи, лучше было отныне меня игнорировать. Поэтому я не забуду никого в коротком списке людей, поддержавших меня в те ужасные дни, хотя нахожу в нем лишь Жака Буржа, аккордеониста Жюэля, Ж.-Н. Канетти, уже тогда верную мою Маргерит Монно, Раймона Ассо, с которым я только недавно познакомилась, и белокурую певицу Жермен Жильбер, мою товарку по «Джернис».

Я больше не ходила в уголовный розыск, но следствие не кончилось, и дело это, прекращенное лишь много месяцев спустя, подробно освещалось в печати. Любители сенсаций получали полное удовольствие. Поскольку же необходимой информации, вполне естественно, не хватало, репортеры, эти превосходные специалисты в жанре литературной фантастики, придумывали их сами. С дрожью разворачивала я теперь газеты, страшась найти там новые гнусности о покойном друге или о себе самой.

Мое горе? Кому до него было дело! Главное заключалось в том, чтобы ежедневно давать пищу читателю, жаждущему скандала. Эта драма превращалась под пером борзописцев в трагический роман с продолжением, героиней которого — и, вероятно, весьма колоритной, но явно антипатичной — была я. Хотя никто не утверждал этого прямо, газеты были полны намеков относительно того, что я могла быть соучастницей убийц, если не прямой подстрекательницей преступления. Со мной не очень церемонились. Когда-то я мечтала увидеть свое имя в газетах. Теперь я его видела даже слишком часто!

Будь у меня деньги, я удрала бы на другой конец света. Но у меня их было мало. А те, что были отложены, быстро иссякли, поэтому я решила возобновить свои выступления. «Джернис» закрылся и, вероятно, навсегда. Но предложений было немало. Спекулируя на любопытстве зрителя и зная также, что я не могу претендовать на особые условия, директора многих кабаре охотно приглашали меня к себе. Оставалось лишь выбирать.

Я возобновила свои выступления в «Одетт», на площади Пигаль. Этот вечер я тоже буду помнить всю жизнь. В зале была ледяная, удручающая тишина. Никакой реакции. Ни свистков, ни аплодисментов. Я пела, но никто не обращал внимания на слова моих песен. Если бы я внезапно запела псалмы, думаю, никто бы тоже этого не заметил. Сюда пришли не для того, чтобы послушать певицу, а чтобы увидеть женщину, связанную с «делом Лепле». Я чувствовала на себе взгляды присутствующих и представляла, какими фразами они обмениваются, попивая шампанское:

— Разве вы не знаете, что она находилась под сильным подозрением? Ведь она пробыла в полиции сорок восемь часов...

— Нет дыма без огня...

— Да и никто не знает, кто она такая и откуда взялась. Ведь такой и фамилии — «Пиаф» — нет вовсе.

И с этим устрашающим молчанием я сталкивалась каждый вечер. Меня начинало интересовать, не превратилось ли в моду приходить в «Одетт» не для того, чтобы «аплодировать», а чтобы проучить маленькую певичку, вознамерившуюся продолжать работу, несмотря на скандал, в котором она была замешана. Однажды после первой песенки в зале кто-то свистнул. Я чуть не заплакала. Тогда за одним из столиков поднялся высокий, респектабельного вида мужчина лет шестидесяти и спросил:

— Почему вы свистите, сударь?

Тот усмехнулся:

— Разве вы не читаете газет?

— Читаю. Только я не берусь судить своих соотечественников. Если они находятся на свободе, значит, полагаю, они ни в чем не виновны. Если же они виноваты в чем-то, пусть правосудие воздаст им по заслугам. Сейчас одно из двух: либо певица, которую вы слышали, плоха, либо хороша. Если она плоха, сохраняйте тишину! В кабаре не свистят. Если она хороша — аплодируйте, не раздумывая над ее частной жизнью,— она вас не касается.

С этими словами мой галантный защитник сел. За некоторыми столиками зааплодировали. Сначала в его адрес. В мой — затем, когда он демонстративно присоединил свои хлопки к тем, что раздавались в зале.

Счастливый оборот, который приняли события, приободрил меня, но я отказалась продлить контракт, когда срок его истек. Ж.-Н. Канетти, чье дружеское участие в это трудное время было мне особенно дорого, организовал мои выступления в кинотеатрах рабочих районов. Я представляла там живой аттракцион. Принимали меня по-разному. Но я была упряма. Часть зрителей, приходивших послушать песни и получить их за свои денежки, поддерживали меня, и я всюду выступала с полной программой.

Но этот бой надо было всякий раз начинать сызнова, и он изматывал меня, Париж стал внушать мне ужас.

Импресарио Ломброзо подписал со мной контракт на гастроли по провинции. Я долго прожила в Ницце, где выступала в кабаре «Буат а Витесс», руководимом Скаржинским. Здесь мне было хорошо. Клиенты либо вовсе ничего, либо очень мало знали о деле Ленде, ибо газеты Побережья сообщали о нем скупо. Но мое материальное положение было не блестящим. Когда ночью, после концерта, я заходила что-либо поесть в «Нэгр», в пассаже Эмиль-Нэгрен, мне нередко приходилось брать тарелку макарон вместо слишком дорогого для меня бифштекса.

Когда вечно не хватает денег, это, конечно, не очень приятно, но не такая уж беда. Хуже, если теряешь вкус к жизни. Я переживала тогда именно такой кризис. С Лепле я потеряла все: и необходимого в моей жизни советчика и в особенности — привязанность, которую ничто не могло восполнить.

Наша встреча произошла по воле провидения, в то время он как раз тяжело переживал смерть любимой матери. Семьи у него не было, не было и друзей, хотя он знал весь Париж. Лепле вел блестящий, бурный, веселый образ жизни и был одинок. Я тогда тоже похоронила свою двухлетнюю дочь Марселлу, умершую от менингита. Одиночество сблизило нас.

В первый же наш совместный выезд в город мы отправились на кладбище Тиэ, где покоились его мать и моя дочка.

— Это они,— сказал он мне,— пожелали, чтобы мы встретились и не были одиноки...

Лепле умер. Что мне осталось? Я тщетно задавала себе этот вопрос. Любовь? Я как раз находилась под тяжестью одного разочарования, которое вызывало лишь мысли о самоубийстве. Работа? Она меня больше не интересовала. За многие недели я не разучила ни одной новой песни, я больше не репетировала, ничего не хотела делать. Усталая, потерявшая надежду, силы и волю, я чувствовала, что «качусь в пропасть». День, когда я снова стану уличной певицей, предсказанный мне после смерти Лепле, был явно не за горами...

По окончании срока контракта в Ницце я вернулась в Париж. На следующий день позвонила Раймону Ассо.

— Раймон, ты не хотел бы заняться моими делами?

— И ты еще спрашиваешь? — сказал он таким тоном, что у меня радостно забилось сердце.— Я жду этой минуты уже год. Бери такси и приезжай.

Я была спасена.

IV

Я ничего и не знаю о нем...
Ночку одну провела с пареньком
Из Легиона.

Утром ушел мой милый дружок,
А над притихшей землею восток
Алел влюбленно.

Славно и сладко было мне с ним,
С ладным и статным солдатом моим
Из Легиона.

Был он ветрами пустынь опален.
В душу глазами горячими он
Глядел влюбленно.

Я познакомилась с Раймоном Ассо у издателя Миларского, когда еще пела у Лепле. Как-то раз находившийся у него господин сел за рояль и попросил меня послушать песенку. С искренностью простушки, которая не умеет скрывать свои мысли, я заявила, что слова мне нравятся, а музыка — нет. Я не знала, что за роялем сидел сам композитор.

Он был достаточно тактичен, чтобы не сказать мне об этом, и достаточно умен, чтобы с улыбкой заметить:

— В таком случае можете поздравить автора текста. Это он сидит на диване...

То был Раймон Ассо. Длинный, худой, нервный с очень черными волосами и загорелым лицом, он с бесстрастным видом смотрел на меня, внутренне наслаждаясь комизмом этой сцены. Затем встал, мы поболтали с минуту, сразу почувствовав друг к другу симпатию, и у меня, сама не знаю отчего, появилось убеждение, что мы скоро увидимся снова.

И не ошиблась. Три дня спустя, когда я без дела бродила по своей комнате в гостинице Пиккадили на улице Пигаль, меня позвали к телефону. Говорил друг, служивший посыльным в большом отеле на площади Бланш.

— Я тут с приятелем, который видел тебя у одного издателя. Он страшно взволнован и хочет с тобой поговорить. Передаю ему трубку.

Я узнала его голос тотчас. Впрочем, уже с первых слов моего друга посыльного я поняла, что речь идет о Раймоне Ассо. Он объяснил, что хотел бы писать для меня тексты песен, и закончил приглашением пообедать. Я дала согласие на завтра.

Так в мою жизнь вошел Раймон Ассо...

Я вернулась в Париж потерянная, сломленная, во всем сомневающаяся, даже в себе самой. Раймон Ассо постарался в первую очередь сделать все, чтобы я вновь обрела веру в свои силы. На меня клеветали, меня оскорбляли, обливали грязью? Ну и что из того? Но я первая, не я последняя испытала на себе такой сильный удар! Нужно закалить свою волю, напрячь все мускулы и драться. Мы будем драться!

И Раймон Ассо дрался за меня с таким пылом и упорством, что невольно вызывал чувство восхищения. Он совершенно справедливо считал, что сделать карьеру в кабаре певица не может и что по-настоящему ее талант проявляется лишь на сцене мюзик-холла, в прямом контакте с массой зрителей.

Только там можно убедиться в своих ошибках, недостатках и, оценив их, сделать шаг вперед. Между тем я продолжала петь в кабаре, возобновила выступления по радио, где моим могущественным союзником стал художественный руководитель «Радио-Сите» Ж.-Н. Канетти. Но мне надо было непременно пробиться в «АВС». Однако Митти Гольдин, в дальнейшем мой большой друг, и слышать не хотел моего имени. Он был упрям.

Я его не интересовала, и он ни за что не желал меня приглашать к себе. Ассо взял его измором. Он ежедневно приходил в директорский кабинет на бульваре Пуассоньер. Гольдин выставлял его за дверь. Тот приходил снова. Первым сдался Гольдин. Чтобы не видеть больше моего ходатая в своей приемной, он подписал со мной первый контракт на выступление в мюзик-холле. Упрекнут ли меня в нескромности, если я добавлю, что он потом не жалел об этом?

Печать снова заговорила обо мне. На сей раз доброжелательно. Мне хочется привести здесь строки, написанные в «Энтрансижан» ныне покойным и уже забытым Морисом Верном:

«Малышка Пиаф — печальный и необузданный ангел народного бала. Все в ней дышит предместьем. За исключением одежды, напоминающей стиль 1900 года. Перед нами чудесным образом воскрешенная прическа певицы Клодин, отложной воротничок, черное платье, похожее на школьную форму. Малышка Пиаф обладает талантом. Когда ее слушаешь, невольно представляешь себе внутренний двор жилого дома, в котором гулко и громко разносится голос уличной певицы. Репертуар малышки Пиаф — как это трудно, господи! — еще литературно не отшлифован, ей нужны специально для нее написанные, реалистические песни, отражающие повседневную жизнь такого района, как ла Виллет, прокопченного дымом заводских труб и со звуками радио из соседнего бистро».

Такие специально для меня предназначенные песни стал сочинять Раймон Ассо. Очень непосредственные, искренние, без литературщины и, по счастливому выражению Пьера

Пежеля, «приветливые, как рукопожатие». Эти качества сообщили так называемой (и напрасно) «реалистической» песне новый стиль. Ассо предпочитает «реализму» слово «веризм». Термин значения не имеет. Важно то, что творчество Раймона Ассо отразилось на французской песне в «определенный момент ее истории». Оно направило ее развитие по новому пути и оказало глубокое воздействие на тех, кто шел за ним по пятам,— Анри Копте и Мишеля Эмера.

«Я сам связал себя следующими обязательствами,— пишет Ассо в предисловии к сборнику «Песни без музыки».

1. Никогда не писать, если мне нечего сказать.

2. А если уж пишу, стараться говорить лишь человечные, правдивые вещи, вкладывая в них как можно больше чистоты.

3. Писать как можно проще, чтобы быть доступным всем».

Перечитайте его песни! «Париж — Средиземноморье», «Она ходила на улицу Пигаль», «Я не знаю ее конца», «Большое путешествие бедного негра», «Молодой человек пел» и другие... Они полностью отвечают этим трем обязательствам.

Поэтому они были и останутся шедеврами. Ведь Раймон Ассо — большой поэт.

Одна из его лучших песен, «Мой легионер», была подсказана ему историей из моей жизни.

Это не столько история, сколько — воспоминание.

Мне было семнадцать лет. Прошло уже много месяцев с тех пор, как, стремясь быть совершенно свободной, я бросила отца, с которым проработала все свое детство на площадях городов и сел. После многих и несчастливых происшествий я вообразила себя — да-да, не удивляйтесь! — директрисой бродячей труппы. О, труппа была невелика! Всего трое артистов, приблизительно одного возраста: цирковой акробат Камиль Рибон, не имевший себе равных в балансе на больших пальцах на краю стола, Нинетт, его «жена» и ассистентка, и я. Пела я тогда под псевдонимом «Мисс Эдит». Почему «Мисс»? Просто я считала, что так «лучше звучит». Злоупотребление на эстраде иностранными именами никогда не считалось пороком.

Мы давали представления в казармах. В этом смысле я шла по стопам отца. Самое трудное заключалось в том, чтобы попасть на прием к генералу и добиться у него согласия показать солдатам «развлекательное представление». Отказывали редко. Тогда оставалось лишь уточнить у полковника дату и место выступления. В девяти случаях из десяти он говорил: «Завтра в столовой, после обеда».

В тот день мы работали в казарме Лила, у ребят из колониальных войск. Я была «в кассе», то есть стояла в дверях, получая со зрителей по двадцать су за место. Понемногу кованая коробочка в моих руках стала заполняться монетами. Как вдруг ко мне подошел красивый блондин и заявил, что денег на билет у него нет, но что он, если меня это устраивает, готов расплатиться поцелуем.

Притворившись оскорбленной, я взглянула на него. Парень был не очень высок, но крепко сшит. Пилотка на затылке. Небрежно одетый, с сигаретой, прилипшей к губе. Красивое лицо и великолепные голубые глаза.

— Ну так что же? — спрашивает он. Я разрешаю ему пройти и говорю:

— А о поцелуе поговорим потом, если будете себя прилично вести.

В тот день я пела только для него.

После концерта он сделал вид, что не узнает меня. Тогда я ушла с достойным и безразличным видом...

Он догнал меня на полковом дворе. Поцеловал меня при луне, взял за руки и стал говорить, говорить, говорить... Когда проиграли зорю, мы все еще были вместе.

Прощаясь, он сказал:

— Меня зовут Альбер С., я служу во второй роте. Приходи ко мне завтра в семь!

Окрыленная любовью, я возвращалась домой пешком и пела всю дорогу. Позабыв о нищете, я считала, что стою на пороге счастья, и предавалась мечтам.

Назавтра в семь часов вечера я была в казарме. Там мне сказали, что Альбер на гауптвахте.

— Что он сделал?

— Подрался в казарме. Да вы не горюйте! Этот парень хорошо знаком с тюремной камерой! Он такой драчун, что почти не выходит оттуда...

Я была потрясена.

— И его нельзя повидать хотя бы на минуту?

Вид у меня был такой просительный, что сержант, узнав во мне вчерашнюю певицу, сжалился.

— Мы приведем его сюда только для вас...

Спустя несколько минут он вошел под конвоем двух вооруженных солдат. В своем несчастье Альбер казался мне еще красивее. Не обратив на меня никакого внимания и прямо подойдя к начальнику гауптвахты, он спросил:

— Как вы полагаете, сержант, сколько мне дадут?

— Завтра узнаем. Учитывая твои прошлые «заслуги», это пахнет тремя неделями минимум.

Он сказал «а!» и только тут, повернув голову, удостоил меня своим вниманием.

— Это ты? Я не думал, что ты придешь. Чего тебе нужно?

Я ждала иного приема. Он это понял по моему изумленному виду. Его взгляд смягчился, и рука легла мне на плечо. Затем он сказал несколько ласковых слов, и я ушла утешенная.

После того как он отбыл наказание, мы встретились снова. Чтобы повидать меня, он перелезал через стену казармы. Строя планы на будущее, Альбер отводил в них место и мне.

Пришлось набраться смелости и признаться, что я вовсе не собираюсь соединить с ним свою жизнь. Это известие было принято, как я того и опасалась, очень скверно.

— Даю тебе подумать до завтра,— сказал он мне на прощание.

Он требовал невозможного. И на другой день я попыталась убедить его в этом. Он выслушал меня, затем, не говоря ни слова, взял мою голову в свои руки, пристально посмотрел прямо в глаза, наклонился ко мне, затем резко отстранился и ушел. Больше я его не видела. Он оставил меня в слезах, оплакивающей только что обретенное и тут же утерянное счастье.

Три месяца спустя друзья сообщили мне о его смерти в колониях.

Этот вот дешевенький роман Раймон Ассо и использовал, когда писал «Моего легионера».

Прошло много лет. Я была уже не мисс Эдит, а Пиаф и пела в «Фоли Бельвиль», неудобном, но очень симпатичном народном театре, о превращении которого в заурядный современный кинотеатр многие из нас весьма сожалели. Морис Шевалье не даст мне солгать: именно сюда еще мальчишкой он приходил с матерью, чтобы аплодировать с галереи Майолю, Жоржель или Полон.

После концерта я выходила из театра с друзьями. В дверях ко мне подошел мужчина в кепке. Очевидно, парень из этого района. Недурно одетый, еще молодой, но рано располневший и с несколько обрюзгшим лицом. Кивнув мне и не снимая головного убора, он сказал:

— Привет!

Немного удивленная, я ответила четким «Здравствуйте, сударь». Он усмехнулся.

— «Сударь»? Ты меня не узнаешь? Бебер из колониальных...

Это был мой легионер! Оказывается, он не умер. И как же сильно отличался от того идеализированного солдата, которым мне запомнился. Пораженная, я что-то пробормотала. А он сказал:

— А ты, оказывается, кое-чего добилась! Теперь ты на коне!.. Можешь сказать, что тебе повезло...

Я не знала, что ответить, К счастью, он заметил, что отошедшие из деликатности друзья ждут меня.

— Иди же к этим господам,— сказал он.— Я был очень рад увидеть тебя снова.

И я ушла.

Немного грустная, но все же счастливая при мысли, что он не узнал себя в легионере из песенки.

Тот герой действительно умер.

Тот, которого я любила.

Хотя Раймон Ассо и Маргерит Монно написали «Моего легионера» для меня, первой исполнила эту песню не я.

Об этом стоит рассказать тоже, ибо история эта лишний раз доказывает, что содеянное зло не остается безнаказанным. Я украла «Чужестранца» у Аннет Лажон. У меня похитили «Моего легионера». Правосудие свершилось.

Однажды я завтракала у друзей. Заговорили о Мари Дюба.

— Я слышала ее вчера в «Бобино», — сказал кто-то. — У нее потрясающая новая песенка.

— Как она называется?

— «Мой легионер».

Я так и подскочила на своем стуле.

— Ведь это же моя песня! Я работаю над ней уже три недели. Ну нет, это так просто не пройдет! Проглотив кофе, я побежала искать Ассо.

— Что я узнала? Ты отдал «Легионера» Мари Дюба? Он протестует.

— Ничуть не бывало! Но песня, кажется, не очень нравилась тебе, и Декрюк, вероятно, предложил ее Дюба...

Морис Декрюк купил «Легионера» для издания. Бегу к нему, полная решимости высказать самым решительным образом все, что я обо всем этом думаю. Он прерывает меня на полуслове.

— Я никогда не показывал «Легионера» Мари Дюба. Вероятно, это сделала Маргерит Монно.

Бегу к Маргерит. Возмущенная, она вопит о своей невиновности.

— Это не я, а Ассо.

Круг замкнулся. Так я никогда и не узнала, от кого Мари Дюба получила мою песню. Я «отомстила» ей, перехватив позднее у нее «Вымпел легиона», написанный также Раймоном Ассо и Маргерит Монно.

> О-ля-ля-ля-ля, история какая!
> Тридцать солдат в бастионе сидят,
> Сидят, загорая, о драке мечтая,
> И булькает во фляжках вино у ребят,
> И в ранцах сухари да патроны лежат,
> О-ля-ля-ля-ля, история какая!
> Над бастионом, где солдаты сидят,
> Реет в синем небе слава боевая
> Да, с бродягой-ветром поспорить рад,
> Вымпел легиона смотрит на солдат.

Мари Дюба упрекнула меня однажды в этой... неделикатности. Я заметила ей, что теперь мы квиты. И мы стали лучшими в мире друзьями.

Я много раз повторяла — а теперь мне очень приятно написать об этом,— чем я обязана Мари Дюба. Она была для меня образцом, примером, которому я стремилась следовать. Это она раскрыла мне глаза на то, что такое подлинный артист — исполнитель песни.

В то время я еще пела в «Джернис». Избалованная Лепле, дружеским расположением и похвалами завсегдатаев кабаре, я была весьма высокого мнения о своих талантах. Это, в общем, простительно, ибо благодаря поистине чудесным событиям в моей жизни произошли большие перемены. Надо признать, впрочем, я была действительно невыносимой особой. То, что Митти Гольдин долгое время отказывался пригласить меня в «АВС», объяснялось очень просто: он запомнил нашу первую встречу. Я была вызвана к нему на четыре часа дня, а пришла с опозданием на сорок пять минут и, разыгрывая из себя звезду, стала диктовать свои условия — баснословный гонорар, привилегированное место на афише, исполнение минимум двенадцати песен и т. д. В то время как работала я на эстраде всего два года!

Я была именно такой вот самодовольной девчонкой, когда однажды вечером Раймон Ассо отвез меня в «АВС». Как я потом узнала, у него был свой план.

Звездой программы была Мари Дюба. Она вышла на сцену легкая, улыбающаяся, очаровательная, в белом платье, и я тотчас убедилась, что передо мной настоящая артистка. Меня ошеломило многообразие ее таланта. Она с поразительной легкостью переходила от комического к драматическому, от трагического к шутке. После разрывавшей сердце «Молитвы Шарлотты» Мари Дюба пела невероятно забавную песенку «Педро».

Едва выйдя на сцену, она уже держала в руках зрителя и не отпускала его до самого конца. Не имея представления о том, что такое настоящая работа над текстом и музыкой, я понемногу начала отдавать себе отчет, что в этом блестящем выступлении не было ничего случайного, никакой импровизации. Все мимика, жесты, движения, интонации — все решительно было тщательно отработано! Женщина, которая любит, хочет быть красивой ради любимого. Ради своего зрителя Мари стремилась быть идеальной.

Когда она кончила, глаза у меня были влажные, я даже забыла аплодировать. Недвижимая, молчаливая, подавленная тем, что я увидела и открыла для себя за эти полчаса, я словно во сне услышала Ассо.

— Теперь ты знаешь, что такое настоящая артистка? В течение двух недель утром и вечером я ходила на все концерты Мари Дюба. Для меня это были самые лучшие уроки мастерства.

И сегодня я по-прежнему восхищаюсь Мари Дюба.

Она навсегда останется для меня «великой Мари».

Несколько лет назад я встретила ее в Метце, где мы выступали на разных площадках. Во время разговора она заметила, что я обращаюсь к ней на «вы».

— Разве мы с тобой не на «ты», Эдит?

— Нет, Мари,— ответила я.— Я слишком вами восхищаюсь. Что-то для меня померкнет, если я стану говорить вам «ты»...

V

Ах, папа, мое сердце — в огне!
Жан-Батист Шопен, —
он представился мне.
Ездит он в автомобиле,
А живет в Бельвиле.

Брюан

Несколько лет назад по дороге в Париж я остановилась позавтракать в Брив-ла-Гайард. Хозяин ресторана, шестидесятилетний, цветущего вида весельчак, встретил меня, как старого друга. Я никак не могла его вспомнить, и тогда он пояснил, что был когда-то метрдотелем в «Либертис», знаменитом кабачке на площади Бланш, где он меня и видел «сразу же после войны». Но не последней, а той, 1914 года.

Я быстро подсчитала, что мне было тогда пять-шесть лет, не более. Добряк явно путал меня с малышкой Муано, ставшей затем мадам Бенитец-Рейкзах.

Вспоминаю я об этом потому, что мне не доставляет никакого удовольствия, когда в моем еще отнюдь не преклонном возрасте меня принимают за предка.

Я родилась 19 декабря 1915 года, в пять утра, в Париже, на улице Бельвиль. Точнее говоря, перед домом № 72. Когда начались схватки, моя мать спустилась вниз, чтобы здесь дожидаться «скорой помощи», за которой побежал отец. Когда же карета приехала, я уже появилась на свет божий. Стало быть, я могу сказать, что родилась на улице. И хотя это уже само по себе довольно необычно, добавлю не менее колоритную деталь: в качестве акушерок при родах были... двое дежурных полицейских, два милейших блюстителя порядка, совершавших обход и привлеченных стонами моей матери, оказались на высоте положения.

Меня нарекли двумя именами — Джованной, которое мне никогда не нравилось, и Эдит. Эдит — потому что накануне газеты много писали о смерти героической мисс Эдит Кавелл, английской санитарки, расстрелянной немцами в Бельгии.

Моя мать называла себя Лин Марса, хотя ее настоящая фамилия была Майяр. Ее родители были артистами маленького бродячего цирка в Алжире, и девочка унаследовала профессию отца. Приехав в Париж, чтобы стать «артисткой», она выступала в кафе, исполняя популярные в народе песни «быта». Я всегда считала, что судьба позволила мне осуществить то, чего не удалось добиться ей, не потому, что у нее не было таланта, просто ей не улыбнулось счастье.

Отец мой, Луи Гассион, был акробатом. Человек необыкновенно талантливый, обладавший поразительной ловкостью и гибкостью, он выступал то в цирках, то на городских площадях, явно предпочитая работу на открытом воздухе. Всякая дисциплина вызывала в нем чувство протеста, даже когда она не очень, в общем, стесняла его.

Он любил жизнь во всех ее проявлениях и считал, что вкусить ее сполна можно лишь в условиях полной независимости. Поэтому мой отец всячески старался быть сам себе хозяином, идти влево или направо, куда вздумается, не подчиняясь ничьим приказам. Раскатав свой старый ковер на тротуаре, в бистро или в казарменной столовой, то есть в избранном им самим себе и им самим назначенный час, он показывал свой «номер», чувствуя себя свободным и счастливым. А поскольку был он человеком далеко не глупым, жизнь его складывалась весьма приятно.

Мать оставила его вскоре после моего рождения. Он поручил меня заботам двух моих бабок, живших в провинции. Лишь когда мне исполнилось семь лет, он взял меня с собой.

В тот момент он как раз подписал контракт с цирком Кароли, совершавшим турне по Бельгии. Жили мы в «караване». Я занималась хозяйством, мыла посуду. Мне было нелегко. Но эта жизнь с вечно меняющимся горизонтом пришлась мне по душе, и я с восторгом приобщалась к незнакомому быту бродячей труппы и ее обычным атрибутам — к звукам оркестра, обсыпанным блестками костюмам клоунов и красным туникам дрессировщиков.

Но вскоре папа Гассион поссорился с Кароли, снова обрел свою дорогую свободу, и мы вернулись во Францию. Разъезжали мы по-прежнему, только спали не в вагончике, а в гостинице да отец был сам себе хозяином. И моим, разумеется, тоже. Он расстилал на земле коврик, зазывал публику, а затем показывал помер, который, будь он несколько отшлифован, мог бы по достоинству занять место в программе цирка Медрано. Потом, указывая на меня, он обычно говорил:

— Теперь девочка обойдет вас с тарелкой. А затем, чтобы вас отблагодарить, она сделает опасный прыжок!

С тарелкой я обходила, а прыжок никогда не делала. Однажды в Форж-ле-Зо кто-то из зрителей запротестовал. Его поддержали остальные, также недовольные тем, что бродячие акробаты не выполняют обещание. Человек весьма находчивый, мой отец объяснил, что я еще не поправилась после гриппа и очень слаба.

— Неужели вы хотите, чтобы ребенок сломал себе шею ради вашего удовольствия? — добавил он.— Но поскольку я был неправ и по привычке объявил ее номер, который, надо вам сказать, она выполняет играючи, а сегодня сделать не способна, она вам споет.

До сих пор я никогда в жизни не пела и не знала никаких песен. Разве что «Марсельезу». Да и то один припев!

Тем не менее смело, своим слабым и тоненьким голоском, я запела «Марсельезу».

Собравшиеся были тронуты и зааплодировали.

Незаметно подмигнув мне, отец велел обойти зрителей по второму кругу. Сбор оказался двойным.

Отец мой был из тех людей, которые умеют делать выводы из происшедшего. Едва скатав свой ковер, он уже решил, что отныне я буду петь в конце программы.

И в тот же вечер я стала разучивать «Китайские ночи», «Вот мое сердце» и другие запетые мелодии того времени, которые и составили мой первый репертуар.

Папаша Гассион не был нежным отцом. Я получила от него полную меру тумаков, но не умерла от них.

Долгое время я считала, что он меня не любит. Я ошибалась. Первым доказательством этого был случай в Лансе, когда мне было лет восемь или девять. Мы ждали трамвая. Сидя на чемодане, я как зачарованная смотрела на витрину торговца игрушек. Там была выставлена белокурая кукла в платье лазурного цвета, роскошная кукла, протягивавшая ко мне свои ручонки. Такой красоты я еще никогда не видела!

— Что ты там увидела? — спросил он меня.

— Куклу.

— Сколько она стоит?

— Пять франков, пятьдесят сантимов.

Он погрузил руку в карман брюк и подсчитал свое состояние. Оно составляло всего шесть франков. Разговор наш на том оборвался. Ведь нам надо было пообедать вечером и оплатить гостиницу. А мы еще не работали. Выручка же, как известно, не всегда бывает той, на какую рассчитываешь. Подошел трамвай. Я бросила последний взгляд на куклу, убежденная, что никогда больше не увижу ее.

Отец купил мне ее назавтра, перед тем как мы сели в поезд.

В тот день я поняла, что он любит меня.

На свой лад, конечно.

Поцеловал он меня всего дважды.

В первый раз в Гавре. Мне было девять лет, и я выступала в качестве «аттракциона» в небольшом кинотеатре. Страдая от сильного насморка, охрипшая, с температурой, я целый день пролежала в постели. Отец уже предупредил, чтобы на меня не рассчитывали; но к вечеру я ему заявила, что, больная или нет, все равно буду выступать. Он сказал, что это безумие, что моя смерть легла бы тяжким грузом на его совесть.

Мы долго спорили, и, в конце концов, я победила. У меня был сильнейший аргумент — выручка. Когда в ней действительно нуждаешься, как бы мала она ни была, это стоит любых усилий. Я спела свои песни, и папа наградил меня двумя крепкими поцелуями, которые ввергли меня в изумление и восхищение. Никогда еще он так не гордился мной.

Другой случай произошел несколько лет спустя. Мы уже много месяцев были в ссоре. Жаждущая свободы, как и мой родитель, я хотела «жить своей жизнью» и оказалась в Теноне, где родила свою маленькую Марселлу. Первым ко мне с визитом явился отец. Узнав, что он дедушка, взволнованный, примчался к изголовью молодой матери, забыв все наши раздоры. В течение двух минут он не мог произнести ни слова. Когда он меня поцеловал, глаза его были полны слез. На другой день моя временная мачеха принесла пеленки. Не очень роскошные, но все же пеленки.

Я написала «временная», и это надо пояснить. Мой отец был красивым мужчиной и очень легкомысленным человеком. Одиноким он долго не бывал. Когда у него спрашивали:

— У девочки нет матери?

Он отвечал неизменно одно и то же:

— У нее их даже слишком много!

Действительно, у меня было много более или менее временных мачех. Одни из них были милы, другие — не очень, но терпеть их можно было всех. Ни одна из них не мучила меня, этого отец бы не потерпел.

Мой отец ни за что не хотел со мной расстаться, хотя такие возможности у него бывали неоднократно, причем весьма выгодные для него. Нередко к нему приходили люди, готовые заняться моим образованием и пойти на всяческие жертвы, чтобы обеспечить будущее артистки. Он их выслушивал, а затем отсылал в соответствующих его настроению выражениях. В Сансе очень приличная семья предложила ему чек на сто тысяч франков, сумму огромную для того времени. Он отказался без размышлений.

— Если вы так хотите ребенка,— сказал он просто,— почему бы вам самим его не сделать? Этому учить ведь не надо!

Однажды в кафе пригорода Сен-Мартен, кажется у Батифоля, где обычно собирались выпить стаканчик вина артисты варьете, какая-то дама спросила меня, не хочу ли я ее поцеловать.

— Папа не любит,— ответила я,— когда я целую незнакомых людей.

Он стоял у стойки и слышал мой ответ.

— Эту даму,— сказал он мне с полуулыбкой,— ты можешь поцеловать. Это твоя мама. — И добавил: — Настоящая.

Папа и мама, так мало прожившие вместе при жизни, покоятся теперь рядом на кладбище Пер-Лашез.

Я часто прихожу помолиться на их могилы и всегда думаю о них с нежностью.

Со слезами вспоминаю я последние минуты моего бедного отца. Он, всегда живший беззаботно, так, словно завтрашнего дня не будет вовсе, повернул ко мне свое исхудавшее лицо и сказал совсем слабым голосом:

— Купи землю, Эдит!.. Когда есть хорошая ферма, можно быть спокойным, что не подохнешь в нищете!

VI

Когда он меня обнимает нежно,
Радость моя, как море, безбрежна,
Вся жизнь моя — в розовом свете.
Он о любви своей шепчет жарко,
И нет для меня чудесней подарка,
Чем милые речи эти.
И в сердце счастье влетает птицей,
Чтобы навеки в нем поселиться,
И ласково солнце светит...

Петь песни — самое прекрасное занятие на свете! Не знаю, есть ли еще большая радость, чем радость артиста, сумевшего в нескольких строках песни передать слушателям немного своего личного богатства.

Когда меня спрашивают, что надо певцу для того, чтобы добиться успеха, я отвечаю без всякой претензии на оригинальность: «Работать, работать и еще раз работать».

Но и этого недостаточно, ибо иначе все было бы слишком просто. Нужно исполниться решимости всегда быть самим собой и только самим собой. Это не означает, что надо презирать своих товарищей по профессии. Напротив, надо ходить на их концерты и использовать те уроки, которые они могут вам дать. Каждый концерт артиста, если не научит чему-то, по крайней мере, подскажет, чего не следует делать.

Надо уметь устоять — а это дается нелегко — перед соблазном добиться успеха самым легким путем, то есть перед соблазном уступить зрителю. Будьте осторожны! Где начинаются уступки — известно. Но неизвестно, куда они могут вас завести. Лично я стараюсь никогда их не делать. В свои песни я вкладываю все самое сокровенное, самое дорогое, всю себя, свою душу и сердце. Я стараюсь всеми силами добиться контакта с залом, чтобы у меня было общение с теми, кто меня слушает. Но даже если меня не слушают, я никогда не соглашусь ради того чтобы привлечь внимание зрителей, прибегнуть к хитрости, которая может меня унизить в собственных глазах, а в дальнейшем — и в их тоже. Меня либо надо принять такой, какая я есть, либо вовсе не принимать. Но я против подмигивания с видом соучастника, против всяких трюков, ценой которых покупаются аплодисменты, хотя ими нечего особенно гордиться.

Такая непримиримость всегда приносит плоды. Когда я пела в «Бобино» песню Анри Копте и Маргерит Монно «Свадьба», на меня дулись. Я не уступала. Я сохранила «Свадьбу» в своей программе и обеспечила ей успех. Могу назвать и другие произведения, которые при первом исполнении были встречены настороженно, но оттого, что я их не бросила, а также потому, что они были действительно прекрасными произведениями, эти песни стали затем популярны.

Обычно я с трудом подбираю себе репертуар. Песни, которые мне не нравятся, я безжалостно отвергаю. Зато те, в которые поверила, защищаю повсюду до конца. Ибо у меня нет двух репертуаров — один для сцены, другой для себя. Для меня либо песня хороша сама по себе, либо нет. А если она хороша, то хороша для всякой аудитории.

Мне показывают в большом количестве тексты новых песен. Превосходные и отвратительные. Либо неумело написанные куплеты, содержащие мысли, которые автор не сумел выразить, либо слишком уж ловко состряпанные перепевы моих прежних песен. Например, мне предложили до двадцати вариантов «Моего легионера» и столько же «Аккордеонистов»! Я отвергаю и те и другие, оставляя лишь самые искренние, оригинальные, «что-то в себе несущие» произведения. Я не требую, чтобы они принадлежали к какому-либо определенному жанру. Программа выступления должна быть разнообразна. Стремясь придать своему концерту некоторое единство, я стараюсь всячески разнообразить его. Никто не скажет мне, что «Иезавель» похожа на «Жизнь в розовом свете», «Наконец весна!» — на «Человека с мотоциклом» и «По ту сторону улицы» — на «Господина Сен-Пьера».

В песне меня в первую очередь интересует текст. Я никогда не понимала известную певицу конца прошлого века Тереза, говорившую своим поэтам: «Пишите глупее! Если куплеты будут со смыслом, что тогда останется делать мне?» Странные рассуждения. Исполнить песню — значит вдохнуть в нее жизнь. Как же это сделать, если даже при хорошей музыке слова отличаются убожеством?

Не надо только на основании вышенаписанного делать вывод, что я считаю музыку второстепенной!

Песня без музыки может остаться прекрасной поэмой. Она ничего не потеряет от такой ампутации. Зато удачная песня составляет столь органичное целое, что отделять слова от музыки просто невозможно. Несколько лет назад Раймон Ассо выступил с чтением своих песен в кабаре. Несмотря на их высокие поэтические достоинства и то, что он читает свои стихи лучше, чем кто-либо другой, они не вызвали желаемой реакции. Дело в том, что им не хватало музыки.

Той самой музыки, которая, как сказал сам Раймон Ассо, «придает стихам их подлинный смысл, сообщает им необходимую атмосферу».

Как могу я, говоря о музыке, не воздать должное той, которая является для меня живым и радостным воплощением этой музыки,— Маргерит Монно, моей лучшей подруге и женщине, вызывающей у меня чувство искреннего восхищения.

Очень красивая, изящная и высокообразованная, Маргерит обладает лишь одним недостатком — она нисколько не заботится о рекламе и проявляет такую незаинтересованность в делах, что напрашивается вопрос, не лучше ли ей обзавестись адвокатами, которые бы вели все ее дела.

Уже в возрасте трех с половиной лет она играла Моцарта в зале «Агрикюльтюр» и получила там свой первый гонорар — плюшевую кошку. Воспитанная на классической музыке, ученица Нади Буланже и Корто, Маргерит могла бы сделать блестящую карьеру концертанта. Она от нее отказалась, ради того чтобы писать песни.

Первая песня, сочиненная ею на слова Тристана Бернара — да-да! — была вальсом «О прекрасные слова любви», который напевали Клод Дофен и Алис Тиссо в каком-то фильме. Но подлинным ее дебютом в искусстве явилась замечательная песенка «Чужестранец», познакомившая нас. За ней последовал «Мой легионер», созданный за несколько часов и прославивший ее. А потом и все остальные «Вымпел легиона», «Я не знаю конца», написанный с Ассо, «Пересадка» — с Жаном Марезом, «История сердца», «Небо закрыто», «Малыш» — с Анри Конте, «Песня бедного Жана» — с Рене Рузо. Я горжусь тем, что сотрудничала с ней в создании некоторых песен — «Маленькая Мари», «Дьявол рядом со мной» и «Гимн любви». Я называю лишь эти три, чтобы не слишком перегружать список, где и так отсутствует столько названий!

Песни Маргерит Монно исполняются во всем мире чаще, чем других композиторов-женщин.

И вполне заслуженно.

Я была первой исполнительницей многих прекрасных песен. Но есть еще немало таких, которые мне очень бы хотелось спеть первой, но петь я их не буду никогда. К большому моему сожалению.

Например, «Дурную молитву» Луи Обера. Всякий раз, когда я слышала, как «живет» этой поразительной песней Дамиа, как она исполняет ее с присущим ей драматизмом, я переживала шоковое состояние. Глубоко взволнованная, я аплодировала ей и громко высказывала свое восхищение. Домой же я возвращалась с тяжестью на сердце. Мне бы так хотелось исполнить «Дурную молитву». Но попробуйте это сделать после Дамиа!

Я уже писала, как высоко ценю талант Мари Дюба. Сколько раз я плакала во время исполнения ею «Молитвы Шарлотты», жалкой уличной девчонки, которая в рождественский вечер, коченея от холода и голода, умоляет святую деву освободить ее от драгоценного бремени, а затем умертвить ее...

Ребенок... Такая огромная тяжесть...

Я знаю наизусть насыщенный, патетический и человечный текст Риктюса. Но я не буду петь его никогда. После Мари Дюба это просто невозможно.

А вот песенку «Как воробышек» я пела. У меня есть извинение: мне было пятнадцать лет и я понятия не имела о Фреель, с которой познакомилась позднее у Лепле. Она по-прежнему исполняла эту песню. В тот вечер, когда я ее услышала, мне стало стыдно за себя, и я поняла, как много еще надо работать для того, чтобы получить право называться артисткой.

Приходят на память и другие произведения, которые мне хотелось бы исполнить первой: «Я пою» Шарля Трене, песенку «Первые шаги», успешно исполнявшуюся Ивом Монтаном, «Гваделупу», отмеченную талантом Мари Дюба, «Мисс Отис сожалеет», которую так хорошо пел Жан Саблон.

И, конечно... «Жизнь в розовом свете».

Это еще одна интересная история.

Ибо хотя я и не исполнила эту песню первой, тем не менее была автором ее текста и музыки.

Дело происходило в 1945 году. К тому времени я уже написала несколько песен, в том числе «Праздничный день» в обработке Маргерит Монно, но не была тогда еще членом Общества авторов, композиторов и издателей музыки (SACEM).

Здесь я позволю себе отступление. Ибо представляю, как нахмурятся некоторые мои добрые товарищи, когда прочитают эту фразу. Я даже слышу, как они процедят:

«Скажи пожалуйста, она уже забыла, как ее провалили на приеме в SACEM!»

Дабы выбить у них этот козырь, я во всем признаюсь. Да, я потерпела поражение при приеме в общество. Я могла бы заметить, что была нездорова. Но зачем искать оправдания? Я ведь была принята спустя восемь месяцев и полностью утешилась, узнав от Маргерит Монно, что и ее постигла та же судьба на этом экзамене. Как, впрочем, и Кристине, автора «Фи-фи».

Теперь я возвращаюсь к «Жизни в розовом свете».

Однажды прекрасным майским днем 1945 года я сидела за стаканом вина в одном из кабаре Елисейских полей со своей подругой Марианн Мишель. Приехав из Марселя, она успешно дебютировала в столице. Но ей нужна была песня, которая бы обратила на нее внимание.

— Почему бы вам не написать мне такую песню? — сказала она.

Музыка «Жизни в розовом свете» была готова. Я напела мелодию, она понравилась Марианн, но надо было закончить песню, у которой еще не было ни слов, ни названия.

— Договорились! — воскликнула я.— Я это сделаю сию же минуту!

Взяв ручку, я на бумажной скатерти вывела первые две строфы.

> Когда он меня обнимает нежно,
> Для меня все на свете — в розовом свете...

Марианн поморщилась.

— Вы находите, что «все на свете» это удачно? Может быть, лучше заменить словом «жизнь»?

— Прекрасная мысль!.. И песенка будет называться «Жизнь в розовом свете». Название останется вашим.

И я исправила:

> Когда он меня обнимает нежно,
> Вся жизнь моя — в розовом свете...

Когда песня была готова, пришлось искать кого-либо, кто бы мог ее зарегистрировать в SACEM, ибо сама я этого сделать не могла.

Я обратилась к Маргерит Монно. Она посмотрела на меня с огорчением:

— Надеюсь, ты не собираешься исполнять эту пошлость?

— Я как раз рассчитывала на твою подпись.

— Неужели? Ну, знаешь, я не в восторге от этого.

Я не настаиваю. Беру песню и несу к другим композиторам. Они тоже уклоняются от ответа. Один даже говорит мне:

— Ты шутишь? За последние три года ты забраковала десять моих песен, а теперь хочешь, чтобы я признал себя отцом той, которую ты сама не собираешься исполнять и на которую, стало быть, посыплются одни шишки! Не слишком ли это?

Я уже потеряла всякую надежду, когда наконец получила согласие на подпись от Луиги, написавшего позднее для меня «Браво клоуну».

Думаю, он об этом не пожалел.

«Жизнь в розовом свете» в исполнении Марианн Мишель завоевала международный успех. Переведенная на десятки языков, и даже на японский, она много раз записывалась на граммпластинки, в том числе такими артистами, как Бинг Кросби и Луис Армстронг. Общий тираж пластинок достиг колоссальной цифры — три миллиона экземпляров. Ныне она так же популярна в США, как и у нас. От меня неизменно требуют исполнить ее всякий раз, когда я бываю там на гастролях. Ее напевают на улицах. А на Бродвее есть ночной клуб «Жизнь в розовом свете» — вероятно, единственное заведение такого рода в мире, носящее название французской песенки.

Я спела «Жизнь в розовом свете» спустя два года после Марианн Мишель.

Я счастлива, что написала эту песню для нее, счастлива, что доставила ей радость.

Но я всегда буду немного сожалеть, что не исполнила «Жизнь в розовом свете» первой.

VII

Вот уже неделя, как в нашем квартале
Все мурлычат песенку — стар и млад.
Музыку бесхитростней ты найдешь едва ли,
И совсем простые в ней слова звучат.
Уличная песенка, озорная птица...
Кто ее придумал, кто выпустил в полет?
Ведь едва успела на свет родиться
А уже весь день в моем сердце поет...

В течение многих лет я пела лишь песни, написанные
для меня Раймоном Ассо. Они становились популярны после первого же исполнения. И мне отрадно сознавать, что
они не устарели и сегодня.

Достаточно, чтобы завтра кто-либо исполнил эти песни
опять, как вся Франция стала бы распевать их. Наиболее популярные из них: «Я не знаю конца», «Большое путешествие
бедного негра», «Мое сердце выбрало его», «Браунинг», а
также песня «Париж — Средиземноморье», написанная, как
и «Мой легионер», по моим личным воспоминаниям.

По дороге на юг в ночном поезде я уснула на плече красивого парня, случайного попутчика. Его щека осторожно
прижалась к моей, и я не оттолкнула его.

Уносил меня поезд в ночную тьму,
Мертвая любовь расплывалась в дыму,
Сердце томилось глухой тоскою...
И взяла мою руку его рука,
И я пожалела, что ночь коротка,
Сидеть бы, прижавшись к щеке щекою...

В Марселе на перроне вокзала Сен-Шарль его ожидали два инспектора полиции. Он заметил их слишком поздно. Я увидела его в последний раз в толпе, направлявшейся
к выходу,— на руках его были наручники. Никогда больше я
о нем ничего не слышала. И он никогда, вероятно, не подоз-

ревал, что, как и солдат из колониальных войск, вдохновил Раймона Ассо на создание одной из лучших его песен.

Когда война разлучила нас, мне пришлось искать нового поэта, но заменить Ассо было нелегко.

Как я уже говорила, несмотря на то что ежегодно издаются тысячи новых песенок, хорошие авторы по-прежнему редки.

Беранже заметил это задолго до меня. «Отнюдь не для того, чтобы превознести свои заслуги, я хочу сказать, что хороших драматургов всегда больше, чем превосходных авторов песен». Эта истина столь же актуальна сегодня, как и в прошлом веке, я говорю это с полным знанием дела.

Погоня за авторами нередко бывала утомительной, но фортуна неоднократно улыбалась мне. Так, мне даже не пришлось искать Мишеля Эмера. Он сам явился ко мне, причем при любопытных обстоятельствах, о которых стоит рассказать.

Мне случалось встречаться с ним несколько раз до войны в коридорах «Радио-Сите». Я находила его очень приятным молодым человеком. Блестящие умные глаза за огромными стеклами очков, улыбка, открывающая чудесный ряд белых зубов, остроумная речь и, наконец, отнюдь не обычная для работающих на радио и в кино вежливая манера обращения — таков был Мишель Эмер.

Я знала, что он талантлив. Однако его стихи, в которых говорилось о голубом небе, почках и цветочках, хотя и были красивы и очень модны тогда, совершенно меня не устраивали.

Уже двое суток шла война. Я находилась у себя, на авеню Марсо, когда мне сказали, что пришел Мишель Эмер с песней, которую непременно хочет мне предложить. Я велела передать, что не могу его принять, так как еду на репетицию. Он настаивает, и я узнаю, что он мобилизован и в полночь уезжает с Восточного вокзала на фронт. Не выслушать его теперь невозможно. Я соглашаюсь уделить ему немного времени, но предупреждаю сразу:

— Капрал Эмер, даю тебе десять минут.

— Мне столько и не надо.

Он сед за рояль и сыграл «Аккордеониста».

> Хороша девчонка собою!
> И к тому же не дремлет она,
> От клиентов не знает отбою,
> И кубышка до крышки полна...

Превосходный пианист, Эмер плохо пел. Но я слушала с комком в горле. Он не начал еще второго куплета, как я уже решила, что первой исполню эту песню, которую еще минуту назад даже не хотела слушать.

> Льется музыка — танец «ява»...
> Только ей не до танцев, право,
> Она даже не смотрит вокруг,
> А стоит с музыкантом рядом
> И следит восхищенным взглядом
> За игрой его нервных рук...

А совсем в конце, после третьего куплета, следует необыкновенная, если не сказать «гениальная», авторская находка. Музыка продолжается до тех пор, пока измученная бедная девушка не в силах уже сдержать свой крик:

Перестаньте! Не надо играть!..

Не успел Мишель спросить, что я думаю о песне, как я сказала:

— Повтори!

Он сыграл «Аккордеониста» второй раз, затем третий.

И продолжал играть еще. Он пришел ко мне в два часа дня, я отпустила его в пять утра. Теперь я знала песню наизусть и хотела исполнить ее в «Бобине», где дебютировала в тот же вечер. Мишель пошел со мной на репетицию и присутствовал на премьере... Он присоединился к своей части с опозданием на три дня.

Ему грозил трибунал, но он был счастлив, хотя «Аккордеониста» встретили несколько сдержанно. Немного сбитый с толку зритель, прослушав песню, не знал, кончилась она или нет.

Позднее «Аккордеонист» взял полный реванш.

Автор стихов и музыки Мишель Эмер обладает редким даром находить такие мелодии, которые запоминаются с первого раза.

Я уже писала о значении текста песен. Однако песня — это еще и «мотив». Как это ни покажется глупо. «Если песня не имеет мотива,— писал Жан Виенер, автор «Грисби»,— это еще не песня». И он подчеркивал, что мотив — это «мелодическая, простая, симметрическая, логичная, постоянная, всем доступная музыкальная линия, которую запоминают почти немедленно».

Мишель Эмер сочиняет свои мелодии так же, как яблоня приносит плоды.

Его смелость подчас ошеломляет слушателей, как удар под ложечку. Но не было случая, чтобы его песни не имели успеха, и я чувствую себя всегда в безопасности, когда исполняю одну из тех, которые были написаны им для меня: «Господин Ленобль», «Телеграмма», «Что с тобой, Джон?», «Заигранная пластинка» и многие другие, не забывая «По ту сторону улицы»:

> Уж очень она любит весело пожить,
> Уж очень она любит красивых ребят,
> Уж очень спешит сердце с сердцем сложить,
> Что самый неожиданный дает результат!

С Анри Конте я познакомилась на киностудии в 1944 году, когда снималась в фильме «Монмартр-на-Сене». Ему, как журналисту, была поручена реклама. Однажды в буфете он сказал мне, что лет десять назад «баловался» стихами.

Одна из его песен «Переправа», написанная на музыку Жака Симоно, понравилась Люсьенн Буайе, но по своему драматизму была ей явно противопоказана. И вот критики, не очень любящие, когда идут вразрез с их привычками, и обладающие пристрастием к классификации, стали напоминать Люсьенн, что ее сила — в «обаянии» и что ей надо помнить об этом. Она не сопротивлялась, бросила «Переправу», а разочарованный Анри Конте перестал писать песни.

Но он писал стихи. Я прочла некоторые из них и в восторге просила написать мне песню. Вскоре он принес две: «Брюнет и блондин» и «Это была любовная история». Чутье не обмануло меня. Перед Анри Конте открывалась блестящая карьера поэта-песенника.

Так и случилось, и эта карьера продолжается поныне. Я обязана ему многими, вероятно лучшими в моем репертуаре произведениями. Названия? Во-первых, «Бродяга»...

> Этот паренек
> Отшагал сто дорог
> И сто чудесных песен
> Для нас приберег.

Затем «Мелодия аккордеона», песня «Нет весны», написанная за двадцать пять минут на пари со мной (которое он у меня выиграл) ; «Взрыв гремучего газа», «Господин Сен-Пьер», «История сердца», «Свадьба», «Малыш», так просто и чудесно выражающая одиночество человека в современном мире, а также «Браво клоуну», песенка, которую я не в силах забыть:

> Я король, я пресыщен славой,
> — Браво! Бис! —
> Словно рана — мой смех кровавый.
> — Браво! Бис! —
> Что ж, венчайте меня короной!
> Я исполнил свой номер коронный:
> Из-под самого купола цирка
> Я жену свою бросил вниз...

Анри Конте, которого я считаю большим поэтом — и многие разделяют мое мнение,— продолжает писать стихи. (Их часто читала на своих концертах Мари Марке. Это просто для справки.) Мне бы хотелось, чтобы он собрал их в одной книге, на радость своих друзей и на (счастливое) удивление тех, кто его не знает.

Но я надеюсь, что он будет по-прежнему писать для меня прекрасные песни.

VIII

Есть глаза у него
В них волшебная сказка.
Руки есть у него
Несказанная ласка.
А улыбка его
Не бывает чудесней.
А еще у него
Есть песни...

Впервые я услышала Ива Монтана в «Мулен-Руже», известном мюзик-холле на площади Бланш. Я была приглашена туда на две недели, и дирекция попросила, чтобы я сама выбрала артиста, который будет выступать в моем концерте в качестве «американской звезды», то есть в конце первого отделения, перед самым антрактом.

Сначала я подумала, что это мог бы быть Роже Дани, успешно выступавший как с эстрадными песнями, так и в оперетте. Но он был занят. Мне предложили Ива Монтана. Я уже слышала его раньше в Марселе, в то время, когда покойный Эмиль Одиффре руководил еще его первыми шагами. Потом я много читала о нем. Монтан пользовался большой популярностью на всем юге, и каждое его выступление в марсельском «Альказаре», этом старейшем французском мюзик-холле, построенном еще в 1852 году, — превращалось в «кошмарное несчастье», как там любят выражаться.

Но его дебют в 1944 году в парижском «АВС» едва не кончился плачевно. Он вышел на сцену, дрожа от страха, в несколько эксцентричном клетчатом пиджаке. Какой-то балагур крикнул с галерки: «Пижон!» — и весь зал, набитый поклонниками Дессари, «звезды» концерта, дружно расхохотался. Его тогда еще нечеткая дикция, марсельский акцент, своеобразная манера в произношении гласной «о», например, в слове «гармоника», так часто встречавшемся в исполняемых им песнях, излишняя жестикуляция — все это отнюдь не облегчало задачу артиста, и первое выступление Ива Монтана в Париже оказалось далеким от триумфа.

Я знала это, но знала также и то, что он сумел сделать правильные выводы из своей первой неудачи.

Сбросив ужасный пиджак, он выступил на другой день в коричневых брюках и такого же цвета рубашке с открытым воротом и имел несомненный успех. Ему можно было вполне доверять. Когда артист обладает волей, чтобы исправлять замеченные им самим ошибки, если он, так сказать, «корректирует свою стрельбу», понимает свои недостатки, можно считать, что рано или поздно он победит. Он не из тех, кто может застрять на полпути.

Одиффре утверждал, что после «АВС» его питомец сделал большие успехи, и я выразила принципиальное согласие, оговорив, однако, право дать окончательный ответ, после того как послушаю его. Потом Ив признался, что поначалу нашел мои претензии чрезмерными, и не стал скрывать от своего импресарио, что считает меня, как и всех певиц моего жанра, «торговкой меланхолией», с тем только усугубляющим вину обстоятельством, что я еще и порядочная «зануда».

Наступил день прослушивания. Я сидела одна в зале «Мулен-Ружа», затерянная в его темноте. Как только Ив запел, я сразу попала под его обаяние. Самобытная личность артиста, впечатление силы и мужественности, красивые красноречивые руки, интересное выразительное лицо, проникновенный голос и — о чудо! — почти полное отсутствие марсельского акцента. Ив освободился от него ценой многих терпеливых упражнений.

Ему не хватало только... песен. Он исполнял ковбойские дешевые, вульгарные мелодии, отличавшиеся американским влиянием — ведь освобождение было не за горами,— способные, конечно, произвести впечатление на зрителя. Но я не считала это достоинством. Ив Монтан стоил большего.

После того как он исполнил четвертую песню, я подошла к рампе. Он приблизился к ней тоже, и я всегда буду помнить себя в эту минуту — такую маленькую внизу — и нависшую надо мной фигуру этого рослого парня.

Я сказала, что поет он «здорово» и что можно со спокойной совестью предсказать ему блестящую карьеру, но надо подумать о репертуаре, исполнять стоящие песни, подлинные произведения, позволяющие лепить образы и с их помощью что-то выражать.

Он посмотрел на меня немного удивленный, полагая, вероятно, что я вмешиваюсь не в свое дело, и затем процедил сквозь зубы лишенное всякой убедительности «да» — исключительно для того, чтобы доставить мне удовольствие и чтобы его самого оставили в покое. Ведь он не собирался перечить «звезде» представления. Но ее советы его явно не интересовали.

Я спросила, бывал ли он когда-нибудь на моих концертах. Услышав отрицательный ответ, я сказала:

— Теперь моя очередь. Пользуйтесь случаем!

Он уселся в зале, почти там же, где прежде сидела я, и я прорепетировала перед ним всю свою программу.

Когда я кончила, он прибежал на сцену, подошел ко мне и, расточая похвалы, которые я не стану приводить, очень просто сказал:

— Относительно моего репертуара вы совершенно правы... Я последую вашему совету. Только это будет нелегко.

Сегодня Ив Монтан — один из виднейших шансонье Франции. Постепенно, но все-таки поразительно быстро он освободился от своих прежних ошибок. Первый настоящий успех ему принесли песенки Жана Гиго и Анри Конте «Джобоксер», «Луна-парк» и «Полосатый жилет». В этих песнях певцу удалось вылепить образы героев. Так, невозможно было забыть несчастного ослепшего боксера:

> Это имя забыто теперь...
> Он бредет, словно тень, улыбается жалко,
> И стучит по асфальту тяжелая палка...—

или мелкого буржуа, для которого самоубийство — единственный выход из положения («Этот господин»), хозяина гостиницы, кончающего жизнь на каторге («Полосатый жилет»). За ним последовали и другие. Трудно перечислить все песни его репертуара, отмеченные своеобразием таланта исполнителя.

Ив Монтан выиграл бой.

Он выиграл его благодаря своему мужеству и воле. Ибо после того, как он резко изменил репертуар, ему пришлось долго и настойчиво бороться за признание нового Монтана, который сменил кожу.

Однако публика, привыкшая видеть его в определенном репертуаре, которая, как и критика, не любит, чтобы покушались на ее привычки, не признавала его. В Лионе, Марселе, в залах, где Монтан прежде выступал с огромным успехом, зритель теперь оказывал ему весьма прохладный прием. Он мог бы вернуть себе прежние аплодисменты, начав снова петь те же дешевые песенки, которые от него требовали. Монтан не сделал этого. Он не намеревался отступать, как ни велик был соблазн. Его новые песни были хороши, он это знал и не собирался от них отказываться.

Подчас между певцом и строптивым зрителем происходили настоящие баталии. И он уходил со сцены измученный, недовольный, даже в ярости, но не сломленный.

Тысячу раз говорил он мне:

— Как это ни тяжело, Эдит, но я не уступлю! На этот раз прав я. Они, в конце концов, это поймут!

И этот день наступил. В 1945 году в зале «Этуаль» он опять выступал в качестве «американской звезды» в концерте, где я была опять «гвоздем» программы. Горячо принятый зрителем, он пришел ко мне за кулисы, и весь сияя от радости, сказал:

— На этот раз, Эдит, все в порядке. Они у меня в руках!

Спустя несколько лет в том же зале, где он выступал теперь «первым номером афиши», Монтан в присутствии «всего Парижа» завоевал подлинно триумфальный успех.

Его мастерство было теперь общепризнанно, он стал «великим Монтаном».

И хотя жизнь разлучила нас, я горжусь тем, что немного способствовала его успеху.

Есть одна фраза Мориса Шевалье, которую я особенно люблю вспоминать.

Он произнес ее много лет назад в «Ампире» или «Альгамбре» после своего концерта. В тот день Морис Шевалье впервые занимал все второе отделение, наконец-то он был признан «звездой первой величины». А ведь добивался он этого положения с тех самых пор, как стал «маленьким Шевалье», то есть на протяжении четверти века. Вечер закончился бесконечными овациями. Все друзья — знакомые и незнакомые — не хотели уходить из театра, не пожав ему руки. Шевалье принимал их поздравления, как обычно, несколько флегматично и с милой улыбкой. Когда остались лишь самые близкие люди, он, улыбаясь, воскликнул:

— Ну и странное шествие! Один говорит мне: «Как видишь, старина, тебе понадобилось немало времени, чтобы добиться успеха!» Другие замечают: «Быстро же вы добились успеха!» Обратите внимание, «ты» мне говорят первые! Только эти люди, моя всегдашняя опора, знают, что жизнь не подносила мне подарков...

Это наблюдение очень справедливо. Зрители обыкновенно думают, что наша борьба началась в тот день, когда о нас заговорили впервые. Им даже не приходит в голову, что она велась на протяжении многих лет, когда они и не подозревали о нашем существовании. И наше имя могло бы остаться вовсе неизвестным для них, если бы нам не повезло в жизни.

Лично я могу сказать, как часто, потеряв всякую надежду, я хотела все бросить. Сколько раз мне приходилось часами просиживать около кабинетов импресарио, так и не добившись приема. Сколько пришлось совершать далеких переездов (в третьем классе) в глубь Бретани или Дофине ради нищенского заработка. Я начала с того, что «выходила» первым номером, затем вторым, третьим, четвертым, перед тем как была признана «американской звездой», и, наконец, заняла всю афишу. То были трудные годы, но они были годами учебы, годами овладения мастерством.

В мюзик-холле, может быть, и в большей степени, чем где-либо, ремеслом, этим необходимым подспорьем для таланта, нельзя овладеть сразу.

Аксиома? — скажете вы. Вероятно. Но ее надо напомнить, ибо многие молодые артисты сегодня забывают ее. Они хотят поскорее добраться до финиша, даже не выйдя на старт. С помощью радио и грампластинок ловкий агент по рекламе, если он только располагает достаточными средствами, может «сделать» «звезду» эстрады за два сезона. И такой артист, слыша со всех сторон, что у него талант, начинает верить в это, хотя ему надо если не все, то, по крайней мере, многое открыть для себя в искусстве, азбуке которого он не соблаговолил еще научиться.

Вот отчего иные «звезды» становятся лишь метеорами на небосклоне мюзик-холла и исчезают так же быстро, как они и появились на нем.

По счастью, среди молодежи есть немало и других. Они много работают, ищут и благодаря терпению, которое помогло и их старшим товарищам, находят свою индивидуальность и добиваются признания. Никогда еще царство песни не было так богато самобытными молодыми талантами.

«Пробиться» некоторым из них помогла я.

Надеюсь, что еще сумею что-то сделать в этом отношении в будущем. Ведь так приятно сознавать, что ты кому-то принес счастье!

IX

Разносится звон колокольный,
Плывет далеко и легко,
Говорит удивленному миру, что умер
Жан-Франсуа Нико.
Небеса возьмут его душу,
Что робко ждала любви.
Неси свою песню, звон колокольный,
Легко, далеко плыви.

Чтобы немного оживить свой рассказ, я хочу вспомнить о моих друзьях из «Компаньон де ля Шансон».

Их девять человек. «Девять парней и одно сердце», как говорится в названии одного из снятых ими фильмов. А я добавлю: «А таланта как у сотни».

Я познакомилась с ними во время войны на гала-концерте в зале «Комеди Франсез». Услышав этих молодых певцов, исполняющих народные песни, Мари Белл и Луи Сенье решили познакомить с ними парижан. Вечер был прерван воздушной тревогой, и большинство зрителей отправилось домой. Концерт возобновился после отбоя в полупустом зале, и я не пожалела, что осталась.

Уже тогда исполнительская манера «Компаньонов» отличалась большим своеобразием. Однако в их усилиях работать под «синеблузников» не хватало опыта. Впрочем, молодость — это очаровательный недостаток, и если их исполнение было неполноценным, то даже ошибки «Компаньонов» вызывали чувство симпатии. Не нужно было обладать великим умом, чтобы угадать в них артистов с большим будущим.

Мы поболтали после концерта прямо на сцене. Они пришли ко мне домой. Мы провели несколько чудесных вечеров. Пели песни из нашего репертуара. А затем потеряли друг друга из виду. Снова мы встретились уже в 1945 году, на гастролях в Германии. Весь концерт держался на нас. В первом отделении выступали они, во втором — я. Мы стали друзьями.

А поскольку друзьям нужно всегда говорить правду, я решилась высказать им то, что уже давно было у меня на сердце.

— Вы выбрали для исполнения,— сказала я им,— старинные французские песни, что свидетельствует о вашем вкусе. Эти песни не потеряли своей прелести, вы их отлично отработали, хорошо поставили, и голоса ваши сливаются в прекрасном ансамбле. Однако мне кажется, что вы идете не тем путем. Я не выступаю в защиту так называемых коммерческих песен, они не вызывают у меня никакой симпатии. Но если вы хотите заинтересовать массовую аудиторию и любителей граммпластинок, вам следует подумать о другом репертуаре. Мне очень нравится песенка «Перрина была служанкой», но ее никогда не будут распевать на улицах. Вам нужны мелодии, которые могут легко стать популярными, куплеты, которые останутся в памяти ваших слушателей, и, разумеется, песни о любви.

Они выслушали мою проповедь очень вежливо, как воспитанные мальчики. Но было совершенно очевидно, что я их не переубедила. Я не настаивала. Они были достаточно взрослыми людьми и могли свободно сами решать, что им надо делать; всем вместе им было тогда около двухсот лет. Двести десять — для точного счета.

Только — как вы, вероятно, уже заметили — я не из тех людей, которые легко отказываются от достижения своей цели.

Немного позднее я опять вернулась к нашему разговору. В связи с «Тремя колоколами». Слова и музыку этой превосходной песни написал Жиль и, как я убеждена, подписал ее своим настоящим именем — Жан Вилар — отнюдь не случайно. Я слышала, как он ее исполнял в своем лозаннском кабаре «Ку дю солей», заведении, которое, кстати сказать, занимает определенное место в истории последней войны. Восхищенная, я еще тогда сказала себе: «Я буду петь эту песню!»

Жиль дал мне песенку, и я ее разучила. Но что-то помешало мне включить ее сразу в репертуар. Я, как говорится, чувствовала ее «нутром», но никак не могла даже самой себе объяснить, отчего мне не хотелось исполнять ее одной. Я была уверена, что она требует чего-то «другого». Но чего?

Я вернулась в Париж после гастролей в Германии с «Тремя колоколами» по-прежнему в своем багаже; песенка постепенно становилась наваждением. Я считала несправедливым и обидным, что этот маленький шедевр оставался никому не известным, тогда как явный вздор приносил его авторам славу и богатство. Однажды меня осенила мысль, которая должна была бы, вероятно, прийти мне в голову раньше,— «Три колокола» петь следует не одной, а хору! Теперь оставалось подать знак «Компаньонам». Я позвонила им тотчас.

Отказ последовал немедленно, и в самой категорической форме: «Три колокола»? Ни в коем случае!

Я была глубоко огорчена. И все-таки не соглашалась признать свое поражение.

— А если я буду петь вместе с вами?

Я рискнула сделать это предложение, не очень убежденная в их согласии, даже почти уверенная в отказе. К моему удивлению, этого не случилось.

Мы стали вместе работать над «Тремя колоколами». Песня была исполнена в своеобразной звуковой декорации, с оркестром и большим органом. Это добавило к ее естественной красоте нечто новое — необыкновенную объемность. Однако поначалу слушатели приняли такое исполнение несколько сдержанно. Неужели инстинкт подсказывал им, что «Компаньоны» исполняют песню без обычного темперамента, что они поют ее без всякой радости, только для того, чтобы доставить мне удовольствие? Я была не столь уж далека от истины. Успех, во всяком случае, оказался отнюдь не тем, на который я рассчитывала.

Однажды по моей просьбе нас пришел послушать Жан Кокто. Я проявила бы нескромность, если бы повторила те комплименты, которыми он наградил нас после прослушивания. Скажу только, что, по его мнению, голоса молодых людей и мой чудесно переплетались, составляя поразительный по своей гармонии хор, и что наше исполнение вызвало в его душе чистое и глубокое волнение. Он добавил, что мы растрогали его до слез.

С этого дня все переменилось. Очень чувствительные к похвалам поэта «Компаньоны» исполняли отныне «Три колокола» с тем же пылом, как и я. Успех пришел сразу и в дальнейшем еще более укрепился. Последними, однако, признали его фабриканты грампластинок, которые с обычным своим апломбом поначалу заявили нам, что песня эта «некоммерческая» и обладает столь малыми шансами привлечь к себе внимание, что вряд ли ее стоит записывать. В этом сказалась вся их «прозорливость». Тираж грампластинок с записью «Трех колоколов» достиг ныне многих тысяч во всех странах мира. В Соединенных Штатах, где герой песни Жан-Франсуа Нико превратился в Джимми Брауна, шестьдесят тысяч пластинок «Песни о Джимми Брауне» были распроданы только за три недели.

Тем не менее «Компаньоны» оставались верны старым французским песням. Упрямая по натуре и уверенная в своей правоте, я не теряла надежды в один прекрасный день переубедить их. Не могли же они вечно оставаться пленниками репертуара, который не давал им возможности полностью раскрыть свой талант. Нужно было только найти произведение, способное заставить их изменить свое решение. Такой песней оказалась «Мари».

Не печалься, Мари, веселее смотри!
Я вернусь.
Наше счастье светлее рассветной зари!
Не печалься, Мари.

Эту песню Андре Грасси написал для меня, но мне казалось, что она больше подходит «Компаньонам». Я отдала ее им. Песенка не привела их в восторг. Тем не менее, по моему настоянию и памятуя (недавний) успех «Трех колоколов», они согласились попробовать. Спустя несколько месяцев «Мари» принесла им «Гран при» грамзаписи.

На этот раз они все поняли. Осовременили свой репертуар, обработали для себя песни Шарля Трене и понемногу стали теми «Компаньонами», которых мы знаем сегодня. Я не жалею, что заставила их совершить эту эволюцию. Разве можно было допустить, чтобы они никогда не спели «Мулен-Руж» Жана Ларю и Жоржа Орика, «Ма-ковинку» Раймона Ассо и Валери, «То был мой приятель» Луи Амаде и Жильбера Беко, «Когда солдат» Франсиса Ламарка, «Молитву» Франсиса Джемса и Врассанса, а также чтобы в голове Жана Бруссоля остались такие произведения, как «Песенка холостяка», «Скрипка тетки Эстеллы» и «Цирк»?

Именно с «Компаньонами» совершила я свое первое турне в США.

Мне уже давно хотелось познакомиться с Америкой. И я могу смело сказать сегодня, что следовало бы потерпеть немного, учитывая, как трудно выступать с песнями за границей, особенно в стране, где говорят на чужом языке. Быть может, тогда бы я приняла большие меры предосторожности и избежала некоторых ошибок, за которые мне пришлось расплатиться сполна.

Мы плыли в США морем, и, признаюсь, когда пароход вошел в Гудзонов залив, я начала испытывать беспокойство. Жан Кокто, обладающий редким талантом в лаконичной фразе выразить всю суть своей мысли, как-то написал, что Нью-Йорк это «город, стоящий дыбом»« Трудно лучше определить свое впечатление, когда с мостика судна, скользящего у подножия небоскребов, давящих на вас своей гигантской массой, открываешь для себя этот чудовищный город.

При этом испытываешь ощущение, будто попадаешь в совершенно иной мир, абсолютно не похожий на наш. Я чувствовала себя еще меньше ростом и, хотя не говорила этого вслух, однако думала: «Бедняжка Эдит, какого черта ты не осталась дома?»

Вскоре после приезда мы дебютировали на Бродвее в зале на 48-й улице, в районе театров и ночных заведений. Наш концерт был построен по типу того, с каким мы успешно выступали по всей Франции. Довольно быстро я убедилась в том, что это была ошибка. Мы столкнулись с американскими привычками. Мне следовало бы знать, что мюзик-холл в том виде, в каком он существует в Париже, в Америке отсутствует уже много лет, что по другую сторону Атлантики нет ничего похожего на «АВС» или «Паладиум». Артисты варьете или исполнители песен выступают в качестве «аттракционов» в кинотеатрах или в ночных клубах, где показывают пышные ревю, в общем схожие с теми, которые можно увидеть в парижских «Лидо» или «Табарене».

Мои познания в английском языке в то время были довольно примитивными. Поэтому, полная самых лучших намерений, я дала перевести две песни, чтобы исполнять их на языке моих слушателей. И хотя усилие это было достойно всяческой похвалы, результаты оказались самыми плачевными. Вежливые аплодисменты свидетельствовали о том, что люди были благодарны за замысел, но у меня не было уверенности, что они все понимали. Вероятно, из-за моего произношения. В этом, впрочем, я уже не сомневалась после представления, когда один очень любезный господин без всякой иронии — я это подчеркиваю — сказал, что ему особенно понравились две песни, которые я исполнила по... итальянски!

Тогда я попросила конферансье кратко переводить содержание французских песен. Это было другой ошибкой, ибо разрывало ткань концерта ужасной паузой. Как бы коротка ни была речь конферансье, она разрушала контакт с залом, когда мне удавалось его установить.

А удавалось мне это действительно очень редко! Объявлялся номер Эдит Пиаф. Согретый уже выступлением «Компаньонов», зал оживлялся. Айдис Пиаф (так американцы произносили имя Эдит Пиаф.— *Примеч. перев.*) — это был Париж, «веселый Париж»! Сейчас перед ними появится парижанка с обложек рекламных изданий, причесанная Антонио, загримированная еще какой-то знаменитостью и одетая в вечерний туалет стоимостью в сто пятьдесят тысяч франков!

Представляете, что это была за картина, когда выходила я в своем коротком черном платье!

И это еще не все! Я не только не соответствовала их представлению о парижанке, но буквально разочаровала американцев исполнением своих песенок. Все они, начиная с «Аккордеониста» и кончая «Где мои приятели?», были невеселые. И зрители, привыкшие к мелодиям слащаво-сентиментальным, в которых «любовь» («amour») обычно рифмовалась с «всегда» («toujours»), а «нежность» («tendresse») несколько более удачно с «опьянением» («ivresse») и «ласками» («caresses»), встали на дыбы.

Подобное отношение меня удивило и огорчило, но объяснение ему я нашла много позднее, когда ближе познакомилась с американцами. Дело в том, что американец ведет весьма утомительный образ жизни. И он не ропщет на это. Вот почему после окончания рабочего дня ему нужна «разрядка». Он не отрицает наличия мерзавцев вокруг. Весь день он только и знает, что борется с ними. Но с наступлением вечера он хочет о них забыть. По своему образу жизни и по соображениям здоровья он «оптимист». Так зачем же эта маленькая француженка вздумала напоминать ему, оставившему в гардеробе все свои заботы, что на земле есть люди, которые считают себя несчастными?

Вряд ли нужно говорить, что успех у меня был весьма относительный. Оказывается, я приехала в Нью-Йорк лишь для того, чтобы мне «набили морду». Был ли это тяжелый удар? Конечно. Но я уже выдерживала и не такие и знала, что забуду этот, как и остальные. Требовалось только проявить немного смелости, то есть качество, в котором я, по счастью, никогда не испытывала недостатка.

Зато «Компаньоны» вызывали восторг у тех самых зрителей, которые не хотели меня признавать. Побежденные красотой голосов, а также молодостью певцов, американцы восторженно принимали их. Печать высказывалась о них самым лестным образом, на мои же счет проявляла большую сдержанность.

Продолжать работать в этих условиях было бессмысленно.

— Дети мои,— сказала я «Компаньонам» после нескольких вечеров,— события показывают, что вы достаточно взрослые, чтобы идти своей дорогой. Я буду для вас лишь обузой. Мы расстанемся. Перед вами гастроли по всей Америке. А я возвращаюсь на пароход...

И я бы уехала, если бы не Виргилий Томсон.

Театральный критик Виргилий Томсон редко пишет об эстраде. Он посвятил мне две колонки на первой странице крупной нью-йоркской газеты. Эта статья и явилась столь необходимым мне «допингом». Сегодня я рассуждаю об этих вещах спокойно, но, должна признаться, несмотря на то, что позднее я взяла в Америке блестящий реванш, первый контакт с американской публикой вверг меня в великое уныние.

Впервые за свою артистическую деятельность я сомневалась в своих силах. В отчаянии хотелось лишь одного — скорее вернуться в Париж, к друзьям, в залы, где меня так тепло принимали. Статья Томсона вернула мне веру в себя. Он писал, что, если американская публика отпустит артистку с ощущением незаслуженного провала, она проявит тем самым свою некомпетентность и тупость.

Со статьей Виргилия Томсона в кармане мой импресарио Клиффорд Фишер отправился к директорам «Версаля», одного из самых элегантных кабаре Манхеттена, и убедил их дать мне возможность выступить там.

— Когда люди привыкнут к ее короткому черному платью,— сказал он им,когда они поймут, что парижанка не обязательно должна быть увенчана шляпой с плюмажем и одета в платье с треном, тогда народ повалит сюда валом. Если же вы прогорите, я заплачу неустойку.

Клиффорду Фишеру отнюдь не улыбалось это, но ему не пришлось покрывать дефицит в «Версале». К этому времени я стала лучше говорить по-английски, отменила репризы конферансье. Зритель был предупрежден, он ждал певицу, а не «манекенщицу». Всякое недоразумение было исключено, и я ушла со сцены под долгие овации. Подписав ангажемент на неделю, я проработала в «Версале» двенадцать недель подряд.

С тех пор я много раз бывала в США, снова выступала в нью-йоркском «Версале», а также в Голливуде, Майами, Бостоне, Вашингтоне и других городах и даже в знак высшего признания — в Карнеги-холле, этом храме американской музыки. Увы, безвременно ушедший от нас Клиффорд Фишер не дождался этого...

Мои песни сегодня популярны в США так же, как и у нас. Продавцы газет на Бродвее насвистывают «Гимн любви» и «Жизнь в розовом свете», поклонники окружают меня на улице, прося автограф у «мисс Айдис». Песенка «Малыш» в замечательной обработке Рика Френча, как и десяток других моих песен, завоевала всю Америку. Холодным январским днем Нового года по просьбе студентов Колумбийского университета я пела «Аккордеониста» перед статуей Свободы.

Соединенные Штаты не сразу признали меня, но я уже давно перестала сердиться на них за это.

В самом начале между нами, видимо, возникло взаимное непонимание.

В связи с этим хочется рассказать о моей первой поездке в Грецию.

Не протестуйте! Такова уж логика воспоминаний, они возникают и пропадают внезапно. И их не надо упускать.

Опыт гастролей в Греции помог бы мне избежать многих просчетов, если бы они состоялись до первой поездки в США. Они бы, безусловно, подсказали мне, что выиграть игру за границей нелегко, что нужно как следует подготовиться к такой поездке и что вкусы и привычки в различных странах разные, поэтому благоразумнее обо всем разузнать заранее, чтобы не столкнуться с неожиданностями на месте.

Я приехала в Грецию в неудачный момент — в самый разгар плебисцита. Люди ходили на концерты, но думали о своем. На первом же концерте в Афинах я поняла, что мои песни никого не волнуют. Я притворилась, что ничего не заметила, но была все же очень расстроена.

Спустя три дня, понимая, что совершила ошибку, я отправилась к директору.

— Мы оба с вами заблуждались,— сказала я ему.— Вы на мой счет, я насчет греков. Они не хотят меня слушать. Стоит ли продолжать? Освободите меня от моих обязательств по контракту и расстанемся друзьями.

Вопреки моим ожиданиям такое предложение ему отнюдь не улыбалось.

— Вы действительно совершите ошибку, — ответил он мне, — если уедете сейчас. Самый трудный этап пройден. Мои зрители были несколько удивлены вашим репертуаром, столь не похожим на тот, к которому они привыкли, вашим исполнением тоже, столь не похожим на исполнительскую манеру наших певиц. Но они начали привыкать. Если бы вы действительно не понравились, они бы заявили вам об этом в первый же вечер. Тогда бы вы не смогли остаться на сцене. Теперь держитесь, и через неделю они вам устроят триумф.

Я сильно сомневалась. Но терять мне было нечего, а по природе я любопытна и поэтому не настаивала на расторжении контракта. В конце концов пришлось признать, что директор прав. Те самые песни, которые прежде встречались безразлично, принимались теперь с восторгом. Между публикой и мной, «карманной певицей», как они меня прозвали, возникла симпатия, и я вернулась из Афин с чудесными воспоминаниями.

Они были подчас и забавными. Например, я пела на открытой площадке, в кинотеатре, где показывали мой фильм «Безымянная звезда». Каждые две минуты по улице с дьявольским грохотом проезжал трамвай. Я сама себя не слышала и заявила решительный протест директору.

— Не понимаю, отчего вы сердитесь,— сказал он мне.— Трамвай? Они его не слышат и в восторге хлопают вам до боли в ладонях. Чего вы еще хотите?

А вот еще одно воспоминание, связанное с гастролями в Стокгольме, где я выступала во втором отделении большого концерта вместе с «Компаньон де ля Шансон».

В зале находилась избранная, доброжелательная публика, готовая тотчас выразить свое удовольствие. Но когда я вышла на сцену, то увидела, что зал опустел наполовину и что мое появление никого не удержало. С сухим треском хлопали кресла и страпонтены: зрители преспокойно шли к выходу.

После концерта с удивлением спрашиваю у директора, в чем тут дело.

— А это уж ваша вина, — поясняет он. — Вы сами потребовали, чтобы вас выпустили последней. В Швеции же звезда всегда занимает середину программы, которая заканчивается второстепенными номерами. Обычно их и не смотрят.

На другой день порядок был изменен — прошу прощения у превосходных гимнастов, которые выступали теперь во время эвакуации зала,— и мы вместе с «Компаньонами» одержали тот успех, в котором нам было отказано накануне. А в последний день на сцену поднялся зритель и преподнес мне букет в форме сердца, состоявший из синих, белых и красных цветов и обвитый трехцветной лентой. Он надел мне его на шею под восторженные крики всего зала: «Да здравствует Франция!» и звуки «Марсельезы», исполнявшейся оркестром.

Я уже вижу улыбки скептиков. Но согласитесь, когда вы выступаете за границей на своем родном языке и вам внезапно без предупреждения преподносят сине-бело-красное сердце, это все же производит впечатление.

И мне жаль тех, кто на моем месте не пролил бы при этом слез.

Ибо, как вы сами понимаете, я ревела в три ручья!

X

Отстали мечты,
Бредут позади меня.
Жизнь, по-прежнему ты
На шаг впереди меня...

Я уже писала, что мне пришлось много поездить и неоднократно выступать в Соединенных Штатах. Там теперь немало кулис, так же хорошо мне знакомых, как кулисы парижского театра «Олимпия», ставшего благодаря бурной деятельности моего друга Бруно Кокатрикса одним из первых мюзик-холлов мира.

Но независимо от моих симпатий к остальным эстрадным площадкам Америки я навсегда сохранила особое чувство к «Версалю». Ибо, повторяю, именно здесь я впервые поняла, что могу, если, конечно, мне хоть немного пойдут навстречу, завоевать сердца нью-йоркских зрителей, которые не смогла расположить к себе с первого раза.

Начиная какое-то дело, я стараюсь всегда довести его до конца. Пересекая впервые Атлантику, я на время порвала все связи со старой Европой и даже ликвидировала свою квартиру на улице Берри. Директора мюзик-холлов знали, что я уезжаю если не навсегда, то, во всяком случае, надолго и что им, стало быть, нечего на меня рассчитывать в ближайшее время. Представляете мои переживания после того, как дебют в Нью-Йорке закончился совсем не так, как я хотела бы!

Когда мне впервые назвали «Версаль», я заколебалась. Разумеется, я люблю борьбу, я готова идти в бой, трудности только подхлестывают меня. Но и у меня бывают минуты отчаяния. Решение ехать назад, во Францию, было почти принято. Человек немного суеверный, я, надо сказать, не испытывала особенного восторга при мысли, что придется петь в кабаре, само название которого, казалось, не обещало мне ничего хорошего. Дело в том, что «Версаль» напомнил мне об одной из самых тяжелых минут в моей жизни.

Вернее, об одной из самых скверных ночей...

Она уже отошла в далекое прошлое, эта ночь, но я ее не забыла и делаю отступление, чтобы рассказать вам о ней.

Это было в те самые времена, когда, едва достигнув шестнадцати лет, я руководила целой труппой, если, разумеется, допустить, что три человека могут составить труппу. Я имею в виду не ту труппу, о которой уже говорила выше, а другую; помимо меня в нее входили мои товарищи Раймон и Розали. На наших не очень грамотных афишах было написано «ЗИЗИ, ЗОЗЕТТ и ЗОЗУ — Одно отделение всякой всячины».

Однажды зимой, как обычно голодные, мы приехали в Версаль, где полковник, знавший моего отца, разрешил нам выступить в столовой после обеда. В нашем распоряжении было два часа. Мы отправились в гостиницу «Эсперанс», объяснили там, что мы — «артисты», вытащили бумагу, подтверждающую, что даем вечером представление, сняли номера и заказали обед в кредит. Этот обильный обед мы съели с аппетитом людей, не имеющих ясного представления, когда им снова придется сесть за стол. Затем с полным желудком мы отправились в казарму. Нас ждало разочарование. Зал был пуст! Ждем. Время идет, ожидание затягивается, и нам приходится признать, что представление не состоится!

Что делать? Куда идти? Все осложнялось нашим финансовым положением. В кармане ведь ни гроша! Уехать в Париж поездом невозможно. Идти пешком? Эта мысль тоже приходила в голову, но совершить длинный марш ночью, по морозу уж слишком страшно. Оставалось одно: просить ночлега в полиции. Завтра днем все будет виднее!

Приходим в комиссариат, где, оказывается, десять минут назад уже побывал хозяин гостиницы, подав на нас жалобу и обвиняя ни больше, ни меньше как в мошенничестве.

Ночь мы провели в участке. «Труппа» спала. Только «директриса» не могла сомкнуть глаз. Я была слишком расстроена, чтобы уснуть. Меня разыскивал отец, от которого я сбежала несколько месяцев назад, у меня не было никаких документов, в глазах полиции я была просто бродягой. Можно было ожидать самого худшего. Я уже представляла, как меня, остриженную, одетую в серое форменное платье, запирают до совершеннолетия в исправительный дом, где обходиться со мной будут по заслугам. В общем, ночь прошла ужасно.

К счастью, комиссар оказался милейшим человеком. Я чистосердечно рассказала ему все. Мы были виноваты лишь в том, что израсходовали будущий, к сожалению, ускользнувший от нас заработок. Наша добрая воля не вызывала сомнения. Столь же красноречиво об этом свидетельствовали бледные лица, запавшие глаза, потрепанная одежда и залатанная обувь «артистов». Он пожалел нас. По его настоянию хозяин гостиницы забрал назад свою жалобу. Мы были свободны!

Вечером мы дали представление в военном лагере Сатори. Совершенно неожиданно сбор достиг трехсот франков. На следующий день я рассчиталась с хозяином гостиницы...

Несмотря на это воспоминание, которое, как это ни глупо, задержало на несколько часов мое решение, я все же дала согласие петь в «Версале». Я уже писала, как все хорошо кончилось.

С тех пор я неизменно начинаю свои гастроли в США в «Версале». Мне доставляет удовольствие вновь после перерыва встретиться с американским зрителем именно в этом помещении. Вероятно, чтобы убедиться в его неизменных симпатиях к Айдис, в тех чувствах дружбы, в которых нуждается всякий истинный художник, ищущий общения со зрительным залом, а также — пусть это прозвучит немного выспренне — для того, чтобы если не передать ему свои мысли, то, во всяком случае, раскрыть перед ним все богатство своих чувств.

Расположенный даже не на Бродвее, а поблизости от гостиницы «Уолдорф-Астория» и как бы в тени роскошного и огромного кинотеатра «Радио-Сити», этой гордости Нью-Йорка, «Версаль» представляет собой одновременно и ресторан и ночной кабачок. Его столики неизменно занимают люди, чьи имена можно найти в справочнике «Сосиал Реджистер», те самые «сосайтлитес», принадлежащие к элите, называемой также «VIP»-(«вери импортент персонэлити», то есть «весьма важные особы»). Обстановка здесь роскошная, в стиле рококо; «Версаль» гордится своими высокими ценами: филейная вырезка стоит шесть долларов пятнадцать центов, а бутылка шампанского — шестнадцать долларов. Считайте сами, во сколько здесь обходится ужин!

Чтобы я была отовсюду видна, сцену несколько приподняли. Однако всякий раз, когда раздвигается томно-зеленый занавес, меня охватывает страх. Но после приветственных возгласов в зале наступает тишина, и я овладеваю собой.

Я благодарна моим американским друзьям за то, что они дарят мне эту тишину. Только не говорите, что это совершенно естественно. Чаще всего бывает как раз наоборот...

«Поражает,— писал журналист Нерин Е. Ген после моих первых выступлений в «Версале»,— тишина, воцаряющаяся в зале после того, как объявляется выступление Эдит Пиаф. Американцы редко соглашаются молчать во время представления и еще реже не заказывать при этом напитки. Между тем прием заказов прекращается и люди внимательно слушают. Эдит выходит на сцену, маленькая, в платье из черной тафты. Ее английский язык понятен, хотя и забавен. Время от времени в зале раздаются восторженные выкрики, каждая песенка бисируется, и девушки в восторге взбираются на столики. После выступления аплодисменты долго не смолкают, зрители не отпускают Эдит Пиаф в надежде, что она споет еще раз».

В той же статье, анализируя причины моего успеха, Нерин Е. Ген приводит слова одного политического деятеля, оказавшегося его соседом по столику:

«До сих пор нам показывали поддельных французских «звезд», этакое олицетворение «веселого» Парижа, женщин, нетерпеливо стремящихся продать свой «сексэпил»*.

Эдит Пиаф представляет собой нечто совсем иное. Перед нами великая артистка, чей голос проникает в душу. Но также и маленькая бледненькая девушка, которая выглядит голодным, много выстрадавшим, постоянно испытывающим чувство страха ребенком».

Как мне подсказывает личный опыт, американский зритель не очень отличается от нашего. Он требователен, ибо зрелищная промышленность по ту сторону Атлантики доведена до редкой степени совершенства, но также очень чувствителен к усилиям, которые делаются для того, чтобы ему понравиться. Если вы пробормочете несколько слов по-английски, споете куплет на его языке, пусть ваш акцент при этом «разрывает сердце», как они там выражаются, он будет вам благодарен за такое внимание. Его реакция бывает подчас грубой, но он не старается подавить в себе восторг и ко-

---

гда любит артиста, то любит его горячо и всячески демонстрирует это.

Уже через пять минут американец, с которым вас познакомили, обращается к вам просто по имени. Вначале это удивляет, но, привыкнув, вы обнаруживаете, что он произносит ваше имя с симпатией, ибо считает вас уже своим приятелем и, если только имеет возможность, сделает все, чтобы доставить вам удовольствие.

Правда, американец всегда спешит. Однако на свидание он приходит вовремя, что я особенно ценю в людях, ибо лично мне это качество не присуще,— и свято выполняет данные обещания. У него практичный ум, он не дает себе права тратить время попусту, но бывает очаровательно наивен в часы, когда свободен. В такие минуты он проявляет ребячество, которое я лично нахожу необычайно приятной чертой.

Его обаяние — подлинное, оно как-то удивительно уживается с «борьбой за жизнь», которая пронизывает там сверху донизу всю социальную структуру общества. В этой связи хочется рассказать одну прелестную историю.

Я была в то время в Голливуде. Однажды утром раздался телефонный звонок. Известная звезда приглашала меня в тот вечер на премьеру нового эстрадного представления в Лос-Анжелосе. У меня были другие планы, и я позволила себе высказать это.

— Дело в том...— начала я.

Она прервала меня на полуслове.

— Вы не можете отказаться, Эдит. Речь идет о... И она назвала мне имя знаменитой киноактрисы, к сожалению, уже забытой, ибо она много лет нигде не снималась. Свергнутая с высот былой славы, испытывавшая серьезные материальные затруднения, Д. С. (не пытайтесь угадать, я изменила инициалы) каким-то чудом, сама уже на это не рассчитывая, добилась контракта на неделю в лос-анджелесском мюзик-холле.

— Нам известно,— продолжала моя собеседница,— что если у нее сегодня будет успех, то завтра она сможет подписать другой контракт — уже на пятьдесят две недели гастролей по США. И мы решили, что у нее будет сегодня триумф...

74

Вечером я пошла в театр. Ни один актер не уклонился от приглашения. Я увидела там Джоан Кроуфорд, Спенсера Трейси, Элизабет Тейлор, Бетси Дэвис, Маурен О'Хара, Хемпфри Богарта, Гарри Гранта, Бинга Кросби, Бетти Хэттон, Гарри Купера и многих других, которые, надеюсь, не посетуют на то, что я их не называю. Д. С. вышла на эстраду под бесконечные овации зала. После концерта ее вызывали десять раз, может быть, пятнадцать, я не считала...

Через сорок восемь часов Д. С. действительно подписала контракт, который спас ее от нищеты.

У нас, во Франции, мы привыкли к благотворительности. В этом отношении нашим актерам нечему учиться у своих американских коллег.

Но, согласитесь, эта история слишком хороша, чтобы не рассказать ее всем!

Повинен же в том, что после первого контракта с нью-йоркской публикой я едва не отказалась от гастролей и не вернулась домой, один француз, постоянно живший в США, чье имя я не стану называть, ибо он слишком падок на рекламу.

Он встретил меня с распростертыми объятиями. Он был в восторге, что видит меня и может показать мне Нью-Йорк. Естественно, что, удрученная своим неудачным дебютом, я очень рассчитывала на его поддержку. А вместо этого... Я словно и сейчас слышу его слова:

— Это надо было предвидеть, бедняжка Эдит! Американец не желает видеть скверные стороны жизни. Он оптимист. Вы привезли ему полные драматизма песни, которые заставляют плакать, в то время как он пришел развлечься и позабыть свои повседневные заботы. Если бы вы исполнили два-три веселых куплета, они были бы в ваших руках. И зачем вы только пустились на эту авантюру?

И он продолжал в том же духе, не отдавая себе отчета в том, что мучает меня и лишает той энергии, которая еще тлела во мне. Мари Дюба никогда не узнает, как в ту минуту, вся в слезах, я завидовала ее таланту. Ах, если бы я только умела петь, прищелкивая пальцами!

Слова поддержки, в которых я так нуждалась, я услышала от других. И в первую очередь мне хочется назвать имя моего большого друга Марлен Дитрих.

Марлен любит Францию и доказала свою любовь к ней в самые мрачные дни войны. Она была провидением, доброй феей многих французских актеров, приезжавших в США.

Ее внимание ко мне просто нельзя описать. Она видела, как я обеспокоена, взволнована, измучена, почти сломлена неудачей своего первого выступления. Она не отходила от меня ни на шаг, не оставляя наедине со своими мыслями. Она подготовила меня к новым сражениям, и если я их выиграла, то этим я обязана ей, потому что она этого хотела, тогда как мне самой все было безразлично. Я преисполнена к ней великой благодарности.

Не стану ничего говорить о ее блестящем таланте и необыкновенной красоте. Она одна из самых замечательных актрис кинематографа, Марлен-Незаменимая. Мне хочется сказать только, что это также одна из умнейших актрис, которых мне когда-либо приходилось встречать, человек, с величайшей ответственностью относящийся к своему искусству. На репетициях Марлен поражает своим спокойствием, терпением и старательностью. Она стремится к совершенству и служит всем примером. Обладая редким талантом, она могла бы относиться к своей работе небрежно. Марлен же Дитрих, напротив, еще более совершенствует свою технику, без которой самые блестящие способности никогда не смогли бы проявиться в полной мере.

Необыкновенно простая в жизни, она обладает прелестным чувством юмора. Помню, она как-то находилась в моей артистической уборной в «Версале». Я переодевалась. Без конца стучались в дверь посетители. Просунув голову в приоткрытую дверь, Марлен говорила:

— Что вам угодно, сударь? Я секретарь мадам Эдит Пиаф...

Пораженные, не веря самим себе, люди спрашивали, не приснилось ли им все это. Игра длилась долго и кончилась лишь после того, как один господин очень вежливо и без тени улыбки «осадил» ее:

— А я и не знал этого. Скажите, может быть, шофером у мадам Эдит Пиаф служит Морис Шевалье?

Правда, этим господином оказался мой старый друг журналист Робер Бре, родившийся в Бельвиле, где парни за словом в карман не лезут.

Да и сам Морис Шевалье первым не станет это отрицать.

XI

Смеясь задиристо и нежно,
Беспечен, дерзок, неучтив,
Локтями действуя прилежно,
Шагал по улице мотив...

В Голливуде я познакомилась с Чарли Чаплином. Но не на киностудии, а в кабаре. С этим связаны самые волнующие минуты в моей жизни,— он пришел послушать меня.

Не то чтобы в тот вечер произошло что-то необыкновенное. Просто петь перед Чарли Чаплином — значило осуществить неосознанную мечту, которую можно носить в себе годами, не очень отдавая себе в этом отчет. Если же она исполняется, то неизменно вызывает у вас восторг. Когда мне сказали, что Чаплин — о котором мне было известно, что он редко выезжает и никогда не бывает в ночных клубах,в зале и сидит совсем близко от сцены, я поняла, что в этот вечер осуществится то, о чем я бессознательно мечтала всю жизнь.

Странно, но я не испытывала никакого страха. Я ни разу в жизни не разговаривала с Чарли Чаплином, но много раз видела его фильмы, и этого было вполне достаточно, чтобы внушить мне спокойствие. Я знала, что буду петь перед художником, которого, не боясь преувеличений, можно назвать гениальным, перед мастером, чье творчество представляется одним из самых благородных памятников человеческому разуму, и одновременно перед человеком с огромным, чувствительным к невзгодам бедняков сердцем, человеком, сострадающим слабым и несчастным. Он приехал сюда не для того, чтобы посмеяться надо мной, а чтобы понять. Бояться его суждений просто глупо. Это был друг. А друга не боятся. Мой голос может, конечно, ему не понравиться, но сердца наши должны открыться друг другу.

И я пела лишь для него и, вероятно, никогда не пела лучше, чем в тот вечер, испытывая, однако, при этом чувство бессилия. Как выразить все, что я хотела ему сказать? Я старалась превзойти самое себя. Пытаясь отблагодарить его на свой лад за прекрасное волнение, которым была — и осталась — обязана ему. Я по-своему хотела ему сказать: «Знаете, Чарли, я ведь хорошо знакома с тем, кого вы называете «маленьким человеком», и отлично понимаю, почему вы его любите. Он заставил меня смеяться, ибо вы этого хотели, но я не обманывалась на этот счет и была близка к слезам. Как и всем людям на свете, он преподал мне урок мужества и надежды, и, вероятно, поэтому я так счастлива, что пою вам свои песни».

Мы поболтали после представления. Впрочем, я преувеличиваю — говорил только Чаплин. Он сказал, что я тронула его до глубины души и что он плакал, хотя это бывает с ним редко, когда он слушает певицу. Чудесный комплимент, не так ли? Куда более очаровательный, чем тот, на который я могла рассчитывать! И... я выслушала его, не в силах сказать в ответ, как мне дороги эти слова, произнесенные таким человеком, как он. О, я была совсем не в лучшей форме! Я только покраснела и что-то пролепетала в ответ...

После ухода великого артиста меня охватило бешенство на самое себя. Как глупо все вышло! Чарли Чаплин, всегда вызывавший у меня восхищение, подлинно гениальный художник, говорил мне комплименты, а я, несмотря на свою радость и гордость, не нашла слов, чтобы высказать ему свою благодарность!

Представьте же мое изумление, когда на другой день Чарли Чаплин позвонил и пригласил к себе в Беверли-Хилл в гости.

Подобно людям, которые в силу своей профессии ложатся поздно, я люблю поваляться в постели. Я умеренно кокетлива. Но в тот день я нарушила все свои привычки. Чарли Чаплин ждал меня после полудня. Я была на ногах в семь часов утра, начала одеваться, примерять платья, выбирать шляпы...

Я сама себя не узнавала!

Наконец, я отправилась к нему. Незабываемые часы! В доме были одни близкие, но я видела только его. Чарли необычайно прост в обращении, я таких людей раньше не встречала. Беседа с ним необычайно интересна. Он говорит мягким, ровным голосом, не злоупотребляя жестикуляцией и как бы застенчиво. Ободрив меня рассказом о том, как он сам дебютировал в мюзик-холле, в знаменитой труппе Фреда Карно, не думая еще в то время о кинематографе, он долго затем говорил со мной о Франции, которую очень любит.

— И не только потому,— добавил он, смеясь,— что французы всегда лучше понимали мои фильмы, чем американцы! Я люблю Францию потому, что это страна нежности и свободы.

Затем он талантливо сыграл мне на скрипке одно из своих сочинений. Я ушла счастливая, что приблизилась к нему, и еще больше — оттого, что увидела его именно таким, каким представляла себе через его «маленького человека».

— Эдит,— сказал он мне на прощание,— я напишу для вас песенку — слова и музыку.

Я убеждена, что Чарли Чаплин сдержит свое слово.

А также в том, что это будет прекрасная песенка.

Мне хочется рассказать также и о тех, кем я не только восхищаюсь, но и к кому испытываю искреннюю благодарность. Например, о Саша Гитри.

Своему знакомству со знаменитым актером и писателем я обязана «моим» заключенным, военнопленным из лагеря «IV-Д», который я опекала, как крестная мать. Произошло это при обстоятельствах, позволивших мне судить не только об изобретательности ума Саша Гитри, но и о несомненном благородстве его сердца.

Когда оккупационные власти предложили мне, как и многим другим актерам, отправиться с концертами в Германию, первым моим побуждением было отказаться. Однако после размышлений у меня созрела одна мыслишка, и я согласилась. Ведь спеть французские песни в лагере перед парнями, которые там томятся, значило поддержать их моральный дух, подарить им несколько мгновений отдыха, радости и забвения. Я не имела права лишать их этого! Была у меня и другая цель пронести в лагерь побольше всяких вещей. Обычно наш багаж просматривался бегло, а ведь у того, кто мечтает вырваться на волю, не всегда все есть.

Таким образом, у меня появилась возможность помочь тем, кто стремился к побегу. Разве можно было упустить такой случай.

И я несколько раз выступала перед военнопленными. Принимали они меня горячо, а после концерта, в обычной неразберихе и сутолоке, я раздавала автографы, сигареты и менее безобидные вещи — компасы, карты и столь же фальшивые, сколь и абсолютно достоверные документы.

В июне 1944 года я узнала из письма одного из моих 80 «крестников», что лагерь «IV-Д» подвергся бомбардировке и пятьдесят человек убито. Это означало, что пятьдесят семей не увидят своих близких, а большинство из них, вероятно, и так пребывает в нищете.

Меня спрашивали в письме, не могу ли я «что-нибудь сделать»? Этот вопрос и я задавала сама себе. И не находила ответа. Выступить с концертом? Такая мысль мне пришла в голову прежде всего. Но в Париже меня видели уже тысячу раз. Я, конечно, привлеку какое-то число зрителей, но их будет явно недостаточно для большого сбора, в котором я так нуждалась.

И я искала, искала выхода...

Внезапно под влиянием одной мысли я схватила телефонную трубку и позвонила Саша Гитри. Я совершенно не знала, что стану ему говорить и о чем просить, но была глубоко убеждена, что только он один способен разрешить эту проблему.

Саша сам подошел к телефону. Сначала я не могла найти нужных слов.

— Две минуты назад, мэтр, я была полна мужества, а теперь не смею сказать...

Он стал меня успокаивать, ободрять, и тогда я кое-как объяснила ему, в чем дело, рассказала о военнопленных из лагеря, бомбардировке, концерте...

Оставалось сказать еще самое трудное.

— К сожалению, я одна не сумею привлечь публику, А нужны деньги, много денег. Я хочу вас просить, мэтр, принять участие в этом деле. С вашим именем на афише сбор будет огромный.

— Где вы намерены провести концерт?

Саша Гитри задал мне этот вопрос самым любезным и участливым тоном. Но я прекрасно понимала, как неприлично вела себя в данном случае. Я ведь просила одного из крупнейших актеров современности, не согласится ли он выступить на подмостках кабаре!

Однако ответить все же надо было.

— Я пою сейчас в «Болье». Вот я и решилась...

Ответа не последовало. Догадываясь о моем замешательстве, Саша Гитри проявляет милосердие.

— Вы знаете, я никогда не выступал в кабаре! Это будет мой дебют. А дебют — вещь ответственная. Дайте мне сутки на размышление и позвоните еще раз завтра.

Я повесила трубку с чувством облегчения. Он решил меня избавить от унижения, это было совершенно очевидно. Есть вещи, которые нельзя просить у Саша Гитри. Что же я услышала назавтра, когда позвонила ему снова? Я ушам своим не поверила, настолько это было невероятно: Саша Гитри принял мое предложение!

— Мадемуазель,— сказал он,— у меня есть еще одна мысль. Но, до того как поделиться ею, я хотел бы своими глазами увидеть помещение кабаре. Это возможно?

Изумленная и потерявшая голову от счастья, я воскликнула:

— Разумеется, мэтр! Когда вам угодно, в любое время!..

— Тогда сейчас же.

Через несколько минут мы встретились в «Болье». Саша Гитри осмотрел зал, сцену, задал несколько вопросов электрику, потом, как мне показалось, явно довольный своим визитом, спросил, есть ли у меня время поехать к нему домой. Я в восторге согласилась.

И вот я в огромном рабочем кабинете-салоне мэтра, в его доме на авеню Элизе-Реклю. Я совершенно потерялась в глубоком кресле. Саша Гитри сидит по другую сторону огромного стола, на котором видны большие коробки из красного картона с оловянными солдатиками и мраморными руками, сделанными, как мне кажется, по оригиналам Родена. И своим несравненным голосом, способным придать особый смысл произносимым словам, он стал говорить мне о концерте, успех которого был ему теперь так же дорог, как и мне.

— Надо сделать нечто оригинальное,— сказал он,— но я не все обдумал. К этому мы еще вернемся. Во всяком случае, я прочитаю какую-нибудь из своих поэм, написанных в молодости, или отрывок из пьесы, смотря по обстоятельствам.

Красная как маков цвет, я пролепетала:

— Значит, мэтр, вы согласны?

— А разве вы сомневались? На какой сбор вы рассчитываете?

— С вашим именем на афише, мэтр, мы можем назначить цену за входной билет в размере двух тысяч франков. Там двести мест.

Гитри кривится.

— Четыреста тысяч? Маловато. Но мы что-нибудь придумаем...

И он действительно придумал...

В середине вечера — надо ли говорить, что участие в нем Саша Гитри привлекло сливки парижского общества, — на сцену поднялся милейший Жан Вебер и объявил... аукцион.

«Опять аукцион?» — скажете вы. Да, опять? Но это был необыкновенный аукцион, ибо к началу распродажи у нас нечего было продавать. Нечего? Саша Гитри правильно рассчитал, что на этот вечер придут очаровательные женщины, у которых есть все — мужья, женихи, братья, отцы, что они соберутся здесь для того, чтобы выразить свою солидарность с другими женщинами, которые не увидят своих мужей, женихов, братьев или отцов. И он решил, что дамы не откажутся пожертвовать чем-либо из своих драгоценностей или мехов ради того, чтобы помочь тем, у кого их никогда не будет. Мы будем продавать, дорогие дамы, лишь то, что вы нам подарите!

Через пять минут Жан Вебер выбрал для продажи в груде мехов на эстраде первую норковую шубку. За ней последовала другая, затем колье, потом накидка... Аукцион все разгорался, ибо каждый, точнее говоря, каждая женщина в конце концов забирала свою собственность назад. После этого Жан Вебер объяснил, что у него остается только «дар одного господина», предмет, который не может быть возвращен его владельцу,— бумажник Саша Гитри с двумя письмами Люсьена Гитри и Октава Мирбо, а также с не менее редкостной фотографией Люсьена Гитри и Саша — ребенком, снятой в Петербурге в 1890 году.

Счастливая и готовая ежесекундно расплакаться, стояла я за кулисами и наблюдала за этой распродажей, кусая свой платок. Чья-то рука легла мне на плечо. Я повернула голову. Саша Гитри улыбался мне.

— Когда Жан Вебер кончит свое дело, мы все выйдем на сцену, подойдем к рампе и вы скажете, показав на нас: «Мы сделали, что могли». А затем, обращаясь к зрителям, вы добавите: «Но вы дали нам два миллиона! Браво и спасибо!»

Никогда не забуду я вечер 11 июля 1944 года.

XII

И счастье открыло пред ними свой лик,
Чудесный напев прямо в душу проник,
И счастлив был даже бедняк в этот миг!
А церковь как будто по небу плыла,
И молодую, что сердцем светла,
Славили, славили колокола.

Я встретила Жака Пиллса впервые в 1939 году, быть может, годом раньше. Я уже много слышала о нем, ибо он был хорошо известен, но наши пути до этого не пересекались. Мы выступали в Брюсселе в одной программе. Мое еще мало кому известное имя напечатали на афише микроскопическими буквами, не больше, чем имя издателя, тогда как его и Жоржа Табе было набрано огромным жирным шрифтом.

Пиллс и Табе — очень модный тогда дуэт — исполняли многочисленные популярные песни, в том числе прелестную «Спи на Сене» Мирея и Жана Ноэна. Они объездили всю Америку с востока на запад и делали повсюду огромные сборы, тогда как моя скромная персона даже известна не была за пределами Франции. Естественно, что вся программа держалась на них. Тот факт, что в рекламе говорилось лишь о них, кажется мне сегодня вполне справедливым. Но тогда я находила это чрезмерным и, не стесняясь, высказывала свое мнение за кулисами в надежде, что оно дойдет до тех, кому предназначалось. Что действительно и случилось.

Дабы подчеркнуть свой протест, я каждый вечер устраивала — не очень, правда, шумную — демонстрацию, проливавшую слабый бальзам на мои раны: после своего выступления я покидала театр. Таким образом, я ни разу не слышала их песен. Думаю, что Пиллса и Табе это не слишком огорчало. В свою очередь, они избегали меня и не приходили в театр во время моего выступления. Таким образом, и они никогда не слышали меня. Я была для них только именем, да притом еще маленьким, человека... со скверным характером!

Я встретила Жака снова в Ницце в 1941 году и на сей раз пошла его слушать. Мое предубеждение к нему давно прошло, и теперь мне пришлось признать, что тогда, в Брюсселе, я была несправедлива.

В общем, он мне очень понравился, и, когда мы с ним разговаривали, мне показалось, что и я нравлюсь ему. Он не говорил этого, но глаза бывают красноречивы! К сожалению, ни он, ни я не были тогда свободны...

Несколько лет спустя мы оба оказались в Нью-Йорке: Жак выступал в одном кабаре, я — в другом. Время от времени мы встречались у общих друзей — с радостью и одновременно с чувством какой-то неловкости, причем разговаривали лишь на профессиональные темы. Я читала в его взгляде другое, и, полагаю, он видел в моем то же самое, но ситуация оставалась прежней. Видимо, час, когда мы сможем пойти с ним по жизни одной дорогой, еще не наступил...

По возвращении во Францию я узнала, что Жак развелся. Вскоре и я стала свободна.

В тот день я сказала себе, что знаю на свете двух свободных людей, которые скоро могут соединить свои жизни.

Не знаю только, каким путем судьба сведет нас вместе.

После долгих гастролей по Южной Америке Жак возвращался на теплоходе «Иль де Франс» во Францию вместе со своим американским импресарио Эдди Льюисом, который после смерти Клиффорда Фишера выполнял эти же обязанности и во время моих гастролей в Америке.

Однажды на теплоходе Жак напел ему мелодию песенки и спросил:

— По-вашему, Эдди, кому я должен ее отдать?

— Никаких сомнений! Только Эдит!

— Мне очень приятно это слышать, ибо я писал, думая о ней. Но мы едва знакомы, и я не посмею сам предложить ей свое сочинение.

— Об этом не беспокоитесь, Жак. По приезде в Париж я все организую.

Едва устроившись в гостинице «Георг V», Эдди Льюис звонит мне.

— Мне нужно непременно познакомить вас с одним человеком, который написал для вас восхитительную песню. Когда вы можете его принять?

Мы договорились о встрече на завтра. По своему обыкновению я пришла с опозданием, и кого же я увидела в своем салоне вместе с пианистом? Конечно же, Эдди Льюиса и Жака Пиллса! Я замерла от неожиданности. Значит, человек, который написал для меня песню,— он!

Придя немного в себя от удивления, я направилась к Пиллсу и немного недоверчиво сказала:

— Значит, вы пишете песни?

— Конечно! Со времен лицея...

— Я этого не знала. Что же это за песня, которую вы хотели мне показать?

Я горела от нетерпения услышать ее. Не только потому, что Льюис назвал ее «восхитительной», но также и оттого — признаюсь публично,— что никогда не пела песни, написанные людьми лично мне несимпатичными, и, напротив,— обожала исполнять произведения своих друзей. Быть может, глупо, но это так! Впрочем, никем не доказано, что это настолько уж глупо, как может показаться с первого взгляда.

Я знакома с одним очень образованным человеком, который утверждает, что у великого поэта не может быть физиономии подлеца. А если это так, почему бы мне не думать, что именно мой инстинкт неизменно предохранял меня от людей, которые не могли написать мне хорошие песни — не из-за отсутствия таланта, а потому, что между нами не было никакого родства душ?

После некоторого замешательства Жак ответил с явным смущением:

— Если позволите, название я вам скажу позднее. Боюсь, что оно может показаться вам слишком... откровенным. Что касается песни, то я написал ее для вас в Пунта-дель-Эсте, одном из самых прекрасных городов Уругвая.

— Слова и музыку?

— Нет, только слова. Музыку сочинил мой аккомпаниатор Жильбер Беко, у него большой талант.

Пианист заиграл, и Жак спел мне «Я от тебя без ума».

Я от тебя без ума
Уж тут ничего не поделать!
Избавиться б рада сама,
Но рядом ты ночью и днем,
В сердце живешь ты моем,
И тут ничего не поделать...
Я от тебя без ума
Уж тут ничего не поделать.
В сердце живешь ты моем
Лето, весна ли, зима.
Чувствую губы твои
Вечером, ночью ли, днем.
И тут ничего не поделать:
Я от тебя без ума!

Я была очарована. Во-первых, песней. Действительно, восхитительной. Чтобы в этом убедиться, не надо было слушать ее дважды. Но также и самим исполнением Жака, которое оказало непосредственное влияние на характер моего собственного. Когда я позднее стала петь эту песню, я в точности копировала Жака.

В тот вечер Эдди Льюис и Жак обедали у меня.

На другой день Жак пришел снова и послезавтра — опять. Песенку, конечно, надо было отрепетировать, отшлифовать до конца! Нам случалось и теперь вспоминать наши встречи в Ницце и Нью-Йорке, но в эти минуты мы избегали смотреть друг другу в глаза. Мы много выезжали вместе, играя в дружбу, которой сами себя обманывали, но лишь в той мере, в какой сами того хотели.

Наконец наступил день, когда Жак сказал, что любит меня...

Немного позднее он предложил мне стать его женой.

Если я так свободно рассказываю о своем браке, я это делаю именно оттого, что ни о чем не жалею. Он длился четыре года, это были прекрасные годы, которые мне жаль было бы не прожить. Почему же надо сегодня отрекаться от них?

Итак, Пиллс сказал мне однажды:

— А если бы я предложил тебе стать моей женой?

Признаюсь, я не ожидала этого вопроса, и у меня перехватило дыхание. Я ничего не имела против замужества, только думала и продолжаю думать, что бывают в жизни случаи, когда брак людям противопоказан, ибо несовместим с их профессией. Иметь домашний очаг, настоящий дом, в то время как вы вынуждены кочевать по всему свету с января по декабрь? Это нелегко. И все же стоило попробовать.

20 января 1952 года я стала мадам Рене Дюко — таково было настоящее имя Жака.

Нам хотелось обвенчаться во Франции, но наши документы не были готовы, а контракты призывали ехать в США. Церемония бракосочетания состоялась в небольшой французской церкви в Нью-Йорке, где американский священник итальянского происхождения благословил наш союз. Моей «подружкой» была Марлен Дитрих, одевшая меня с ног до головы, а мой дорогой импресарио Луи Баррье повел меня к алтарю.

Друзья организовали два приема в нашу честь— в «Версале» и «Павильоне», крупнейшем ресторане Нью-Йорка.

Свадебного путешествия не было. Вечером у каждого из нас был концерт: у Рене в «Ви ан роз», у меня — в «Версале».

Это было символично. Лишь утром мы были обвенчаны, н сразу же профессиональные обязанности разлучили нас.

Песенка «К дьяволу эту мадам!», которую Жак с моего полного согласия в шутку исполнил в «Версале» в день нашей свадьбы, дает ложное представление о наших отношениях. Разумеется, я обладаю «бешеным» темпераментом и не всегда терплю противоречие, зато Жак — само спокойствие, невозмутимость и склонен к быстрому примирению.

Несмотря на все несходство характеров, наш брак мог бы быть удачным, не будь мы оба звездами эстрады.

Мне удалось повлиять на творчество Жака и привить ему вкус к сольным песням, столь отвечавшим его темпераменту и таланту, по к моменту нашей встречи он уже был сформировавшимся артистом. После первой же поездки по США американцы прозвали его «Мсье Очарование». Между нами никогда не было соперничества. Мы могли совершенно спокойно находиться на одной афише.

Было время, когда мы думали, что сможем вместе ездить по свету, рука об руку: выступали вместе в «Мариньи», затем в «Супер-Сиркус», исколесили США от одного побережья до другого. Но это было слишком прекрасно, чтобы продолжаться и дальше.

Наступил момент, когда мы поняли, что карьера каждого в отдельности мешает нам быть вместе. Таких площадок, которые могли бы позволить себе роскошь выпускать нас в одной программе, было немного. Один раз нас разлучили несколько тысяч километров, другой раз снова... Жака приглашали в Лондон для участия в оперетте, а меня контракт удерживал в Нью-Йорке, либо я была в Лас Вегасе, или в Париже.

Мы не пожелали быть супругами, которые говорят друг другу слова привета, когда их самолеты встречаются посреди Атлантики, в то время как один летит в США, а другой — во Францию.

Но мы оба не жалеем, что часть пути прошли вместе и сохранили прочную дружескую привязанность друг к другу.

XIII

> Артист может ощупью открыть
> потайную дверь, так никогда и не поняв, что за нею скрывался целый мир.
>
> *Жан Кокто*

Когда я впервые выступала на сцене театра, скучать мне не пришлось: ведь я играла в пьесе Кокто.

Много лет я восхищалась им, прежде чем познакомилась лично,— да разве можно не восхищаться, зная его произведения. Но в тот день, когда мы встретились, я была буквально очарована и покорена. Он заговорил о песне с удивительным проникновением в суть вопроса, всегда поражавшим всех его друзей, людей, привычных к фейерверку остроумия, которым неизменно искрится его беседа. Мне было приятно услышать, что он любит мюзик-холл.

— Именно там,— сказал он,— можно встретить настоящую публику, ту самую, которую видишь на футбольных матчах и на соревнованиях по боксу. Времена, когда воздвигались башни из слоновой кости, миновали, и снобы больше не идут в расчет. Зритель из толпы интересен по-своему, но и труден по-своему...

Когда по просьбе Кокто я стала называть его просто по имени, как поступают сотни людей, чьи лица ему даже незнакомы, в моей голове зародилась дьявольская мысль. Для Марианн Освальд, чьи концерты в «Фоли-Ваграм» нередко заканчивались настоящими потасовками, продолжавшимися и на улице, он написал незабываемые «песни в прозе», такие, как «Нянька Анна», «Дама из Монте-Карло». Для Арлетти он сделал из сказки Петрони одноактную пьесу «Школа вдов», которую та играла в «АВС» незадолго до войны. А что, если я его попрошу, подумала я, быть может, он и мне не откажется написать что-нибудь...

Однажды я рискнула обратиться к нему с этой просьбой.

— Разумеется, я не прошу ничего крупного... Я не представляю себя в трехактной пьесе. Мне достаточно одного акта...

Не смея того сказать, я, конечно, намекала на «Человеческий голос» с несравненной Берт Бови в главной роли.

Мне нужно было нечто похожее. Так сказать, «Человеческий голос» себе по росту...

К моей великой радости, эта мысль понравилась Кокто.

— Почему бы нет? — ответил он. — Я подумаю, и ты получишь свою пьесу. Но предупреждаю, не жди блеска остроумия или каких-то поэтических образов. Это будет простой диалог, написанный, так сказать, «крупными буквами», чтобы быть понятным для всех...

Им стала одноактная пьеса Кокто «Равнодушный красавец».

В пьесе два персонажа, из них один не произносит ни слова. Декорация изображает бедную, но чистенькую комнату, освещенную уличными рекламами. При поднятии занавеса женщина одна. Это певичка из ночного клуба, живущая с красивым парнем, который ее больше не любит. Все ее время уходит на то, что она ждет его. Этой ночью она ожидает его по-прежнему. Он входит, надевает халат, ложится в постель, закуривает сигарету и развертывает газету, которая скрывает его лицо. Все это время мужчина молчит.

А она говорит, говорит! Патетический любовный монолог, который не встречает отклика. Женщина переходит от гнева к горю, от нежности к угрозам. Она то становится мягкой, то возмущается, то унижается.

«— Я люблю тебя. Разумеется, я люблю тебя, и в этом твоя сила. Ты меня не любишь. Если бы ты, Эмиль, любил меня, ты не заставлял бы меня ждать, ты бы не мучил меня каждую минуту, не заставлял бы таскаться по кабакам и ждать тебя. Я изгрызла себя. Я стала похожа на тень, на привидение...».

Мужчина засыпает. Она его будит. Он встает, одевается, чтобы вернуться к любовнице. Она грозит его убить, цепляется за него.

«— Прости! Я буду благоразумной. Я не буду жаловаться. Я буду молчать. Да-да, я буду молчать. Я уложу тебя в постель и буду баюкать. Ты уснешь. Я буду смотреть, как ты спишь. Тебе приснится сон, и во сне ты пойдешь куда хочешь, будешь меня обманывать с кем захочешь... Но останься, останься!.. Я умру, если придется тебя ждать завтра и послезавтра... Это свыше моих сил. Умоляю, Эмиль, останься. Посмотри на меня. Я согласна. Ты можешь лгать, лгать и заставлять меня ждать. Я буду ждать. Буду ждать, сколько ты захочешь!»

Он отталкивает ее, награждает пощечиной и уходит, хлопнув дверью. Она бежит к окну. Занавес падает.

Это все.

И это настоящий шедевр.

«Равнодушного красавца» решили показывать в «Буфф-Паризьен» в один вечер со «Священными чудовищами» — другой пьесой Кокто, в декорации Кристиана Берара. Она шла в конце вечера. Моим партнером выступал Поль Мерисс. Я знала его по концертам в кабаре, где он мрачным тоном пел веселые песенки. Созданная им маска и естественная бесстрастность должны были теперь ему помочь в этом спектакле.

Я принялась учить свою роль. Это была совершенно новая, увлекательная работа. Затем начались репетиции. Я никому об этом не говорила, но очень гордилась тем, что дебютирую на сцене драматического театра, в пьесе, специально написанной для меня великим поэтом. Я, конечно, понимала, насколько важен для меня этот дебют, но он меня не пугал. Жан всячески меня успокаивал. Я строго выполняла его советы. Все должно кончиться хорошо, и мне не надо волноваться.

В день генеральной репетиции к десяти часам вечера я была уже готова и ждала выхода в своей артистической уборной. Ко мне пришел один друг. Чувствуя себя отлично, я встретила его шуткой. Он удивился, что я такая веселая.

— Ты меня поражаешь! — сказал он мне.— Неужели ты не отдаешь себе отчета в том, что в течение получаса будешь играть одна и что монолог в театре, написанный Кокто, — это нечто совершенно отличное от песенки. Соберись немного! На сцене сейчас такие артисты, как Ивонн де Бре, Мадлен Робинсон и Андре Брюле. Ты выходишь вслед за ними. Понимаешь, что это значит? А в зале «весь Париж», который наблюдает, как ты себя будешь вести на этом повороте!

Он говорил с лучшими намерениями, но выбрал для этого не самый подходящий момент. Внезапно на меня нашло прозрение, и я «осознала», что делаю. Конечно же, он был тысячу раз прав! Я действительно не отдаю себе отчета в своих поступках. Нельзя выступать после Ивонн де Бре без всякой театральной подготовки! Все кончится плохо, я буду осмеяна, люди скажут: «Так ей и надо!» И я не смогу ничего возразить. Я была подавлена. Взяв сумочку на гримировальном столике, я вскочила и бросилась к двери. Я не стану играть, мне хотелось уйти, убежать, спрятаться где-нибудь...

Меня удержали, успокоили, и в конце концов, подталкиваемая чьими-то дружескими руками, я вышла из-за кулис. Вся дрожа от страха, я в течение некоторого времени бродила по сцене, не говоря ни слова. Подходила к окну, ставила пластинку на проигрыватель, снимала ее, затем хватала телефонную трубку и говорила «Алло!».

«Алло»-то я произносила, а вот что говорить дальше, не знала. С ужасом я почувствовала, что забыла свою роль. Весь текст! В памяти образовался провал, полный мрак. Холодный пот выступил у меня на лбу. Приближался момент, когда мне надо будет говорить. И если я скажу опять «алло», зрители справедливо сочтут, что я повторяюсь. Приближался страшный момент. Конечно, поблизости находилась моя секретарша с тетрадкой роли на случай, если придется что-либо подсказать. Но разве могла она догадаться, что я все забыла, даже не успев открыть рот?

Я снова подошла к телефону, и, когда мои пальцы сжали трубку, я внезапно с огромным облегчением почувствовала, что спасена. Свершилось чудо. Как выразить это иначе? Мой текст? Я его знала. Я все вспомнила! Так же внезапно, как и забыла его.

И я сыграла пьесу, не прибегая к услугам суфлера.

Как я играла в тот вечер? Не знаю. Но, целиком захваченная ролью, текстом, обладавшим удивительной силой правды, я жила тем, что делала и говорила. В конце же вся в слезах без сил я упала на постель...

А зал аплодировал. Жан Кокто расцеловал меня. Пресса считала, что я с честью вышла из трудного испытания.

К несчастью, времена — это был февраль 1940 года — не очень благоприятствовали театральным начинаниям, и «Равнодушный красавец», которому все предвещало прекрасное будущее, был снят с афиши спустя три месяца после премьеры.

Мне хочется сейчас рассказать об одном смешном опыте, который я проделала, оказавшись в незавидном положении артистки (правда, временной) театра «Буфф-Паризьен».

Мадлен Робинсон, играющая в «Священных чудовищах», вынуждена была срочно лечь в клинику на операцию. Дублерши у нее не оказалось. За несколько часов до спектакля мне позвонил Жан Кокто и попросил в тот же вечер прочесть на авансцене роль Мадлен.

— С текстом в руке?

— Конечно.

— Тогда согласна.

Мне казалось, что прочитать на сцене роль не так уж сложно. В действительности это невероятно трудно!

По крайней мере, для человека, у которого нет опыта. В ходе представления я буквально умирала от страха, все время опасаясь того, что опоздаю с репликами или произнесу их глупо. Не могу сказать, что всего этого не было в моем исполнении. Во всяком случае, с невероятным облегчением я произнесла последние слова роли, принадлежащие... Шамброну. Произнесла, как мне сказали потом, совершенно естественно, к величайшей радости зала, разразившегося смехом и наградившего аплодисментами любителя, чье благородное самоотвержение в тот вечер заслуживало, разумеется, поощрения.

Я снова выступила в «Равнодушном красавце» в 1953 году в театре «Мариньи» с Жаком Пиллсом. Постановщиком был Раймон Руло, отличные декорации сделала Лин де Нобили. Спектакль прошел успешно, оценка печати была превосходная.

Я не стану цитировать отзывы газет, но да простят мне, если я приведу несколько строк из предисловия Жана Кокто к сборнику его «Второстепенных произведений».

«Я уже говорил о маленьких трагических актрисах (карманных трагических актрисах), например об Эдит Пиаф и Марианн Освальд. Без них одноактная пьеса «Равнодушный красавец» или песни в прозе, вроде «Няньки Анны» или «Дамы из Монте-Карло», ничего не стоят».

Лично я решительно против такого утверждения, поскольку речь идет обо мне. «Равнодушный красавец» — это чудесный материал для актрисы, но ей решительно нечего добавлять от себя, ибо в самой пьесе заложено все, что надо. Произведение существует само по себе, и это настоящий шедевр.

Что не мешает мне, Жан, быть благодарной тебе за строки, которые я процитировала выше.

Нет, уж если я полюблю,
Я соперниц не потерплю!
Любимого к сердцу прижму
И не отдам никому
Во всяком случае,
Постараюсь...
И счастлива буду с ним,
С единственным, дорогим,
Во всяком случае,
Постараюсь...

«Маленькая Лили», ознаменовавшая мой «второй дебют» (как говорят в «Комеди Франсез»), потребовала шести недель репетиций и двух лет споров. Согласия не было ни по одному вопросу.

Митти Гольдин, капитан театра «АВС», руль которого он держал в своих руках уже много лет, заказал пьесу Марселю Ашару и готов был ее поставить при условии, если режиссером будет Раймон Руло, удачно руководивший мной в «Равнодушном красавце». Марсель Ашар и слушать не хотел о Руло, а тот в свою очередь говорил, что никогда не станет работать в театре Митти Гольдина и, особенно с автором «Жана-с-Луны». В отношении декораций можно было услышать, как говорят, ту же песенку. Ашар хотел Лин де Нобили, Гольдин считал ее нежелательной. И так далее и тому подобное. Автор и директор истощали силы в бесплодных спорах, нередко заканчивавшихся пронзительными криками.

Поскольку главная роль в пьесе была предназначена мне, я имела право голоса, и время от времени, в минуты передышки, чтобы дать отдохнуть своей глотке, крикуны советовались со мной.

— Каково твое мнение, Эдит?

Моя позиция была ясна и оставалась неизменной. Она включала четыре пункта, от которых я решила не отказываться ни под каким видом. Я добивалась следующего:

1. Сыграть «Маленькую Лили», музыкальную комедию в двух актах и с неопределенным числом картин, написанную Марселем Ашаром на музыку Маргерит Монно.

2. Поставить ее в «АВС» у Митти Гольдина.

3. С режиссером Раймоном Руло.

4. В декорациях Лин де Нобили.

И я добилась удовлетворения своих требований. Но на это понадобились всего лишь два года терпения, бездна дипломатии, несколько окриков (чтобы не очень выделяться из общей атмосферы) и немало воли — качества, которым я, к счастью, наделена сполна.

После того как мои требования были приняты, начались раздоры из-за распределения ролей. В роли гангстера я видела Эдди Константина. Гольдин и слышать о нем не хотел. Он находил его неуклюжим, неловким, он упрекал его за... акцент, что в устах Митти Гольдина звучало довольно пикантно, ибо превосходный директор «АВС», несмотря на тридцать лет, прожитых в Париже, сохранил до конца своих дней ярко выраженный акцент жителя Центральной Европы. Однако он уступил мне и Раймону Руло, утверждавшему, что роль можно сократить и что гангстеры по установившейся традиции больше действуют, чем говорят. Певец Пьер Дестай, которого Ашар прочил на роль Марио, оказался занят. Его надо было кем-то заменить. Я предложила Робера Ламуре, горевшего желанием попробовать силы в театре. Гольдин долго раздумывал, затем без всякого восторга согласился. Один из лучших наших мастеров комедии сегодня, Робер Ламуре доказал, что был достоин оказанного ему доверия.

Начались репетиции. Протекали они довольно бурно. Пьеса была в основном готова, но никто не читал ее по той простой причине, что автор еще не успел ее закончить целиком и ни у кого не было в руках полного текста роли. Начали с первых сцен. Каждый день со счастливым и довольным лицом Марсель Ашар приносил нам продолжение. Мы словно читали роман с продолжением. Когда Марсель входил в театр, мы набрасывались на него с вопросами:

— Ну, Марсель, кто убил?

— Кто же убийца? Я или он?

— Кого, наконец, назовет мужем маленькая Лили?

Марсель Ашар улыбался во все стороны, распределяя напечатанные этим утром листки, и неизменно отвечал одно и то же:

— Не сердитесь, дети мои, завтра узнаете. А сейчас за работу!

Что нам еще оставалось делать?

В те времена Эдди Константин не знал еще в совершенстве, как сегодня, французский язык, и со второй репетиции в соответствии со своим планом Раймон Руло стал вымарывать огромные куски из его роли. По существу, роль гангстера становилась немой.

— Пьеса от этого только выиграет,— заявлял Руло,— а Константин ничего не проиграет.

Я была иного мнения и высказала его без обиняков. Я решительно протестовала, и крики во время этой битвы в кабинете Митти Гольдина можно было слышать даже на бульваре Пуассоньер. Я твердила одно: Эдди был приглашен играть и петь, он будет играть и петь! Я готова была вернуть свою роль, покрыть все издержки, если не получу удовлетворения. После недели сражений Раймон Руло больше не сопротивлялся, только пожал плечами. Митти Гольдин тяжело вздохнул, предсказывая нам катастрофу, и рассерженный ушел из театра. В последующие дни он не разговаривал со мной.

На генеральной репетиции все прошло наилучшим образом. У Эдди, разумеется, были трудности с текстом. Но, обладая чудесным голосом, он завоевал публику благодаря песенкам. А «Ненаглядная крошка» даже повторялась на «бис»!

Моя ненаглядная крошка,
Горю я словно в аду.
Меня ты околдовала,
Я места себе не найду.
А я не хочу мучений,
Ведь я душою дитя,
Привык я с веселой песней
По жизни шагать шутя.
Прощай, ненаглядная крошка.
Я снова отправлюсь в путь.
А ты постарайся не плакать
И меня поскорей забудь.

«Маленькая Лили» резко изменила карьеру Эдди Константина. До сих пор она была отмечена скорее падениями, чем взлетами. Теперь он быстро пошел в гору. Фортуна назначила ему свидание в кино.

Мы познакомились с Эдди в «Баккара», за несколько месяцев до постановки «Маленькой Лили», где я выступала со своей программой. Послушав меня, он написал английский текст моей песенки «Гимн любви» и пожелал показать мне его. Я нашла перевод интересным, хотя и нуждающимся в некоторой шлифовке, а самого автора — необыкновенно симпатичным человеком. Наша «дружба — страсть» — это его определение — родилась в тот день и длилась до тех пор, пока приносила ему счастье.

Он ее не забыл, и я не без удовольствия прочитала в его воспоминаниях, вышедших под названием «Этот человек не опасен», после нескольких напрасных колкостей следующие строки:

«Эдит Пиаф научила меня, как и некоторых других, всему. И прежде всего тому, как следует держаться певцу на эстраде. Она внушила мне веру в себя, а я уж совсем потерял ее. Она заставила меня бороться, а я уже не хотел борьбы, более того, медленно, но верно скользил вниз. по течению. Для того, чтобы я стал кое-чем, она заставила меня поверить в то, что я есть кое-что.

Эта женщина обладает гениальной способностью внушения и умеет закалить актерскую индивидуальность. Без конца повторяла она мне: «Эдди, у тебя есть класс. Ты будешь звездой». И эти слова, исходившие от нее, действительно первоклассной эстрадной актрисы, буквально завораживали меня».

«Маленькая Лили» с первого представления имела большой успех. Печать на другой же день была вынуждена констатировать его, не присоединяясь, впрочем, к этой оценке полностью.

Газеты высоко оценили режиссуру Раймона Руло, они восхищались декорациями Лин де Нобили, изящной музыкой Маргерит Монно, расточали похвалы исполнителям — «новичкам» Роберу Лаиуре и Эдди Константину и другим —

забавной Марселле Пренс и элегантному Говарду Вернону. Я получила свою порцию комплиментов. Мне хочется привести лишь отрывок из рецензии, написанной бывшим директором «Одеона» Полем Абрамом:

«Всемирно известная певица Эдит Пиаф могла и дальше продолжать славную карьеру, идя по легкой стезе достигнутого успеха.

Она пожелала сделать большее и смело пошла на вираж, который для многих мог бы оказаться опасным, если не роковым. Освободив от неподвижности свое тело, она внезапно решила обрести полноту жизни, стать подвижной, игривой и полной чувства актрисой. И добилась успеха.

В этой метаморфозе больше всего поражает удивительная правдивость интонаций и разнообразие выразительных средств новой актрисы. Мы знаем Эдит Пиаф — певицу с полным печали тембром голоса. Его низкие, удивительно чувственные интонации словно призывают к любви и заглушают стоны отчаяния. Мы и не подозревали об ее одаренности, которая так разнообразно проявилась в «Маленькой Лили». Без всякого видимого труда нарисовала она нам самые различные оттенки характера своей героини».

Как это ни покажется странным, оговорки касались самой пьесы.

Автора упрекали просто-напросто в том, что он не написал нового «Жана-с-Луны» или нового «Домино»! Никто не обратил внимания на то, что он и не стремился в такие выси, что придуманная им интрига была очень ловко закручена и отлично доведена до развязки.

Вокруг героини, девочки на побегушках, парижского воробья с вечной песней на устах и открытым сердцем, он построил рассказ о любви, усложненной сведением счетов между гангстерами. Все вместе это было счастливым сочетанием «Черной серии» и «Розовой библиотеки» и, как кто-то написал, поданное со свойственной Ашару иронией, представляло собой коктейль, где юмор и душевное волнение составляли приятную и легкую смесь. Были в пьесе очаровательные сцены, полные остроумия реплики, интересный диалог. А также очень ловко введенные Марселем Ашаром прелестные песенки. Большего публике и не нужно было!

Критики проявили повышенную требовательность. Они непременно хотели найти в пьесе как раз то, что Марсель Ашар никогда не собирался в нее вкладывать. А именно — драму непонимания. Одни из них, признавая, что провели в «АВС» прекрасный вечер, спорили сами с собой и задавали вопросы относительно жанра произведения. Была ли это музыкальная комедия, как утверждалось в программе? Или оперетта? Или еще что-то? Смешные споры! Публике не было до всего этого никакого дела. Что касается Марселя Ашара, он тихо посмеивался. Он навсегда останется человеком, который на просьбу одного искусствоведа определить свою драматургическую систему ответил так: «Драматургическая система? Понятия о ней не имею!» Его правилом было всегда нравиться зрителю. «Маленькая Лили» нравилась, и это было для него главное.

Как бы вы ни называли «Маленькую Лили» — музыкальной комедией, опереттой, фантазией с куплетами,— она с успехом шла на сцене в течение семи месяцев подряд. Спектакли были прерваны автомобильной катастрофой, которая вывела меня из строя на много недель. Впрочем, я думаю, что сценическая жизнь «Маленькой Лили» не кончилась. Я надеюсь еще сыграть эту пьесу на одной из парижских сцен — почему бы снова не в «АВС», возглавляемом теперь Леоном Леду? — И снова спеть там полные оптимизма куплеты «Завтра настанет день»:

Завтра настанет день!..
Кажется, рухнуло все, но все начинается снова.
Завтра настанет день!
Любовь умерла, отцвела, но любовь начинается снова.
Славный парень придет, и каштаны начнут цвести
Завтра,
Он придет, и весну для тебя принесет в горсти
Завтра,
И звон колокольный в небо взлетит голубое
Завтра,
И месяц новый, месяц медовый взойдет над тобою
Завтра,

От сегодняшней грусти не останется даже следа,
Ты будешь смеяться, любить и страдать — всегда, всегда.
Завтра настанет день!
Завтра!

XV

Я возвращалась в Париж после одиннадцатимесячных гастролей в США и странах Латинской Америки.

Во время первых поездок мне доставляло удовольствие скакать из Нью-Йорка в Голливуд, из Лас-Вегаса в Чикаго, а из Рио-де-Жанейро в Буэнос-Айрес. Теперь же я довольно быстро начинала скучать по дому. Мне буквально приходилось заставлять себя выполнять длинный график поездки, тщательно разработанный Луи Баррье.

Во время гастролей я, разумеется, знакомилась с новыми людьми, завязывала дружеские отношения, но долгая разлука с Францией, с Парижем была для меня пыткой, медленной агонией. Воздух Парижа не заменить ничем...

Очень часто во время этого добровольного изгнания мы с Робером Шовиньи, моим бессменным дирижером вот уже на протяжении тринадцати лет, вспоминали то или другое место Елисейских полей, улицу Марэ, уголок Больших бульваров. Тем самым мы стремились хоть как-то сохранить связь с нашим городом, остаться верными ему на чужбине. Это был также способ бороться со смертельной тоской по родине.

Нам помогали бороться с ней также и исполняемые каждый вечер песни. Самые запетые из них звучали в эти грустные минуты словно заново, и, как при первом знакомстве, открывали мы для себя их текст или хватающую за сердце мелодию. Эти песни олицетворяли для нас Францию, они были для нас самим Парижем.

И вот наконец-то мы возвращаемся домой. Аэропорт Орли. Внешние бульвары. Моя квартира на бульваре Ланн, толпа друзей и мои неизменные наперсники правда, менее многочисленные, чем прежде. Дело в том, что я всегда делала различие между друзьями и наперсниками. Я охотно разговариваю с друзьями, но секретов у меня нет только от наперсников. Естественно, я всегда производила среди них отсев! Им я могу все рассказать: меня никогда не предадут. И это тоже одна из радостей моей жизни.

Но я отвлеклась. Орли... Бульвар Ланн. Мой старенький рояль был на своем месте и очень скоро начал покрываться горами нотных рукописей. Ибо, предвидя свое возвращение, я попросила моих авторов написать новые песни. В этот день рядом со мной была и моя талантливая Маргерит Монно. В мое отсутствие она написала прелестную музыку к «Нежной Ирме».

— Маргерит, прочти это...

И я передаю ей поэму Мишеля Ривгоша «Зал ожидания».

— Маргерит, послушай это...

И в комнате звучит музыка «Толпы», поразившая меня во время пребывания в Южной Америке. Я хотела исполнить эту песню сама.

Муж Маргерит, превосходный певец Поль Пери, прослушав пластинку, тотчас попросил:

— Эдит, поставь еще раз...

Маргерит в восхищении закрыла глаза, и я услышала, как она прошептала:

— Вот это я бы хотела написать сама...

Пришли Мишель Ривгош и Пьер Далане. Если последний уже немало избаловал меня своими стихами, то первый в дальнейшем оказался еще щедрее.

Таким образом, словно по мановению волшебной палочки, за несколько недель родились произведения, которые я с удовольствием исполняла сначала во время гастролей по Франции, так сказать для «обкатки», а затем в «Олимпии», куда Бруно Кокатрикс пригласил меня на двенадцать педель — рекордный срок, вызывающий у меня и сегодня чувство гордости.

Неужели меня станут упрекать за это? В нашем деле больше завидуют, чем ревнуют. До меня говорили: «Вы знаете, такой-то проработал в «Олимпии» столько-то...» или «Он проработал четыре недели». Я тоже не прочь пококетничать, и двенадцать недель в «Олимпии» — мой своеобразный и очень лестный рекорд, принесший мне вознаграждение за все усилия, проявленные мною с единственной целью — не разочаровать парижского зрителя, лучшего на свете судью, который, что бы ни случилось, всегда будет «моим» зрителем.

Однажды, вернувшись из «Олимпии», Шарль Азнавур — Да, я совсем забыла сказать, что Шарль много месяцев был своим человеком в доме, сочиняя здесь свои первые произведения, сделавшие известным его имя,— сказал мне:

— Тебе не кажется, что овации Парижа обладают особым привкусом?

Сказано верно: они действительно обладают особым привкусом, чем-то неуловимо отличным от всех других оваций...

В перерыве между гастролями в Америке и выступлениями в зале «Олимпия» я успела сняться в фильме «Будущие любовники». Когда режиссер Марсель Блистэн и продюсер Жорж Бюро принесли мне сценарий, написанный Пьером Брассером, я без раздумий подписала контракт.

После чего позвонила Пьеру Брассеру.

— Мой дорогой автор...

— О чем ты болтаешь?

— Ни о чем таком, что могло бы тебя удивить. Вероятно, тебе известно, что такое «Будущие любовники»?

— Неужели уже подписано?

— Да, подписано.

— Ах, черт побери!

Таков уж Пьер Брассер. Он думал обо мне, когда писал свой сценарий, он мобилизовал весь свой талант, все свое творческое горение, понимая, что сценарий мне будет по душе и что я стану гордиться возможностью сняться в этой картине. И все же он был совершенно искренне удивлен, когда узнал о моем согласии!

— У тебя найдется хорошая бутылка вина? Мне надо прийти в себя.

— Надеюсь...

— Тогда я обедаю у тебя. Хорошая бутылка, Эдит, это не шампанское, ты понимаешь?

— Я знаю твой вкус...

В шесть часов утра Пьер еще держал в руках стакан доброго «божоле». Брассер-здоровый, громогласный и увлекающийся человек. В восемь часов я попросила его уйти. Госпожа Брассер буквально засыпала, я тоже готова была капитулировать. Да, этому человеку я и в подметки не годилась.

Что вам сказать о «Будущих любовниках»? В фильме снимались Мишель Оклер, Арман Мистраль, Раймон Суплекс, Мона Гойя. Все мы работали над ним с радостью.

Сейчас, когда я пишу эти строки, он уже смонтирован, но еще не вышел на экран.

Не знаю, что скажет о нем критика. Я больше рассчитываю на зрителя. Для меня важнее его оценка. А поскольку я сделала все, что могла, и была свидетельницей таких же усилий со стороны Мишеля Оклера и Армана Мистраля, повторяю, я спокойна...

Мне интересно работать в кино, и жаль, что я не могу уделить ему больше времени... Я уверена, что смогла бы рассказать людям о тех чувствах и переживаниях, которые скрыты в моей душе. Но для работы в кино времени не хватает. С тех далеких дней, когда я еще выступала на улице Труайон, песня цепко взяла меня в свои руки, и она не скоро меня отпустит.

Не настало ли время немного отвлечься от тысячи и одной мелочи, которые заполняют наше существование, и высказать несколько общих мыслей? Думаю, да! Однако хочется вначале рассказать, при каких обстоятельствах я добилась, что Феликс Мартен был включен на положении «американской звезды» в мою последнюю программу в «Олимпии». До своих гастролей по стране после возвращения из Америки я не была с ним знакома. Когда же Луи Баррье стал расхваливать его, я сказала:

— Мой маленький Лулу, я полагаюсь на тебя...

В первый же день по приезде в Тур он внезапно постучался ко мне в артистическую:

— Добрый день, Эдит, разрешите представиться: Феликс Мартен.

Передо мной стоял высокого роста, улыбающийся, ничуть не робкий человек.

Я нашла его очень любезным.

— Добрый день.

— Я счастлив, что выступаю вместе с вами, спасибо.

— Не за что...

И он ушел к себе.

Когда его позвали на сцену, я решила послушать из-за кулис, как он поет.

Понравился ли он мне? Пожалуй, нет. Слушала я его и на другой день, и на третий. Мне не нравились его песни, но темпераментное исполнение было по душе.

Однажды я сказала Луи Баррье:

— Ты должен позвонить Кокатриксу, чтобы он включил Мартена в программу.

— Но я думал...

— У нас больше месяца, чтобы заняться им.

Я тотчас позвонила Маргерит Монно и Анри Конте, двум своим авторам из старой гвардии, и Мишелю Ривгошу.

— Приходите, надо посоветоваться.

Они приехали на другой день. Это было, кажется, в Труа или Невере.

— Феликс Мартен будет выступать в «Олимпии» в феврале, ему нужны новые песни...

Они приступили к работе. Мы все участвовали в ней. Феликс был не легким, но и не очень трудным учеником. Хотя он подчас упрям, однако неизменно проявляет добрую волю.

Не все критики оценили происшедшие в нем перемены, Зато зритель одобрил наши действия. Впрочем, как вы видели, времени у нас тогда было в обрез...

Те, кто не может понять, что побуждает меня оказывать помощь певцу, добиваться того, чтобы он изменил свой репертуар, те никогда, по-видимому, не знали глубокой радости скульптора, придающего определенную форму куску мрамора, или живописца, населяющего холст своими персонажами. Нет, они никогда не знали этой радости, иначе не задали бы мне такого вопроса. Я люблю творить, и чем труднее задача, тем сильнее мое желание преодолеть все преграды. Какое же это не сравнимое ни с чем наслаждение — учить, отдавать людям свои знания...

XVI

Я приветствую песню. С ней поэты выходят на улицы, сливаются с толпой и становятся ее любимцами.

Париж не был бы Парижем, если бы его вечерний наряд не украшало великолепное созвездие певиц — брюнеток, блондинок, золотоволосых. В своих песнях эти удивительные создания выражают душу нашего народа, его характер, легкий и глубокий. И кажется, будто исполняемые ими песенки не имеют ни корней, ни авторов, что они рождаются прямо на улицах. Радио усиливает их очарование. В Марселе, Тулоне, среди портовых сооружений, усиленные репродукторами, эти волшебные голоса преследуют нас и навсегда остаются в нашем сердце.

Жан Кокто

Вам уже известно, как я выбираю свои песни и почему придаю такое большое значение тексту.

Меня часто спрашивают, как я их воплощаю на сцене. Вопрос этот всегда приводит меня в замешательство. Может показаться, что я смеюсь над всем светом, когда отвечаю, что доверяю лишь своему инстинкту. И все же это святая правда. Не могу сказать, что песни рождаются сами по себе, но это немного и так.

Я учу слова и музыку за роялем одновременно. И за этой работой мне в голову приходят разные мысли. Я не бегаю за ними, а жду их появления. Естественный жест, который невольно вырывается у меня во время какой-либо фразы, если он затем повторится в том же месте, можно в дальнейшем закрепить.

Я мало жестикулирую, ибо считаю, что единственным и полезным является жест, что-то добавляющий к исполняемой песне. Например, в конце «Заигранной пластинки», превосходной песни Мишеля Эмера, я делаю жест, который напоминает зрителю об иголке, попадающей на одну и ту же бороздку, в результате чего все время повторяется одна и та же, словно разбитая на две части фраза о надежде:

«Есть над... есть над... есть над...»

Я никогда не работала перед зеркалом. Этот метод, которым пользуются крупные артисты, например Морис Шевалье,— под стать комедийным актерам, тщательно отрабатывающим свои «номера». В их игре большое значение имеет мимика, и они не могут себе позволить импровизации. С моими песнями все обстоит иначе. Жест мой должен быть правдивым, искренним. Если я его не чувствую, лучше не делать его вовсе.

Отработка песни происходит позднее, перед зрителем, и я никогда не считаю ее завершенной окончательно. Я фиксирую реакции зрителей, размышляю затем над ними, но не могу сказать, что они всегда оказывают на меня воздействие. Если я ощущаю сопротивление зрительного зала, то стараюсь понять его причины. Марсель Ашар как-то сказал, что бывают вечера, когда у зрителя нет «таланта».

Это лишь шутка. Трудно себе представить, чтобы ошибались сразу две тысячи человек, сидящих в зале. Если песенка им не нравится, значит, есть на то причина. И артист должен ее установить. Поиски могут занять много времени, но они необычайно интересны. Главное — не бросать песню под предлогом, что она не имела успеха, с первого же раза. Надо быть настойчивым. Новизна подчас приводит зрителя в замешательство, и он не сразу оказывает вам поддержку. Он нуждается иногда в том, чтобы его подтолкнули. Если бы некоторые артисты — и я горжусь своей принадлежностью к их числу — не боролись за то, чтобы отстоять оригинальные произведения, разве эстрадная песня получила бы за последние двадцать лет такое распространение?

Я начинаю сомневаться как раз тогда, когда ясно отдаю себе отчет в том, что делаю при исполнении, когда рассчитываю каждый жест и тот теряет свою естественность, сообщающую ему достоверность и «действенность». Значит, эту песню я «чувствую» меньше. Пришло время отложить ее, изъять из репертуара.

Но она остается в моем багаже, и придет день, когда я извлеку ее оттуда снова.

В моей артистической уборной всегда стояло маленькое фортепьяно, на котором я постоянно упражнялась по самоучителю. Однажды я изрядно удивила Маргерит Монно, исполнив на слух, худо ли бедно и немного фальшивя, начало «Лунной сонаты» Бетховена. Надо признать, что это начало написано медленно, и я не очень старалась доиграть все до конца.

Я никогда не училась играть на фортепьяно, но музыку обожаю. Я готова была в свое время преодолеть тысячу километров, чтобы услышать Жиннет Неве, трагически погибшую в том же самолете, в котором находился мой старый друг Марсель Сердан*. С того дня, когда я открыла ее для себя, она неизменно была для меня источником радости и надежды. Бах и Бетховен — мои любимые композиторы, и я всегда буду благодарна Маргерит Монно за то, что она познакомила меня с ними. Бах вырывает меня из окружающего мира и возносит на небеса, подальше от земной грязи и низости. А когда я чувствую себя уставшей от жизни, мне достаточно поставить на проигрыватель симфонию Бетховена. Дивная музыка облегчает горе и дает мне самый важный и нужный из уроков — урок мужества.

Бетховен, Бах, Шопен, Моцарт, Шуберт, Бородин — я люблю всех их, и, когда уезжаю отдыхать — что со мной бывает, увы, крайне редко,— я счастлива, что могу захватить их с собой в виде небольших дисков, чтобы затем слушать в тиши полей.

Подчас, когда я бываю довольна собою, я делаю себе другой подарок — начинаю петь мелодии Дюпарка, Форе и Рейнальдо Хана.

Да простят мне это мои авторы.

Другое мое увлечение — книги.

Я всегда люблю читать, и совсем девчонкой, когда отец работал в цирке Кароли, проводила за чтением самые светлые минуты своего редкого отдыха, поглощая все, что попа-

---

* Бывший чемпион Франции по боксу. — *Примеч. ред.*

далось под руку. Можете себе представить, что это была за макулатура!

Раймон Ассо показал мне, что существует иная литература, обогащающая того, кто ее любит.

Если дверь в этот мир открыл мне Раймон Ассо, то исследовать его помог Жак Буржа.

Мы познакомились у Лепле. Мне было лет двадцать. Жако утверждал, что достиг патриаршего возраста, хотя это было явной ложью — ему не было тогда и пятидесяти. Я была бедна и плохо одета, а он богат — по его собственному признанию — лишь возможным гонораром, который ему должен выплатить один издатель за еще не написанную книгу. Так началась наша дружба, сделавшая его моим ментором, репетитором и «духовным наставником».

Автор ряда исторических работ, а также — хотя он и не любит об этом говорить — прелестной книжки стихов «Пегасовой рысцой», Жак Буржа, чьи книги занимают свое место на полках Национальной библиотеки, знает решительно все. Преувеличиваю ли я? Допустим. Но мы будем недалеки от истины, сказав, что только в небольшую книжку вместится то, чего он не знает.

Чему он меня научил? Всему! Он познакомил меня с литературой, стихосложением, философией...

Я не могу отказать себе в удовольствии и не привести здесь строки, написанные им о часах, проведенных со мной в небольшой таверне в Шеврез, неподалеку от аббатства Пор-Руаяль-де-Шан.

«Вдали от городского шума, вдали от мира, в компании книг, которые раскрываешь по настроению, в лесах, населенных тенями Паскаля, Расина и великого Арно, старик и девочка предаются воспоминаниям и пытаются разобраться в пройденном ими пути. Сент-Бев рассказывает им о своих славных соседях. Мольер скребется в дверь и его впускают лишь в сопровождении Альцеста, Аньес, Кризаля, Сганареля; Тома Диафуаруса и Аргана сюда не допускают, ибо их присутствие и речи невыносимы для Пиаф. Вы встретите тут Жюля Лафора вместе с Рембо, Бодлером и Верленом. Ронсар читает свою книгу «Любовь», Лафонтен «Двух голубков».

Даже Платон последовал за двумя отшельниками со своей «Апологией» и «Банкетом». Трудно и мечтать о лучшем обществе! О дивные вечера, проведенные у камина, который разжигаешь сам, по настроению, видя, как постигает эти книги Пиаф, запасаясь знаниями, стараясь ничего не упустить и ничего не забыть...».

Я верующая.

Моя жизнь началась с чуда. В четыре года я заболела конъюнктивитом и ослепла. Жила я тогда у бабушки в Нормандии. 15 августа 1919 года эта славная женщина отвезла меня в Лизье, где у алтаря святой Терезии я преклонила колено, молясь своим слабым голоском о том, чтобы святая вернула мне зрение.

Десять дней спустя, 25 августа, в четыре часа после полудня, я снова стала зрячей.

С тех пор я не расстаюсь с образами святой Терезии и младенца Иисуса.

А оттого, что я верующая, смерть не страшит меня.

Был период в моей жизни, несколько лет назад, когда я сама призывала ее. После смерти дорогого мне человека земля словно разверзлась подо мной. Я думала, что никогда больше не смогу быть счастливой, не смогу смеяться. Я потеряла все надежды. Меня спасла вера.

Ценой больших жертв я уже отказалась строить свое личное счастье на руинах и слезах, после того как смерть вырвала в самом расцвете славы знаменитого чемпиона, с которым меня связывала искренняя дружба.

Да, вера спасла меня...

XVII

— Кого я больше всего боюсь?
— Тех, кто меня не знает и говорит обо мне дурно.

Платон

Меня уверяют, что эта маленькая книжка, написанная по прихотливому велению памяти, не будет полной, если я не расскажу о своей повседневной жизни.

Что ж, давайте и это! Тогда, может быть, будут исправлены некоторые ошибки, совершенные, я уверена, без всякого злого умысла некоторыми плохо осведомленными журналистами.

Я живу на бульваре Ланн в большой квартире на втором этаже. Совсем рядом с Булонским лесом. Окна мои выходят на ипподром Отей; перед самым домом разбит маленький садик.

В квартире девять комнат, но я занимаю только три: свою собственную, салон и кухню. Занятая по горло делами, я не нашла еще времени обставить свой «дом» должным образом. Но я от этого не страдаю. Я прекрасно обхожусь и так, и присутствие нескольких чемоданов в салоне не мешает мне. Главное, чтобы здесь был концертный рояль, за которым композиторы могли бы показывать мне свои песни; проигрыватель, на который я буду ставить свои любимые пластинки; радиоприемник и телевизор, удобные кресла и несколько низких столиков для стаканов. Художник по интерьеру состроит гримасу. Такая обстановка не позволяет судить о том, как прекрасны картины, которые я повесила на стенах. Знаю. Но что делать? Я сохранила некоторую беспечность, и та бродячая жизнь, которую я веду — полгода там и три месяца сям,— как раз усиливает во мне эти черты, вместо того чтобы их ликвидировать.

Но есть у меня некоторые «мелкобуржуазные предрассудки». Я страшная мерзлячка и люблю, чтобы трубы центрального отопления были раскалены, а окна закрыты. Достаточно с меня сквозняков за кулисами!

Есть у меня и другие привычки. Я люблю вязать, это моя страсть. Я все время вяжу какой-нибудь новый свитер. Друзья считают, что я только и делаю, что занимаюсь этой работой. Возможно. Но от этого я не отказываюсь быть покупателем в магазинах шерстяных изделий.

Я ненавижу тиранию времени.

Мой день начинается во второй его половине. В четыре часа я только открываю глаза и лишь к вечеру начинаю чувствовать себя в форме.

Если я работаю, то могу что-нибудь пожевать до театра. За стол сажусь посреди ночи, после спектакля. Мою трапезу, поданную на кухне, много лет подряд разделяют одни и те же друзья.

После кофе (который я обожаю) мы переходим в салон. Слушаем музыку, поем, болтаем. Это минуты разрядки. Мы шутим, смеемся. Я не против шуток, розыгрышей. По природе я человек веселый, хотя молодость моя была не очень легкой. Вот я и стараюсь немного наверстать упущенное. Но это также часы, когда мы работаем, Композиторы показывают мне свои произведения, я репетирую новые песни, набрасываю тексты для композиторов, используя для этого первые попавшиеся под руку листки бумаги.

Так проходит время до утра. «Слабые» натуры давно уже вышли из игры. Они спят, прикорнув в креслах, куда забрались незаметно для всех.

Кокетлива ли я?

Конечно. Дома я предпочитаю ходить в свитере и шерстяных брюках. Но люблю одеваться, люблю проводить часы у известных портных, и, хотя шляпы ношу редко,— их у меня целая коллекция.

Туалеты для сцены у меня остаются неизменными. Я увековечила их после первого же своего выступления в «Бобине», и, хотя они немного переделывались, основное в них оставалось неизменным. Я не хочу, чтобы мой внешний вид отвлекал зрителя.

Для исполнения некоторых песен, однако, мне случалось изменять моему скромному черному платьицу, которое я называю своей формой. Так, мне пришлось надеть черное бархатное платье с треном, когда я пела «Заключенного в башне».

> Если б король это знал,
> Изабелла!
> Изабелла, если б король это знал!..

Вот я и рассказала обо всем.

Закончу цитатой. Я заимствую ее у Мориса Шевалье, который в четвертой книге своих мемуаров «Мои дороги и мои песни» пишет обо мне следующее:

«Маленький чемпион в весе «петуха» — Эдит Пиаф болезненно расточительна. Она не экономит свои силы и заработки. Революционизируя все на своем пути, она словно мчится вперед к пропасти, которую мое искреннее сочувствие различает в конце ее пути. Она хочет все успеть, все объять. И она это делает, порывая с законами осторожности, которым должна следовать всякая «звезда».

Быть может, Морис.

Но себя не переделаешь!

Когда врачи посоветовали президенту США Эйзенхауэру поберечь свои силы, он ответил им, что они просят слишком многого. И добавил:

«Лучше жить, чем прозябать!»

Этот девиз и мне по душе, я давно уже сделала его правилом своей жизни.

Марсель Блистэн

ДО СВИДАНЬЯ, ЭДИТ...

(воспоминания)

Только что я видел Эдит в последний раз.

Бедная, маленькая, неподвижная лежала она в своей огромной кровати. Я долго смотрел на нее, растерянный, отупевший от горя.

Возможно ли, что это крохотное создание с маленьким, безжизненным, как у куклы, лицом — это все, что осталось от самой великой трагической эстрадной певицы.

Я смотрел на это лицо, утопавшее в легкой материи, и думал: «Неужели никогда больше не прозвучит ее изумительный голос?»

А потом я стал перебирать в памяти годы нежной дружбы, связывавшей нас с 1942 года.

В моей голове, в моем сердце теснятся образы и воспоминания... И, если сегодня, когда останки Эдит еще не преданы земле, я хочу рассказать о ней, я делаю это потому, что боюсь, как бы о ней снова не стали распространять всякие недостойные и оскорбительные сплетни.

Не ждите от меня воспоминаний о скандальных историях, о нашумевших эпизодах ее «личной жизни». Так называемая «специализированная» пресса достаточно упивалась этим. Упивалась и наживалась.

Иногда, читая этот вздор, Эдит сердилась, но потом, пожав плечами, начинала хохотать. Ее необыкновенный смех как бы зарождался где-то в глубине, он нарастал, был звонким, торжествующим, насмешливым.

И она говорила:

Что ж, видно у бедняг такое ремесло...
Пусть их усердствуют! Лишь знало б небо правду...

I

В первый раз я увидел Эдит в 1942 в Марселе; нас познакомили общие друзья. Я всегда преклонялся перед ней, но в тот момент, когда я пожал ей руку, когда ее прямой и ясный взгляд встретился с моим, я почувствовал, что между нами возникло нечто прекрасное, нечто удивительно чистое, и так будет продолжаться до самой смерти!

Клянусь, что это не красивые слова.

Мне было бы стыдно в эти минуты произносить громкие фразы, но, когда я вызываю в памяти тот день, я вновь ощущаю необычайное состояние, которое нам не так часто дано испытать и которое запоминаешь навсегда, потому что с ним в жизнь входит ясность, чистота, искренность.

Позднее я узнал, что и Эдит испытала подобное чувство, и это с самого начала определило наши отношения.

Ее и в то время окружала целая толпа «приятелей». Они старались рассмешить ее, рассказывали ей всякие глупости. Жалкие шуты... она не принимала их всерьез, зато они надувались от гордости, если им удавалось развеселить ее.

Мне не понравилось это окружение, и, вероятно, она это поняла, так как назначила мне встречу назавтра, чтобы поболтать.

Это было, как я уже говорил, в самые мрачные дни нацистской оккупации. Мне пришлось бежать из Парижа и скрываться в Марселе. Я тогда был очень молод и совершенно неизвестен: когда я назвал Эдит свою фамилию (вернее, ту, которая в то время была моей), она ничего не сказала ей, как ничего не сказала бы, впрочем, и никому другому.

А на следующий день произошло первое «чудо» Пиаф. Мы шли и говорили обо всем и ни о чем; о том, что мы любили, чем жили; она о своих песнях, о том прекрасном, что она хотела бы сделать; я — о своем желании вернуться когда-нибудь на легальное положение, стать кинорежиссером и воплотить в художественных образах все, что меня волновало. Вдруг Эдит остановилась, внимательно посмотрела на меня и сказала:

— Знаете, я чувствую, что мы могли бы стать друзьями, настоящими друзьями, на всю жизнь, но для этого нужно...

Я посмотрел на нее с любопытством; на ее лицо, только что такое оживленное, набежала дымка. Она продолжала:

— У вас должно быть определенное имя. — И так как я не понимал, она тихо добавила: — Вы, вероятно, не знаете... у меня была дочь... Она умерла совсем маленькой, умерла от холода и нищеты. С тех пор людей, которые встречались на моем пути и становились моими друзьями, настоящими, которые не обманывают и не предают, я называю так, как звали мою крошку. Ее звали Марселла.

Я был потрясен.

— Но ведь меня зовут Марсель!

В ее жизни было несколько Марселей... и они по-разному любили ее, и ни один из них ее не предал.

Марсель Сердан дал ей любовь, которой она так гордилась, Марсель Ашар подарил ей счастливейшие минуты жизни, предоставив возможность сыграть «Маленькую Лили», и, наконец, я запечатлел ее в двух фильмах, которые она любила.

Наша дружба устояла перед всеми бурями, потрясавшими ее жизнь. Я всегда оставался ее другом, человеком, которому она доверяла.

II

Эта дружба пришла ко мне, когда я был страшно одинок; но если ты друг Эдит Пиаф, тебе есть, чем гордиться, и не потому, что она поет, как никто другой: быть одним из тех, кого выделил среди других такой исключительный человек, — это в жизни кое-что значит.

В Эдит Пиаф все поражало. К ней нельзя было применять обычные нормы. Она пела как никто, она жила как никто; она была необыкновенно талантлива, чрезвычайно ранима; когда наступало горе — все в ней умирало, когда приходило счастье — все пело.

Она все понимала, все схватывала, а то, чему ее, бедную уличную девчонку, жизнь не научила, она постигала интуитивно, она угадывала.

Она была музыкантом, не зная нот, она писала тексты к своим песням с орфографическими ошибками, но какое это имеет значение, когда вкладываешь душу и когда слова сами ложатся в рефрены и ритурнели.

Она любила красоту во всех ее проявлениях — в искусстве, в людях, в природе.

Кое-кто говорил, что она вульгарна. Жалкие, ничего не понимавшие глупцы! Она не получила ни воспитания, ни образования и не была отшлифована высшим обществом, но в своих песнях и в жизни она говорила то, что хотела сказать. Некоторых это шокировало. Она не прибегала к многословию, чтобы скрыть скуку или усталость, но какую силу эта искренность придавала ее чувствам!

Те, кому выпало редкое счастье близко наблюдать Эдит, всегда будут помнить ее способность к удивительно быстрым, метким, иногда неожиданным высказываниям.

Вот один пример, а их можно было бы привести множество.

Она была в Шато Тьери с Серданом, который готовился к очередному матчу. Я в это время думал о фильме для Эдит. Как-то раз она пригласила на обед меня, продюсера и сценариста.

— Это будет обед в очень узком кругу, — сказала она. Но я знал, что такое «узкий круг» Эдит Пиаф. Когда все собрались, за столом оказалось человек пятьдесят.

Мой продюсер и сценарист, оба люди весьма благовоспитанные, проявляли некоторую сдержанность в отношении пестрого окружения Эдит и Сердана. Вдруг один из его друзей (он погиб в той же авиационной катастрофе, которая унесла и Сердана) стал подшучивать над Эдит: он узнал из газет, что она читает философа Бергсона.

— А вот я,— сказал он с нарочитой грубоватостью,— ничего не понимаю в таких штуках, я люблю детективные романы.

И, повернувшись ко мне, он добавил ироническим тоном, явно желая вызвать ссору:

— Вы-то, мсье Блистэн, и ваши друзья, разумеется, не читаете детективных романов!

Не только потому, что я не хотел стычки, но и потому, что действительно очень люблю детективные романы, я сказал, что он ошибается, и обратился к Эдит, сидевшей справа от меня:

— Я уверен, что и наш друг Эдит читает не только Бергсона, но и детективы.

И тогда она произнесла эти удивительные слова:

— Я не знаю, я еще до этого не дошла.

— Что ты хочешь сказать? — спросил я, не понимая.

— Видишь ли, ведь прежде я ничего не читала, ничему не училась, ну так я учусь теперь, я хочу все узнать, хочу все понять, наверстать упущенное; а уже потом, если успею, дойду и до детективов.

Я говорил, что снимал ее в двух фильмах. Сценарий одного из них, «Безымянная звезда», написан специально для нее.

Был 1943 год. Тиски германской оккупации сжимали всю Францию, и я нашел убежище на маленькой ферме близ Фрежюса. Эта ферма принадлежала семье секретарши Эдит.

Дни тянулись невыносимо долго, так как мне было категорически запрещено выходить на улицу: можно попасть в облаву. Я читал все, что попадало под руку, но книг оказалось очень мало.

Однажды, когда Эдит пришла навестить меня, я сказал, что совсем упал духом.

— Напиши для меня сценарий,— сказала она неожиданно.

Я пожал плечами.

— Зачем? По этому сценарию все равно никогда не будет сделан фильм, а писать для того, чтобы рассказать банальную историю о маленькой певичке, которая становится всемирно известной звездой, поверь, не стоит; об этом уже столько писали и еще будут писать.

Она посмотрела на меня и сказала:

— Напиши, что ты думаешь обо мне. Что тебя волнует. И пусть это не будет банальной историей.

И я начал писать сценарий о молоденькой провинциальной служанке; у нее чудесный голос, и она поет вместо знаменитой, но безголосой артистки. Получился рассказ о трудной и суровой судьбе. Жизнь не делала героине никаких уступок; дельцы использовали ее голос, над ней насмеялись; так и не найдя счастья, она была всеми забыта.

Я со страхом ждал, как Эдит отнесется к моему сценарию, но я уже говорил: она все понимала, и по ее глазам я увидел, что он ей понравился. Она обняла меня и сказала:

— Великолепно. Ты увидишь, мы сделаем этот фильм!

Несколько месяцев спустя пришло Освобождение. В конце декабря я вернулся в Париж и некоторое время вместе со своей матерью жил у Эдит, на авеню Марсо, так как я все потерял.

Я разыскал кинопродюсера, у которого до войны заведовал отделом рекламы, и предложил ему свой сценарий. Он на следующий же день дал свое согласие делать фильм, но сказал:

— Не может быть и речи о том, чтобы Эдит Пиаф играла главную роль! — И, так как я смотрел на него в полном недоумении, добавил: — Ты же должен понимать — в кино ее не знают, и потом... она совсем не привлекательна.

И он назвал мне имена нескольких очень известных в то время певиц.

Я, конечно, заявил, что не согласен с ним, и предложил встретиться с Эдит, которую он никогда не видел.

Как-то утром он пришел на квартиру к Эдит.

Было страшно холодно.

Эдит никогда не была слишком кокетливой. Когда предстоит встреча с продюсером, любая маленькая актриса приоденется, подкрасится и постарается быть привлекательной. Ну а Эдит? Она лежала, закутавшись в старый платок, на голове у нее была сетка, лицо блестело от крема.

Вы скажете, что такое поведение странно для актрисы, желающей получить ангажемент. Мой продюсер был того же мнения. Он заявил, что весьма сожалеет, но, если я буду продолжать настаивать на Эдит Пиаф, дальнейшие переговоры бесполезны.

Все мое будущее зависело от его решения, но мог ли я отступиться от Эдит?

И тут мне пришла в голову счастливая мысль.

Эдит Пиаф хотела в это время познакомить Париж с новым певцом — Ивом Монтаном,— и попросила меня устроить по этому поводу прием для представителей печати.

— Хорошо, — сказал я, — но ты тоже будешь петь.

— Я? Зачем? Ведь этот прием для Ива.

— Прекрасно, а я хочу пригласить своего продюсера, чтобы он услышал, как ты поешь.

И вот 15 января 1945 года в кафе «Мэйфер» на бульваре Сен-Мишель состоялась эта встреча.

Ив Монтан в этот день добился успеха, который с тех пор сопутствует ему. Потом пела Эдит. Пела, как только она одна умела петь, а я не сводил глаз с продюсера: он слушал зачарованный, потрясенный, бледный. Не дождавшись конца выступления, он сказал мне:

— Эта женщина гениальна, ты прав, когда она поет — она необычайно красива. Я готов подписать контракт, как только вы захотите.

Так я стал кинорежиссером, и всю жизнь я буду гордиться тем, что дал возможность Эдит сыграть ее лучшую роль в кино.

III

Я расскажу вам о Пиаф — киноактрисе, одной из самых больших, с кем я имел счастье работать. Но чтобы попытаться хоть сколько-нибудь сохранить хронологию событий, я должен рассказать о периоде оккупации, когда Эдит проявила большую смелость. Я знаю, если бы она слышала меня сейчас, то устроила бы мне хорошую головомойку; она не любила, чтобы вспоминали об этих временах и о том, что она сделала.

Эдит выступала в немецких лагерях для военнопленных; в этих поездках ее сопровождала только секретарша. Вот что совершили эти две женщины.

В одном лагере военнопленные горячо приветствовали ее после концерта. Эдит внезапно выразила желание сфотографироваться с ними; немецкие власти не смогли отказать знаменитой певице. Эдит сфотографировалась среди ста двадцати пленных и попросила карточку на память.

В Париже фотография была отдана в подпольную мастерскую, где тщательнейшим образом проделали следующую работу: голову каждого пленного пересняли на отдельную карточку, увеличили и приклеили к фальшивому удостоверению личности.

Проходит некоторое время, и Эдит обращается к немецким властям с просьбой разрешить ей снова побывать в этом лагере. Она получает разрешение. (За это некоторые чуть ли не обвинили ее в сотрудничестве с немцами!..) В чемодане с двойным дном она прячет сто двадцать удостоверений личности и едет в лагерь.

Что происходит? Вы, конечно, догадались: каждому из ста двадцати парней она вручает его удостоверение с фотографией. Остается только поставить подпись и бежать при первом удобном случае.

Их было сто двадцать, кто благодаря Эдит получил свободу. Я знаю некоторых, они приходили иногда во время концертов, чтобы обнять ее.

Что с ними стало? Где они? Вероятно, сегодня кто-то из них вспоминает и грустит.

IV

Прогоним на минутку грусть, ведь Эдит так любила смеяться.

Перенесемся на мгновение в те незабываемые дни, которые наступили после Освобождения, когда мы так веселились втроем. Ты помнишь, Ив?

Эдит решила выступить перед американскими солдатами, но, привыкшие к «сделанным» кинозвездам с наклеенными ресницами длиной в полтора сантиметра, они не выразили никакого восторга, когда на сцену вышла маленькая неприметная женщина в черном.

Но как она пела! И хотя они ничего не понимали, ее голос доходил до самого сердца. Никогда не забуду, как эти молодые, рослые, полные жизни парни встали, чтобы приветствовать эту необыкновенную певицу, которая через несколько лет стала кумиром Америки.

Мне довелось быть свидетелем, как на одном из концертов в Марселе Эдит оказали уважение удивительно красивым и волнующим образом. Нам сказали, что в этот вечер в публике находилась Кэтрин Корнэлл с мужем. Кэтрин Корнэлл — это известная трагедийная актриса, американская Сара Бернар.

После концерта, когда мы были в артистической Эдит Пиаф, в дверь постучали...

Кэтрин, тонкая, изящная, стремительно подошла к Эдит, а ее муж, такой же изящный и элегантный, остался у двери и даже не снял шляпу. Мы смотрели на него в растерянности. Выждав мгновение, он сказал:

— Я не снял шляпу, мадам Пиаф, не потому, что я, как и большинство наших парней, в сущности, довольно примитивен. И не потому, что я плохо воспитан. Я хотел обнажить голову перед вами.

И, подойдя к ней, он снял шляпу и поклонился.

Однажды представители американских военных властей пригласили Эдит Пиаф, ее секретаршу, Ива Монтана и меня на обед. Перспектива вкусно поесть, не думая об ограничениях военного времени, всех нас прельстила. Воображение рисовало уже огромные, как любила Эдит, бифштексы, тонкие вина, словом, давным-давно забытую вкусную еду: мы с легкостью думали о возможных приступах печени, болях в желудке,— все это также было давно забыто.

Приветствия, речи, аперитивы, потом мы садимся за стол, и нам подают кофе с молоком. Эдит бросала на нас жалобные взгляды, но мы не теряли надежды, что на смену кофе придет жареная птица и бифштексы, и, действительно, на великолепно украшенных блюдах подали разноцветное желе. Настоящий «техниколор».

Едва дождавшись конца приема, мы помчались на улицу Сеиак, где под невинной вывеской семейного пансиона размещался один из лучших ресторанов Марселя. Здесь мы, наконец, поужинали, но по баснословным ценам черного рынка.

Раз в этой главе я решил говорить только о веселых и забавных вещах, позвольте вам рассказать о первых уроках рок-н-ролла, которые давали нашей дорогой Эдит американцы.

В период оккупации во Франции не танцевали. Когда сегодня вы вызываете в своей памяти образ той, которой больше нет, вы видите маленькую женщину, искалеченную ревматизмом, но в то время, не такое уж далекое, Эдит обожала танцевать.

Мы буквально остолбенели, когда впервые увидели танцы, привезенные к нам из Америки.

Я как сейчас вижу: на одном из вечеров огромный американец бросился к Эдит, свистнул, схватил ее и увлек в бешеном ритме рока. Оглушенная, ошеломленная, она хохотала, а парень ловил ее, как бумеранг, крутил, как волчок, и она уже не понимала, где она и что с ней, только смеялась от всего сердца, а по залу прокатывались аплодисменты. Монтан, у которого ритм в крови, наблюдал эту сцену, и, когда прихрамывая, спотыкаясь, обессиленная, но счастливая Эдит подошла к нему, он сказал, что прекрасно понял всю механику. Несколько дней спустя Пиаф н Монтан доказали, что больше им учиться у американцев нечему.

Война кончилась.

Мы должны были начать съемки фильма «Безымянная звезда». Продюсер, покоренный Эдит, собрал вокруг нее великолепных актеров. Это были: Марсель Эррап, Мила Парели, Жюль Бери и Ив Монтан, который делал первые робкие шаги в кино.

Эдит, как известно, никогда не увлекалась туалетами, и я почти силой затащил ее к одному из знаменитых парижских модельеров. Но, увидев себя элегантно одетой и хорошо причесанной, она со свойственным ей юмором заявила: «Знаешь, парижские дома моделей кое-что могут».

С этих пор Эдит решила одеваться только у знаменитых портных, но у нее никогда не было свободного времени и ей не удавалось следить за модой. Поэтому понравившуюся модель она заказывала во всех цветах... «Так проще»,— говорила она.

Однажды мне довелось присутствовать на примерке Эдит. Это было в доме Сердана, в Булони, в «узком кругу», то есть в присутствии примерно сорока человек. Если память мне не изменяет, речь шла о самом обыкновенном платье из серой шерсти; но думать так значило не считаться с мнением льстецов и подхалимов, приходивших в экстаз от малейшего жеста Эдит, любых фактов, относящихся к ней.

В это время Эдит только поправлялась после автомобильной катастрофы (покалеченная рука была еще сильно искривлена), и я должен сказать, что, когда она появилась в этом платье, вовсе не от чего было приходить в восторг. Однако раздались именно восторженные возгласы. Я не буду называть имена тех, кто восклицал:

— Но это же Рита Хэйворт! Марлен! Ты восхитительна, великолепна...— и т. д. и т. п.

И только я молчал... Тогда она спросила:

— Ну что же ты ничего не говоришь? Ты находишь, что я безобразна? Так скажи это, скажи, что ты думаешь.

Я улыбнулся:

— Мне никогда не приходило в голову сравнивать тебя с Ритой или Марлен...

Все вокруг хранили ледяное молчание... Эдит посмотрела на меня внимательно. Как всегда, она все поняла.

Когда через час мы с ней садились в машину, чтобы куда-то поехать, она взяла меня за руку и сказала:

— Знаешь, я ведь поняла, что ты хотел сказать... Но им доставляет такое удовольствие думать, что я им верю!

Большой дом Сердана в Булони, с ванной из черного мрамора, огромным залом с колоннами.

Эдит и Марсель надеялись там долго жить и любить друг друга, но судьба распорядилась иначе.

Какой одинокой и крохотной казалась она в этом доме после катастрофы, унесшей ее большую любовь. Она гордилась всей этой пышностью, немного крикливой, немного театральной, для которой не была создана. Эдит любила все самое простое, и для нее не было большей радости, чем пить кофе, сидя на кухне.

Дом в Булони появился в период роскоши, собственной телефонной станции, секретарей и китайских поваров.

В этом доме, как на вокзале, можно было встретить множество людей, и никто хорошо не знал, в чем состоят их обязанности, что они тут делают.

Однажды я зашел за Эдит, мы собирались куда-то идти, и на площадке, соединявшей оба крыла дома, встретили одного из артистов ансамбля «Компаньон де ля Шансон». С ним была прелестная девушка.

— Хэлло, малыш! Откуда ты? Я давно тебя не видела! — сказала ему Эдит. Он покраснел.

— Но... мадам... вот уже две недели, как я и моя невеста находимся у вас в доме... Понимаете... Я...

Эдит засмеялась:

— Понимаю. Ты был немножко занят? Да? Все правильно, малыш, она прелестна! Оставайтесь у нас сколько хотите.

Такой была Эдит Пиаф. Но об этом в газетах не пишут.

V

Дом Пиаф. Многие слышали о нем, но только живя его жизнью, можно было понять его безрассудный, ошеломляющий уклад, если слово «уклад» вообще применимо к этому дому.

Пиаф была человеком выдающимся, необыкновенным и жизнь вела необыкновенную. Ее всегда окружали друзья (настоящие и те, кто так себя называл), импресарио, начинающие певицы и поклонники. Время проходило в непрерывных увлекательных беседах. Иногда Эдит исполняла тысячи ролей, была весела и смеялась, а иногда, обессиленная, замирала где-то в глубине слишком большого для нее кресла и принималась за свое бесконечное вязание.

Ее оценки были всегда окончательными, вкус — безошибочным, она обладала даром открывать таланты.

Когда собирались гости, вначале каждый старался поговорить с ней, потом обычно говорила она. В какой-то момент она вдруг бросалась к роялю и звала того композитора, кто был у нее в этот вечер,— Мишеля Эмера, Глансберга или Гигит (так она называла Маргерит Монно).

— Вот, послушай,— говорила она обычно,— что ты об этом скажешь...

И уже ее пальцы касаются клавиш, музыки еще, собственно, нет, но Эдит что-то напевает, ее голос крепнет, и происходит чудо: на ваших глазах рождается песня, она еще не сложилась, но Эдит ее «чувствует», угадывает, она вся напряжена, натянута, как струна, сейчас для нее ничего не существует, она никого не видит.

Склонившись над роялем рядом с композитором, она снова и снова повторяет свою мелодию, ее глаза сияют, она вся охвачена возбуждением.

Вокруг замолкают, взоры устремлены на нее, все понимают: происходит нечто удивительное. Эдит Пиаф (об этом говорили все композиторы, писавшие для нее музыку, все поэты, писавшие слова) была не только исполнительницей песни, она была ее вдохновительницей и участвовала в ее создании, она была прирожденным музыкантом.

Она была жестока к другим и к себе. В своем творческом порыве она всех увлекала, околдовывала. Так проходили часы, целые ночи. Наутро все были без сил, и только одна Эдит — неутомима; ее глаза светились торжеством: она наконец «держала» свою песню.

Если вам довелось видеть, как рождались песни Эдит Пиаф, вы этого никогда не забудете, это было сильнее, чем ее концерт.

Как-то я обедал у нее. По счастливой случайности нас оказалось всего четверо или пятеро. Эдит была веселой, отдохнувшей.

— Ну, Сель,— обратилась она ко мне,— когда же ты напишешь для меня новый сценарий?

Неловко, бестолково я стал объяснять, что это нелегко, так как она не все может играть, ее внешние данные не ко всякой роли подходят.

Она меня оборвала. Это был один из немногих случаев, когда я увидел жесткость в ее взгляде.

— Что ты этим хочешь сказать? Что я нефотогенична, некрасива?

Я начал бормотать что-то бессвязное. Я хотел объяснить, что актрисе с такой яркой индивидуальностью нельзя предлагать что-нибудь шаблонное...

Она молчала... Молчание становилось тяжелым; наконец, взвешивая каждое слово, она сказала:

— Я знаю, о ком ты думаешь... (и она назвала несколько известных актрис). Да, бесспорно, они красивы, но, поверь мне, о них забудут, никто не будет знать, кем они были, а я буду жить в ваших сердцах, даже если умру.

Я молчал, у меня перехватило горло...

Эдит встала, подошла к радиоле и сказала очень мягко:

— Если через две минуты ты не запросишь пощады и не заплачешь... я больше не Пиаф!

Она поставила «Гимн любви» и, стоя рядом, пела дуэтом со своим собственным голосом эту душераздирающую песню.

Радиола была пущена на полную громкость, но голос на пластинке не мог заглушить великолепного голоса живой Эдит. Это было фантастично. При одном воспоминании об этом меня пробирает дрожь... и я снова плачу.

Это было одно из тех мгновений, когда вам открывается совершенная красота и вы через искусство постигаете, насколько прекрасна жизнь.

Раз я уж заговорил о песнях, расскажу, как родилась для экрана «Свадьба», которую Эдит исполняла в фильме «Безымянная звезда».

По первоначальному замыслу зритель не должен был ее видеть, он слышал лишь ее голос. Но режиссеры предполагают, а продюсеры располагают, и в один прекрасный день наш продюсер заявил, что зрители должны увидеть Пиаф на экране, так как прежде всего она знаменитая эстрадная певица. Пришлось согласиться, и Эдит попросила дать ей несколько дней, чтобы посоветоваться с Маргерит Монно и Анри Конте. Это заняло у них не много времени, и однажды вечером, после съемок, она пригласила продюсера с женой и меня на квартиру к Маргерит Монно.

Гигит (позднее я расскажу о ней, так как невозможно, говоря об Эдит, не подумать о ней), как всегда удивительно простая и скромная, ждала нас.

— Мне кажется, дорогой,— сказала она мне,— у нас неплохо получилось. Но, если вам не понравится, вы скажите, мы еще поищем.

Она села за рояль, Анри Конте встал рядом, и Пиаф запела. Когда она кончила и посмотрела на нас, мы — ревели, а Эдит, которая только что передавала глубочайшее в мире горе и находила такие краски, что у вас разрывалась душа, сказала самым обычным тоном, но с оттенком иронии:

— Все в порядке, дети мои, им понравилось. Значит, она хороша, наша песня.

«Свадьба» была одной из лучших песен Эдит Пиаф. Исполняя ее, Эдит в убыстряющемся ритме все исступленнее качала головой вправо и влево, в такт звучавшим в оркестре колоколам. И удары колоколов в сочетании с этим удивительно точно найденным движением передавали такую глубину горя, такое отчаяние, что это граничило с безумием.

Теперь я скажу об Эдит несколько слов как кинорежиссер. В то время как многие актрисы, дебютирующие в кино, держатся весьма смело и зачастую предъявляют большие требования, Эдит, которой кино ничего не могло прибавить к ее мировой известности, была самой послушной, самой уступчивой, самой скромной. Она ко всему прислушивалась, все замечала. Каждый раз перед началом съемок она отводила меня в сторону и объясняла, как предполагает сыграть сцену, потом добавляла:

— Если это будет не совсем то, что ты хочешь, сделай мне незаметный знак, я пойму.

Если бы мы не были во Франции, климат которой так благоприятствует маленьким звездочкам — ведь каждый сезон нам приносит очередное «откровение года»,— Эдит Пиаф могла бы сделать в кино карьеру Анны Маньяни, Бэтт Дэвис или Кэтрин Хэпбёрн.

Однажды Чарли Чаплин сказал мне, что он думает о ней. Это было во время официального приема, который устроили для него французские кинорежиссеры.

Одного за другим нас представляли тому, кто для всех нас является учителем. Когда наступила моя очередь, он сказал:

— Мне о вас говорила Эдит Пиаф. Я восхищаюсь ею и считаю, что она — женщина — должна была бы делать то, что делаю я.

Можно ли получить большее признание?

Эдит, прирожденная трагическая актриса, обладала необыкновенно острым чувством комического. Нужно было видеть, как она изображала кого-нибудь! Она была предельно точна, порой жестока и совершенно неотразима. Она мечтала сыграть когда-нибудь комедийную роль и, вероятно, имела бы большой успех. Увы, жизнь отказала ей в этом, а нас лишила огромной радости.

VI

Я уже говорил, что мне трудно будет в этой книге соблюдать последовательность.

Воспоминания набегают как волны: ...вот ее смех ...вот шутка ...вот что-то очень значительное.

Эдит была таким удивительным человеком, что о ней нельзя говорить, как о любом другом: когда она любила, силу ее чувства невозможно было измерить, а ее физические страдания, ее агонию, длившуюся долгие годы, можно сравнить только с Голгофой.

Вчера я захотел увидеть ее в последний раз. Я вошел в ее комнату, подошел к постели, и произошло еще одно, последнее чудо: я нашел тебя такой, какой ты была раньше, исчезли все следы физических страданий, следы борьбы со смертью, все-таки победившей тебя. Но ты задала ей хорошую работу. Сколько раз ты заставляла ее отступать. И ты не боялась ее.

В этой комнате я вдруг вспомнил о том, как мы разговаривали с тобой здесь в последний раз. Ты попросила меня прийти, чтобы познакомиться с Тео. Всегда, когда к тебе приходило счастье, ты звонила мне по телефону, чтобы сказать об этом, и я должен был немедленно мчаться к тебе. В таких случаях ты говорила со мной по-английски; ни ты, ни я не знали почему — просто была такая традиция.

Я, конечно, понимал, что ты не собираешься советоваться со мной, но тебе нравилось рассказывать мне все, и ты внимательно следила за моей реакцией...

Итак, когда я впервые увидел Тео, ты лежала больная, а этот высокий, ласковый и спокойный парень смотрел на тебя с нежностью и благоговением.

Я мало вас знаю, Тео, но могу сказать, что в той клевете, которую о вас распространяли, нет ни слова правды. Во всяком случае, год, который Эдит была с вами, был годом счастья... Последний год... и все ее настоящие друзья благодарны вам за это.

— Вот,— сказала она мне,— позволь представить тебе Тео. А ты,— обратилась она к Тео,— бойся его. Мы дружим уже двадцать лет. Это страшный человек,— улыбнулась она,— он не прощает тем, кто обижает меня.

Не помню почему, Эдит в этот день стала вспоминать свою жизнь, и, как всегда, очень скоро речь зашла о любви! Она любила Любовь! Я не случайно пишу это слово с большой буквы. Всю жизнь она искала любовь, стремилась к ней, любовь была смыслом ее существования, ею она дышала, о ней пела.

Увлечения были ей нужны, чтобы заставить сильнее биться сердце, она просто не смогла бы без любви, хотя иногда эта любовь, кроме горя и разочарования, ничего ей не приносила. Но в какой-то момент и это было ей необходимо, чтобы создать одну из прекрасных песен, крик любви, который рвался из глубины ее души и заставлял замирать наши сердца.

Да, конечно, я знаю, это может шокировать. Это не отвечает нормам буржуазной морали. Но разве она была как другие? Разве она могла бы так петь, если бы каждое мгновение ее жизни не было трепетом страдания или радости?

Нет, она не была нравственной в общепринятом значении этого слова. Она подчинялась голосу сердца, была как пламя, как сама жизнь.

А откуда, собственно, у нее могла взяться эта общепринятая мораль? Ведь она росла вне того, что называется «хорошим воспитанием».

Она родилась на улице в буквальном смысле этого слова; мать бросила ее, а отец — он был добрым малым, но каждую неделю знакомил дочь с новой «женой»...

Одна из бабок давала ей вместо рожка с молоком красное вино, другая была содержательницей притона.

Можно ли это назвать нормальным детством?

В течение нескольких лет маленькая Эдит была слепой, потом вдруг к ней вернулось зрение. Этот случай, как и многие другие, входит в легенду о Пиаф.

В ее жизни было немало чудес. Все казалось возможным, если речь шла о ней. Сколько раз, когда считали, что все уже кончено, она воскресала. Сколько раз она выходила на сцену как автомат, с потухшим взглядом; казалось, она не дышит, не слышит оваций. Но шквал приветствий стихал, и она вдруг начинала петь, и, каким бы огромным ни был концертный зал, будь то Плейель, Шайо или Карнегихолл, голос ее заполнял все, завладевал вашим сердцем, вашими чувствами. Вы не понимали, что с вами происходит. Это было волшебство, какое-то непрерывное чудо... Мы думали, оно будет вечно.

Изнемогая от усталости, с волосами, прилипшими к слишком высокому лбу, поклонившись в последний раз, вся поникшая, уходила она со сцены.

Эдит возвращалась в свою артистическую, преисполненная огромной благодарности к этому неизвестному множеству людей, которому она с каждым концертом отдавала частицу своей жизни. И мы, ее близкие, видя Эдит такой обессиленной, в течение многих лет боялись: сейчас наступит конец, она не выдержит.

Те, кто толпился у дверей ее артистической, думали, конечно, что она занимается туалетом, шутит с друзьями... Нет, ничего этого не было. Она просто вновь училась дышать, жить и лишь спустя некоторое время улыбалась и говорила:

— Ну, дети мои, впустите же их.

И они входили. Она смеялась и шутила с ними. Это были ее поклонники, они восхищались ею; среди них были такие, которые не умели выразить свой восторг, и были такие, которые ничего не говорили, а только смотрели на нее, стараясь все запомнить, а были и такие, которые становились перед ней на колени и целовали руки.

Но она не обращала внимания на эти проявления восторга и думала лишь о том безымянном множестве, которое она заставляла трепетать, ведь ее публика была, в конце концов, тем единственным, ради чего она жила. И я клянусь всем, что у меня есть святого, что это вас, всех вас и единственного вас, она любила по-настоящему.

VII

Я не знаю никого, кто бы столько страдал физически, сколько страдала Эдит, и я не знаю никого, кто бы так презирал физическую боль. Чего только не было в ее жизни: и автомобильные катастрофы, и операции, и болезни, болезни... Однако, как это ни странно (а что не странно в этой удивительной жизни?), страдания, казалось, едва касались ее — она презирала их.

Помню, после одной из автомобильных аварий она должна была принять курс лицевого массажа, потому что все ее бедное лицо было в шрамах, рубцах и ссадинах. В то время как врач умело и энергично массировал ее, она как ни в чем не бывало болтала с нами. Понемногу под руками массажиста ее лицо покраснело, потом стало малиновым и, наконец, багровым. Врач был взволнован ее мужеством.

— Я сделаю перерыв на минутку, — сказал он, — ведь вам очень больно.

Она обратила к нему свое опухшее лицо и сказала:

— Продолжайте, доктор, я выдержу.

— Но, мадам, то, что я делаю,— ужасно. Отдохните немножко...

В ее глазах мелькнул вызов:

— Ничего, доктор, продолжайте. Физическая боль не имеет значения, я умею не замечать ее.

А вот еще одно воспоминание. Как-то в течение долгих месяцев она боролась со смертью в Американском госпитале. К ней никого не пускали, и я узнавал о ее состоянии только из газет или от Л. Баррье, ее импресарио. В последний раз он сказал мне, что надежды почти нет, она уже много дней не приходила в сознание.

И вот однажды днем, когда я случайно оказался дома, раздался телефонный звонок.

— Это ты, Сель?

Я не смел поверить.

— Эдит? Ну скажи скорей, что я не ошибаюсь, что это действительно ты.

И бесконечно слабый, усталый голос, с невероятным усилием произнес:

— Да! Это я. Знаешь, я вернулась издалека. И мне вдруг захотелось услышать твой голос. Представить твою славную морду, когда ты будешь говорить со мной. Вот и все. Я довольна. Поцелуй жену, ребятишек, маму. Я тебе скоро позвоню, а сейчас я смертельно устала, но я так счастлива.

Увы! Сегодня она уже не позвонит мне, чтобы сказать: я вернулась издалека.

Через несколько дней мне разрешили навестить ее. Худенькая, до синевы бледная, она улыбнулась мне. Под потолком палаты теснились разноцветные воздушные шарики. Проследив за моим удивленным взглядом, она сказала:

— Их принесли друзья. Мне нельзя двигаться. Я все время лежу на спине и смотрю на потолок. Если бы ты знал, как это мрачно — вот такой совершенно белый, гладкий потолок. А теперь, открывая глаза, я вижу эту пеструю прелесть. Я их очень люблю, мои шарики. Они одни видели все, что мне пришлось вынести.

И больше ни слова о невероятных страданиях последних месяцев.

Она задавала мне бесчисленные вопросы о друзьях, о театре, о кино, о Париже. И потом неожиданно сказала:

— А я тут тоже не теряла времени. — И, увидев мое недоумение, добавила: — Я прочитала изумительную книгу — «Последний из праведников». — И очень тонко и умно она проанализировала книгу Андре Шварц-Барта.

Я не мог прийти в себя. Подумать только, на что способна эта маленькая женщина! Всего лишь несколько дней назад она находилась на пороге смерти. И как она смогла до конца понять это произведение, проникающее в самую глубину человеческого отчаяния!

Но сегодня я понимаю: именно Эдит, как никто, могла измерить всю глубину отчаяния и понять, что такое печать неумолимой судьбы.

VIII

Говорят, что комические актеры в жизни не бывают веселыми, ну а Пиаф, трагическая исполнительница песни, любила смеяться по всякому поводу.

Прекрасно понимая, какое место она занимает в мире песни, Пиаф, однако, никогда не относилась к себе серьезно. Со свойственным ей юмором говорила она о своей «важной миссии», очень забавно делая ударение на этих словах, и опускала при этом голову на руки, как человек, подавленный тяжестью лежащей на нем ответственности. Всю жизнь в ней оставалось что-то от девчонки, которая вдруг сделалась всемирно известной певицей. «Сделалась, ну и что?»

Ей приходилось встречаться со многими сильными мира сего, и не однажды на ее концертах инкогнито присутствовали короли.

Не могу отказать себе в удовольствии рассказать здесь, как она сама изобразила мне встречу с английской королевой, тогда наследницей престола, и ее мужем герцогом Эдинбургским.

Они были в Париже с официальным визитом, и на вопрос о том, где бы они хотели побывать, Елизавета и Филипп выразили желание послушать Пиаф.

На следующий день они присутствовали на ее концерте в одном кабаре на Елисейских полях. Утром я спросил ее по телефону, как она себя чувствует с тех пор, как стала на дружеской ноге с английской королевской семьей, и «снизойдет» ли теперь до такого простого смертного, как я.

Невозможно передать получасовой разговор, в котором она мне рассказала об этой встрече. Здесь были и мягкий юмор и трезвая оценка. Я просто умирал со смеху:

— Понимаешь, вначале я растерялась. Все-таки не кто-нибудь, а принцесса Елизавета, да еще с мужем! Ну ладно, выхожу на сцену. Аплодисменты. Немного успокаиваюсь и замечаю их: оба хороши собой, словом, вполне годятся для своей роли. Начинаю петь, а когда я пою, ты знаешь, тут уж я ни о чем, кроме своих песен, не думаю. Короче говоря,— успех. Они много аплодировали. Наконец последний поклон, и я собираюсь уходить, но в этот момент меня спрашивают: не соглашусь ли я поужинать с ее королевским высочеством. Я соглашаюсь, а сама думаю: наверно, по этикету полагается сделать реверанс. Но тут герцог встает из-за стола, пододвигает мне стул, я спешу сесть. Таким образом, мне не пришлось ничего делать. Мы начинаем болтать. Честно говоря, принцесса мне понравилась: она милая, простая и в жизни гораздо лучше, чем в кинохронике. Нет, правда, если бы у нее были такие гримеры, как в кино, из нее получилась бы отличная звезда! А он! Все Гарри Куперы и Кларки Гэйбли меркнут. Какое обаяние! А внешность! Я и раньше догадывалась, что быть будущей королевой английской — довольно неплохо, но когда у тебя в придачу еще такой муж!..

Эдит очень часто шутила, чтобы скрыть волнение. Не было существа более стыдливого в проявлении чувств в жизни, чем эта женщина, которая вся до конца раскрывалась на сцене.

Я помню такой случай: как-то вечером у нее собрались гости. Это было в гостинице, где она тогда жила, так как в ее квартире на бульваре Ланн был ремонт.

Один из гостей, певец, человек безусловно талантливый, сказал, что быть певцом занятие трудное и неблагодарное, так как приходится ежевечерне вступать в единоборство с публикой, снова и снова завоевывать ее.

Меня удивили эти слова, сказанные человеком, которого жизнь баловала, и я довольно резко сказал ему об этом.

В комнате пролетел, как в этих случаях говорят, тихий ангел. Вдруг Эдит вспыхивает. Она вскакивает со своего места и начинает говорить... Это ураган, шквал, извержение... Что же вызвало эту внезапную бурю, этот гнев? Кто-то осмелился затронуть ее публику! Кто-то посмел увидеть в ней противника! Эдит была великолепна. Перед нами была женщина, отстаивавшая свою любовь. Мать, защищавшая своих детей. Как можно бояться зрителей? Как можно их не понимать?

— Когда я выхожу на сцену и всех их вижу, я чувствую, я знаю: сейчас, когда я запою, они сольются со мной, и мне все равно, сколько их — тысяча, десять тысяч... Передо мной моя публика; и я люблю ее, и пою для нее... отдаю ей всю себя, до последнего дыхания... и я чувствую ее любовь.

Она дрожала, как тогда, когда исполняла «Толпу». Потом успокоилась и улыбнулась:

— Это продолжается между нами уже более двадцати лет. Менялись моды на песни, менялись люди, а я все та же: каждый вечер я приношу им свою любовь, свою благодарность, свое вдохновение. Я ни разу не обманула их, и я знаю, они всегда будут любить меня.

Молча смотрели мы на эту необыкновенную женщину.

IX

Пройдут годы, быть может, появятся певицы, которые достигнут ее славы, но никогда больше не будет таких премьер, которые давала Парижу Эдит Пиаф.

Каждый раз говорили: она достигла вершины, больший успех невозможен... И каждый раз ошибались.

Атмосфера ее концертов — со всеми шумными проявлениями восторгов, громкими овациями — не имела ничего общего с тем идолопоклонничеством, той атмосферой массовой истерии, которая сегодня охватывает нашу молодежь, когда на сцене появляется очередной «кумир».

С Эдит все обстояло иначе. И так было не только в Париже. Вчера вечером я прослушал запись ее концерта в Карнеги-холл и лишний раз убедился, что и там было то же самое.

Итак, премьеры Пиаф. На них присутствовали все, даже те, кто обычно нигде не бывает; все знали: концерт Пиаф нельзя пропускать. Первая половина вечера обычно проходила в обстановке вежливого безразличия, мысли были заняты другим, и, даже если исполнители были очень хороши, все поглядывали на часы и думали: «...Еще полчаса». Наконец раздаются звуки оркестра... Эдит уже много лет выходила без объявления... Прежде объявляли: «Одно имя, и в нем — вся песня: Эдит Пиаф!» Но она решила, что это лишнее, все и так знали, что она — это Песня.

Итак, играет оркестр... Это попурри из многих ее песен, их напевали все, они вошли в жизнь... Но вот появляется Эдит: она идет своей неловкой походкой, уронив руки, ее платье слишком длинно, на ногах старые, разношенные туфли (так ее мучает ревматизм). Она как во сне, никого не замечает, и ты почти спрашиваешь себя: что она тут делает, такая маленькая на этой большой сцене... И вдруг... шквал приветствий, неистовство морского прибоя: это ее публика празднует встречу с ней, благодарит ее и гордится своей Пиаф, которая разнесла славу французской песни далеко за моря и океаны.

Все в зале хотели бы обнять ее, сказать, как они боялись за ее жизнь... боялись потерять ее... Увы!

О какой же из премьер рассказать сначала? Может быть, о той, когда после нескольких лет страданий она вновь появилась перед нами? Ее приветствовали стоя; казалось, от криков и аплодисментов обрушится потолок! Овации не прекращались... А она улыбалась, как девчонка, как ребенок, и казалось, говорила: «Что? Здорово я вас напугала? Ну, теперь все хорошо, я снова с вами». И, точно это было заранее отрепетировано, внезапно все смолкло. Эдит начала петь.

Она была очень больна, все ее бедное тело было покрыто швами... Мы так боялись за нее... Но разве она щадила себя? Разве она думала о боли, которая в эту минуту терзала ее? В ее голосе звучал вызов, в нем была неистовая сила, какое-то яростное отчаяние... Мы в ужасе переглядывались. Что она делает? Так же нельзя!

...Да... она хотела умереть на сцене. Но она выдержала и на этот раз!

Это был ее последний концерт на сцене «Олимпии».

Я не знаю, поняла ли публика, что ради нее в этот вечер Эдит еще сократила свою жизнь.

Зал Плейель, концерт, снова триумф.

Это было давно. Эдит была тогда в расцвете сил, здоровья и счастья. В тот вечер в зале находился Марсель Сердан. Этот непобедимый на ринге человек, внушавший страх самым известным боксерам, был очень застенчив. Он волновался за Эдит. Спрятавшись где-то на самом верху, он смотрел оттуда на нее.

По окончании концерта, когда мы встретились в артистической Эдит, он казался совершенно разбитым от пережитых волнений. Едва слышным голосом он сказал мне:

— Какая она великая, какая изумительная, и какой я счастливец!

Несколькими минутами раньше я был свидетелем того, о чем помнишь потом всю жизнь. Эдит уже кончила петь, но оставалась на сцене, заставленной корзинами цветов. Занавес снова поднялся, и все оркестранты, хористы и певцы оказались около нее. Они тоже разделяли ее торжество. Эдит смеялась, она излучала радость и счастье. Овации все продолжались, публика не хотела уходить.

Машинально я взглянул в соседнюю ложу: там были двое, они тоже стояли. Мужчина был бледен, а женщина плакала; это были Морис Шевалье и Полетт Годар.

Но как бы ни был велик ее успех, Эдит никогда не теряла головы.

По традиции после каждой премьеры у нее собирались все ее друзья.

В ее квартире, где сегодня мимо гроба проходят тысячи людей, мы встречались счастливые и гордые ее растущей славой.

А Эдит, уже такая, как обычно, какой она была всегда, сидела на одном из немногих стульев в своей гостиной (ее квартира никогда не была пышно обставлена). Она болтала с Гигит, Пьером Брассером, Анри Конте и другими. И, в то время как гости штурмовали буфет, уничтожая семгу, икру и шампанское, она пила из маленькой чашечки кофе, шутила, смеялась, кого-то изображала. И трудно было себе представить, что это хозяйка дома и одна из величайших певиц нашего времени.

X

Эдит всегда с пренебрежением относилась к деньгам; и хотя она зарабатывала миллионы, я готов держать пари, что сегодня на ее счету вряд ли что-либо осталось; ее кредиторы, вероятно, спрашивают себя, удастся ли им получить то, что причитается.

Вы, может быть, думаете, что эти огромные деньги были истрачены на драгоценности, меха и другую роскошь? Нет.

— Знаешь, дорогой, — говорила она, — с этими миллионами далеко не уйдешь.

Зато то, кто ее окружал, заходили иногда очень далеко с деньгами, которые она зарабатывала; деньги уплывали прежде, чем она успевала даже взглянуть на них.

Ее дом был всегда полон, и часто случайные люди застревали в нем надолго и жили на полном ее содержании... Она многим оказывала денежную помощь, одним — единовременную, другим — постоянную... Оркестр должен был находиться в ее распоряжении во всякое время дня и ночи. И при всем этом фантастическом расточительстве она на себя лично тратила ничтожно мало.

Вспоминаю фразу, которую я однажды слышал от нее, когда один из ее музыкантов собирался жениться. Она хотела подарить ему холодильник.

— Сколько это может стоить? А, ладно... куплю в кредит.

Все это может показаться невероятным, но объясняется очень легко: кроме того, что деньги «текли» у нее из рук, Эдит не имела никакого представления о реальной стоимости вещей.

Все знают, что наряды не были ее слабостью, однако она привыкла пользоваться услугами известных фирм. Например, когда она снималась в фильме «Будущие любовники», ей показалось совершенно нормальным заказать себе передник у Тэда Лапидуса.

Те, кого она знала до Марселя Сердана, редко баловали ее. К тому же Эдит никогда бы не допустила, чтобы к мысли о любви примешивалась мысль о деньгах; первое было для нее все, второе — ничто.

Когда появился Сердан с его необыкновенной щедростью, Эдит, сама такая щедрая в отношении других, почувствовала себя очень неловко. Показывая мне его подарки — норковую шубку и дорогие украшения,— она сказала:

— Понимаешь, мне так неудобно.

Я рассмеялся и сказал, что, по-моему, все нормально:

Сердан зарабатывает много денег и любит ее. И услышал в ответ:

— Будь спокоен, я в долгу не осталась и заказала ему у Картье рубашки, наряднее которых не найдешь. Можешь мне поверить.

Это говорило самолюбие. Годы, проведенные в нищете, оставили свой след. Она так и не смогла привыкнуть к тому, чтобы ее кто-нибудь баловал.

Она никогда не забывала годы нужды. Память о них всегда была жива. Вот что мне рассказала ее секретарша. Однажды, уже известной актрисой, выступая в Лионе, она оказалась в рабочем пригороде Вийёрбан, где очень много высоких домов с бесчисленным количеством окон. Эдит подняла голову, посмотрела кругом и самым обычным тоном, тоном человека, привыкшего оценивать, сколько может заработать уличная певица, сказала: «Это хороший квартал, со всеми этими окнами здесь можно хорошо заработать». Секретарша опешила: и это говорит великая Пиаф!

Но рядом с Эдит Пиаф всегда была Эдит Джованна Гассион, которая пела на улицах и умирала от голода. Она никогда не стыдилась своего прошлого, но и не хвасталась им. Просто она не забывала. Вот и все.

Вероятно, именно поэтому она столько лет терпела около себя некую Х., которая обирала се, обворовывала, насмехалась и шантажировала. Однажды, после того как она перешла все границы, я не выдержал, снова увидев ее в доме Эдит.

— Когда же это кончится? Что вас, наконец, связывает? Ты считаешь, что она еще недостаточно причинила тебе зла?

Она посмотрела на меня с грустью, и мне стало стыдно, что я чего-то не понимаю.

— Видишь ли, Сель, то, что нас связывает, нельзя вычеркнуть из жизни: это годы нужды, когда мы ели не каждый день, ночевали прямо на улице, прятались в подворотнях. Я иногда думаю: если бы у меня не была голоса, может быть, и я была бы такой... и я прощаю ей... и почти готова сама просить у нее прощения.

XI

Воспоминания... воспоминания, бесчисленные свидетельства того, какой она была: всегда неожиданной, иногда властной, а иногда очень мягкой... Удивительно стыдливой в своем великодушии, необыкновенно деликатной в милосердии.

К двум вещам она была нетерпима: к уродливости (разумеется, в проявлении чувств) и глупости. Да, по отношению к глупым людям она была резка, иронична, беспощадна...

И как не понять ее, ведь она начала с ничего и достигла вершины не только благодаря своему таланту, но и благодаря упорной работе, воле и, я никогда не устану это повторять — благодаря редкому уму.

Нужно было присутствовать на встречах Эдит с молодыми композиторами, чтобы понять, как сильна была ее интуиция; но она всегда себя контролировала, всегда анализировала свои поступки.

Однажды я пришел к Эдит, когда два молодых музыканта исполняли песню, написанную для нее. Такие встречи происходили почти ежедневно. Она часто брала песни у начинающих композиторов, и благодаря ей они становились известными.

Это был своего рода экзамен. Наконец пианист и тот, что напевал, смущенно посмотрели на Пиаф, слушавшую с большим вниманием.

Она подошла к роялю, положила руки на плечи молодым людям и постояла так немного, напевая какую-то музыкальную фразу из того, что прослушала. Затем, как бы сожалея, заговорила:

— Она очень хороша, ваша песня. И у вас есть талант. Я уверена, вас ждет успех. Но, к сожалению, я не могу ее петь.

Почему? Да потому, что это песня о счастливой, торжествующей любви, а это, знаете ли, не Пиаф. Публика слишком хорошо меня знает, и, если я буду петь об этом, она мне не поверит... она меня не узнает... Я не гожусь, чтобы воспевать радость жизни... Это со мной не вяжется... У меня все недолговечно... Тут ничего нельзя изменить... такова моя судьба...

Я не буду здесь говорить о непогрешимости артистического вкуса Эдит Пиаф.

Все знают, скольким людям она помогла добиться успеха... Ив Монтан, Эдди Константин, Азнавур, «Компаньон де ля Шансон»... и многие другие. Нашлись среди них и те, кто об этом забыл.

Но не о том сейчас речь. Я приведу небольшой эпизод, и вы увидите, каким музыкантом стала эта уличная певица и как она работала.

Как-то я присутствовал на репетиции одного гала-концерта, который должен был состояться во дворце Шайо.

Эдит предстояло выступить с большим оркестром, десятками хористов и певцов. Из пустого зрительного зала я наблюдал за ней; она подходила к одному, другому, исполняла отрывок из какой-нибудь песни, проверяла освещение, репетировала жесты, позы, снова пробовала, как звучит голос, давала указание руководителю хора. Была неутомимой, вездесущей... (как больно писать это слово сегодня...).

Наконец все было готово, и дирижер объявил последнюю репетицию. Оркестр заиграл, все казалось великолепным, вдруг Эдит закричала:

— Стоп, что-то не так!

Дирижер удивленно посмотрел на нее и сказал:

— Все хорошо, вам показалось.

Эдит с ожесточением покачала головой и бросилась к скрипкам.

— А я вам говорю — нет, вот здесь кто-то взял фальшивую ноту... я слышала.

Все молчали, она сделала еще несколько шагов.

— Вот в этом углу.

И тогда поднялся один из скрипачей и сказал, что действительно ошибся на полтона.

В оркестре было более восьмидесяти музыкантов.

Кокто также умер 11 октября, через несколько часов после Эдит.

Я знаю, как много мир литературы потерял со смертью этого поэта, этого прелестного человека, которого мне тоже выпало счастье знать и которого я высоко ценил.

Оба они, Эдит и Кокто, любили прекрасное и посвятили свою жизнь тому, что бессмертно, что никогда не исчезнет,— искусству.

Кокто всегда говорил об Эдит с нежностью; он был счастлив, что видел, как расцветал ее талант.

А Эдит, хотя и любила подшучивать над ним, гордилась его дружбой и никогда не забывала, что он написал для нее пьесу «Равнодушный красавец». Выступив в этой пьесе, Эдит доказала тем, кто в этом сомневался, что она необыкновенно одаренная драматическая актриса. Кокто в ней не ошибся, он знал, что Эдит — натура многогранная.

Если бы смерть, коснувшись Эдит, шепнула ей, что собирается унести и Кокто, я уверен, она была бы горда, что отправилась в это далекое путешествие, из которого не возвращаются, вместе с ним.

«Равнодушный красавец»... У меня в связи с этой пьесой есть чисто личные воспоминания.

После успеха «Безымянной звезды» нам, Эдит и мне, предложили сделать новый фильм для того же продюсера.

В этом фильме Эдит должна была сыграть роль дочери Маргерит Морено, но Маргерит заболела, и ее роль передали Франсуаз Розэ. По возрасту Эдит уже не могла быть ее дочерью. И роль отдали более молодой актрисе — Андро Клеман.

Я говорю о фильме «Макадам». Его успех не вознаградил меня за то горе, которое испытал я сам и невольно причинил Эдит, лишив ее возможности сниматься в этом фильме. Мне было тем более тяжело, что я знал, как она болезненно переживает случившееся.

Чтобы отпраздновать премьеру фильма, в одном из 140 кинотеатров на Елисейскпх Полях решено было устроить большой концерт. Для придания ему особого блеска в программу нужно было включить нечто сенсационное. Мой продюсер, хотя он прекрасно понимал, как горько мы разочаровали Эдит, посоветовал мне попросить ее принять участие в нашем концерте.

— Но как я могу просить ее об этом? Именно ее?

— Ты прав, ни к какой другой актрисе обратиться с такой просьбой было бы просто немыслимо. Но не к Эдит. И тебе она не откажет. Попытайся.

И я позвонил. Я очень волновался, боялся, что она будет со мной резка. Но продюсер был прав — она согласилась.

— Но, — сказала она, — петь я не буду. Для тебя я сделаю больше. В твоем фильме играет Поль Мерисс. Он был моим партнером в «Равнодушном красавце». Это было во время войны, а теперь нас будет смотреть другое поколение парижан.

От волнения я не мог выразить свою радость, свою признательность, и она сказала совсем просто:

— Это будет твой праздник, и я хочу быть рядом с тобой.

XII

Сейчас, Эдит, мы будем провожать тебя в последний путь.

Тысячи людей пойдут за твоим гробом, и, я уверен, ты будешь стоять перед их глазами, они снова услышат твой голос. Среди них буду и я, твой верный друг, с которым ты иногда бывала резка, потому что он не всегда разделял твое мнение. Но мы крепко любили друг друга, правда? Хотя иногда мы не виделись по полгода. Я не был тебе нужен, когда все было хорошо, но ты знала, в тот день, когда к тебе постучит беда, я буду с тобой.

Мы, твои близкие, растворимся в толпе, о которой ты пела так, что щемило сердце.

А потом ты останешься одна, ты, что так любила людей.

У тебя всегда был народ... Приходили и уходили, когда хотели. Помню, я как-то стал сетовать, что мы мало видимся, ты мне ответила:

— Но ты же знаешь, часа в четыре я всегда дома.

И когда я сказал, что это разгар рабочего дня и мне труд но освободиться, ты удивленно посмотрела на меня.

— Но, Сель, я же говорю о четырех часах утра!

Ну что можно было сказать на это? Ты жила по своим собственным законам, и надо сказать, что твоя логика, вернее, отсутствие ее, и твоя особая мораль удивительно подходили тебе.

И теперь тебя нет! Ты ушла, как раньше ушла Маргерит Монно. Пусто стало вокруг.

Маргерит! Помнишь, сколько она доставила нам веселых минут. Она была такой рассеянной: все забывала, все путала. Если нужно было с кем-нибудь встретиться, она могла прийти не в тот день и в другое время. Она могла сесть в чужую машину, приняв ее за свою. Удивительная Маргерит! Иногда, слушая музыку, она смотрела на нас и говорила:

— Друзья мои, это же великолепно! Нет, честное слово, мне очень нравится!

— Но, Гигит,— отвечали мы,— конечно, это великолепно. Это же твоя музыка!

А она, как ни в чем не бывало:

— Правда? Вы уверены? Ну, я очень рада.

Бедная, дорогая Маргерит... ты тоже должна была сделать еще столько прекрасного на земле...

В этой грустной главе мне хочется поделиться одним особенно дорогим воспоминанием, рассказать о том дне, когда ты решила дать обед в честь моей — тогда недавней — женитьбы.

Моя жена не была еще с тобой знакома, хотя всегда была твоей поклонницей.

Для любой молодой женщины быть на обеде у Эдит Пиаф, специально устроенном по случаю ее свадьбы,— большая честь. Жена в этот день постаралась особенно хорошо выглядеть, чтобы я мог гордиться ею.

Нас встретил Жак Пиллс (вы были еще вместе). Помнится, было еще несколько наших друзей, не хватало только тебя. Я видел, что жена сгорает от нетерпения поскорее познакомиться с тобой.

И вдруг дверь в большую гостиную открывается, и ты выходишь к нам, веселая, очаровательная, приветливая... но в халате! Увидев вполне понятное изумление моей жены, ты воскликнула:

— Не сердитесь, у меня сегодня не было ни секунды свободной, и потом так мне удобнее, я буду себя лучше чувствовать. Со мной ничему не нужно удивляться.

И моя жена сразу приняла тебя такой, какой ты была. Твоя откровенность, твоя сердечность покорили ее, и она полюбила тебя. Она всегда понимала тебя и ценила то исключительное, что было в тебе.

Иногда ты в шутку называла меня «буржуа». Ты утверждала, что трудно быть артистом и вести нормальную семейную жизнь. Конечно... твоя жизнь не была образцом добродетелей, о которых читают в катехизисе и которым учат в монастыре. Конечно... конечно... Но добро, которое ты делала? Счастье, которое твой голос давал миллионам людей? Разве это не в счет? Или важнее все эти мелкие, ничтожные жизни, после которых ничего не остается, но которые отвечают общепринятым нормам?

Вот уже три дня, как ты умерла, а до сих пор неизвестно, разрешит ли церковь похоронить тебя с соблюдением всего религиозного обряда. А много ли из тех, кто ходит в церковь, сделал столько добра, сколько сделала ты? Кто из них обладал действительно христианским милосердием?

И разве не известно тем, кто не решается даровать тебе эту «милость», что ты была глубоко верующей?

А каким ты была другом! Какое душевное тепло, какую поддержку ты оказывала в беде! Ты написала мне замечательное письмо, когда после тяжелой болезни я боялся, что потеряю зрение. Ты говорила в нем о моей матери, о вере, обо всем, что прекрасно, благородно, чисто. Я знаю, ты и другим писала такие письма.

Я думаю, что ты оказываешь честь церкви, и она должна не снисходить до тебя, чтобы принять в свое лоно, а гордиться тобой и отстаивать свои права на тебя.

А когда погиб Марсель Сердан, откуда у тебя нашлись силы, чтобы так спеть «Гимн любви»? Тогда, в Нью-Йорке, тебя вынесли на сцену. Ты была вне себя от горя, ты не могла еще поверить... но публика, твой неизменный возлюбленный, ждала тебя, и это она дала тебе силу петь в тот вечер. Я не был там, но знаю, как ты пела! Ты была в каком-то мистическом экстазе. Ты пела для него... И он тебя слышал!..

И кто, как не ты, много дней и недель молился о нем в полумраке церквей?

Об этом никогда не писали.

Напечатанные под жирными кричащими заголовками сообщения о скандальных происшествиях были газетам куда выгоднее. Авторы подобных заметок, не задумываясь, искажали факты, давали волю своей фантазии — это обеспечивало высокие гонорары.

XIII

Эдит Пиаф много ездила, но где бы она ни была — в Нью-Йорке, Буэнос-Айресе, Оттаве,— она как бы привозила свой собственный климат, ей одной присущую атмосферу. После концерта она, как и в Париже, возвращалась домой в сопровождении своей свиты, состоящей из поклонников, журналистов, снобов — всех тех, кто назавтра мог рассказать своим друзьям, чтобы вызвать их зависть: «Я провел вечер у Пиаф».

Ей нравилось иногда жонглировать парадоксом, а иногда, не скрою, — шокировать.

Это был своего рода реванш за страшное детство и юность... Ведь когда она была ничем, ей ничего не разрешали. «Благовоспитанные» люди не удостаивали ее взглядом. Теперь настала ее очередь потешаться над теми, кто замирал от малейшего ее жеста. У Эдит была хорошая речь, она писала с большой легкостью, но любила вдруг ошарашить собеседников, сказав что-нибудь очень грубое. И такова уж сущность снобов: то, что прежде приводило их в негодование, теперь казалось забавным, остроумным... «Нет, она просто неподражаема! Какая индивидуальность! Какой ум!»

Слыша это, она не могла удержаться от смеха и толкала нас ногой под столом. У нее не было никаких иллюзий в отношении рода человеческого, все казалось ей суетным и пустым.

Я не могу привести имена всех тех людей, чьи действия и высказывания она предвидела, как только они появлялись в ее доме. Она делал вид, что верит их комплиментам, и находила прекрасными цветы, которые они ей приносили, но за несколько минут до их появления она объясняла нам, зачем они пришли. Она знала, что они будут о чем-то ее просить.

Пиаф никогда ни в ком не ошибалась. Ее нельзя было обмануть, если только дело не касалось любви — здесь она была беззащитна.

XIV

Все кончено! Был полдень, когда ты ушла от нас навсегда... Как вдруг стало холодно... и как жаль, что Париж залит сегодня солнцем. Это несправедливо. Небо должно быть серым, низким, кругом должен быть мрак, как в наших сердцах.

Но, боже мой, Эдит, как он был прекрасен, твой последний «выход».

Откуда взялись эти тысячи, десятки, сотни тысяч людей? Они шпалерами стояли от твоего дома до кладбища Пер-Лашез.

В твоей квартире полно цветов, они повсюду, на них наступают, их некуда класть, а их все несут и несут.

Здесь все твои друзья, они в горе, в слезах. И все же мы еще на что-то надеемся, ведь сколько раз свершалось невозможное.

Но когда входишь в большую комнату, всю затянутую черным, когда видишь твой гроб — останавливаешься, застываешь. Как тихо сегодня в этом большом доме, где всегда звучали твои песни, твой смех.

Появился священник, но тебя не понесут в церковь. Они все-таки отказали тебе в этом. Но, может быть, так лучше... Мы здесь все с тобой, и, даже если мы не умеем молиться, мы чувствуем тебя совсем рядом... Каждый вспоминает что-то свое, особенно дорогое для него, что он навсегда спрячет в своем сердце. Сердце, опять сердце... О тебе, Эдит, нельзя говорить без того, чтобы снова и снова не повторять это слово, ведь это ты сама.

Все же пришлось выйти из дому, чтобы проводить тебя, как принято говорить, в последний путь.

И тут вдруг мы увидели их: они молча стояли перед твоим домом, как будто ждали тебя у артистического подъезда.

И началось твое триумфальное шествие, Эдит. Это был твой апофеоз...

Длинный, бесконечный кортеж тронулся, и Париж, весь Париж стоял в почетном карауле. Люди были в окнах, на тротуарах, движение остановилось, и ты прошла через твой Город, твой Париж.

— Это Пиаф... Пиаф уходит...

Все эти люди пришли не из любопытства. Они ждали тебя, чтобы отдать последний долг, последнюю дань любви, они хотели, чтобы ты поняла — отныне Париж уже не будет таким, как прежде. Что-то ушло навсегда.

В тот момент, когда мы вошли в ворота кладбища и перед тобой через город мертвых понесли трехцветное знамя, со всех сторон хлынули волны людей. Нас захлестнуло этим потоком. Все они, пришедшие сюда, хотели участвовать в траурном шествии по неровным каменным плитам кладбища. Они хотели дать понять всем, кто провожал ее, всем этим знаменитостям, что имеют право на нее, хотят до конца быть с ней, как были с ней всегда. Плечом к плечу, без различия классов, не глядя друг на друга, не обращая ни на кого внимания, шли они молча. В руках у многих были маленькие букетики цветов. Рядом со мной одна старая женщина старалась пробиться поближе:

— Я должна проводить ее, я помню ее девочкой, ее тогда звали мом Пиаф.

Видишь, Эдит, прошли годы, ты стала королевой песни, но для тысяч и тысяч людей ты осталась мом Пиаф, маленькой уличной певицей, которая сумела найти дорогу к их сердцу. Ты говорила о том, чего они не умели выразить, ты всегда была искренна, ты не обманула их...

Когда-то Эдит пела чудесную песенку на слова Анри Конте. В ней она обращалась к апостолу Петру.

Это была песенка о бедной девчонке, которая много страдала и много любила... Она не умела молиться, но перед смертью просила апостола пустить ее в рай, «где, говорят, так хорошо», она ведь никому не делала зла. И она умоляюще складывала руки — просила сама Любовь.

Эта песня не была самой лучшей из ее песен, просто песенка, но такая красивая, что вы были уверены: апостол Петр пустит ее в рай.

Не знаю, слышал ли он ее там, где находится, но сегодня я прошу его распахнуть перед Эдит Пиаф врата неба.

Она много страдала, она любила, она была необыкновенна...

Вы получаете бесценный дар, а мы навсегда лишились чего-то очень большого.

Навсегда? Нет, это невозможно.

Поэтому не прощай, до свиданья, Эдит.

Октябрь 1963 г.

Симона Берто

ЭДИТ ПИАФ.
СТРАНИЦЫ ВОСПОМИНАНИЙ

(Сокращенный вариант)

Глава 1

ИЗ БЕЛЬВИЛЯ В БЕРНЕЙ

У моей сестры Эдит* и у меня общий отец — Луи Гассион. Он был неплохой малый и большой любитель женщин — и надо сказать, их было у него немало. Всех своих отпрысков отец признать не мог, да и его партнерши далеко не всегда могли с уверенностью сказать, кто отец ребенка. Своих он насчитывал около двух десятков, но поди знай!.. Все это происходило в среде, где ни перед тем как сделать ребенка, ни после люди не ставят в известность чиновников мэрии. У меня, например, был еще один отец, тот, кто значился в документах,— Жан-Батист Берто. Но он дал мне не жизнь, а только свое имя. У моей матери — она вышла замуж в пят-

---

* Симона Берто утверждает, что является сводной сестрой великой певицы Эдит Пиаф. Однако, как свидетельствуют многие родственники и биографы Пиаф, Симона не была сестрой по крови, а скорее приятельницей, «сестрой» по уличной нищете (от разговорного слова «frangine» — «сестра, сестренка»). Не о ней ли Пиаф в своей книге «На балу удачи» пишет: «Это случилось за несколько лет до войны, на улице, прилегающей к площади Этуаль, на самой обычной улочке под названием Труайон. В те времена я пела где придется. Аккомпанировала мне подруга, обходившая затем наших слушателей в надежде на вознаграждение». — *Примеч. ред.*

надцать, а в шестнадцать уже развелась — было еще три дочери от разных отцов.

В какой-то период она жила в пригороде Фальгиер в одной гостинице с папашей Гассионом. Его мобилизовали. Я появилась на свет после его приезда в отпуск во время затишья на фронте в 1917 году. Их встреча не была случайной, они давно нравились друг другу. Однако это не помешало матери подцепить только что приехавшего в Париж восемнадцатилетнего парня Жана-Батиста Берто. И он, не задумываясь, повесил себе на шею двадцатилетнюю женщину, троих ее дочерей и меня в придачу, только находившуюся в проекте.

В день, когда ему исполнилось двадцать, Жан-Батист отбыл на фронт, имея на своем иждивении пятерых детей. Я не успела еще подрасти, как в доме оказалось уже девять душ, и не все были детьми папы Берто, как мы его называли. Как это ни покажется странным, они с матерью обожали друг друга. Это не мешало ей время от времени — хвост трубой — исчезать из дому на несколько дней. Уходила она с полным кошельком, возвращалась с пустым, зато с новым ребенком в животе.

По чистой случайности я родилась в Лионе, но уже через одиннадцать дней мать вернулась со мной в Париж. Она торговала цветами на улице Мар, напротив церкви Бельвиля.

Я почти не ходила в школу. Никому это не казалось нужным. Но все же изредка меня туда отправляли... Главным образом в начале учебного года, чтобы получить деньги на оплату электричества, и 1 января, когда выдавали обувь.

По мнению матери, это была единственная польза от школы. Что касается остального, она говорила: «Образование, как деньги, его нужно иметь много, иначе все равно будешь выглядеть бедно». Поскольку в то время посещать школу было не так уж обязательно, моей школой стала улица. Здесь, может быть, не приобретают хороших манер, но зато очень быстро узнают, что такое жизнь.

Я часто ходила к папаше Гассиону в пригород Фальгиер. В эти дни я всегда радовалась, так как была уверена, что любима. Он находил, что я на него похожа. Миниатюрная, гибкая, как каучук, с большими темными глазами, я была вылитый отец! Он заставлял меня делать акробатические упражнения, угощал лимонадом со льдом и давал мелкие деньги.

Я очень любила отца.

Отец был акробатом, не ярмарочным, не цирковым, не мюзик-холльным, а уличным. Его сценой был тротуар. Он чувствовал улицу, умел выбрать самый выгодный участок тротуара, никогда не работал где попало. Среди своих он слыл человеком бывалым, знающим хорошие места — словом, профессионалом. Его имя имело вес. Если я говорила: «Я дочка Гассиона», то могла рассчитывать на определенное уважение.

Когда на улице или на бульваре попадалась площадка, достаточная, чтобы на ней можно было удобно расположиться артисту и публике, и отец расстилал свой «ковер» (кусок ковровой ткани, вытертой до основы), люди знали: их ждет серьезное представление. Он начинал с того, что отпивал глоток вина прямо из горла. Это всегда нравилось публике: если ты пьешь перед работой, значит, собираешься хорошенько попотеть. Потом отец зазывал зрителей. Эдит, которая таскалась с ним шесть лет, с восьми до четырнадцати, очень хорошо его передразнивала.

Эдит вообще любила подражать. Она откашливалась, как отец, и вопила хриплым голосом:

«Дамы-господа, представление начинается. Что увидите — то увидите. Без обмана, без показухи. Артист работает для вас без сетки, без страховки, даже без опилок под ногами. Наберем сто су и начнем».

Тут кто-нибудь бросал на ковер десять су, другой — двадцать.

«Среди вас есть любители, есть ценители, есть настоящие знатоки. В вашу честь и для вашего удовольствия я исполню номер, равного которому нет в мире,— равновесие на больших пальцах. Великий Барнум, король цирка, сулил мне золотые горы, но я ему ответил: «Парня из Панама не купишь!» Не правда ли, дамы-господа? «Заберите ваши деньги, я выбираю свободу!» Ну, раскошеливайтесь, еще немного, сейчас начинаем представление, от которого с ума сходят коронованные особы всех стран и остального мира.

Даже Эдуард, король Англии, и принц Уэлльский, чтобы посмотреть мой номер, вышли однажды из своего дворца на улицу, как простые смертные. Перед искусством все равны!

Ну, смелее, синьоры, начинаем!»

И, надо сказать, деньги они тратили не зря, потому что предок был отличным акробатом.

Я едва научилась ходить, как он стал меня гнуть. Моей матери, которой на это было наплевать, он говорил: «Нужно дать Симоне в руки ремесло, в жизни пригодится…» Я жила на улице. Мать возвращалась домой поздно или не возвращалась вовсе. Чем она занималась, я не знала, была слишком мала. Иногда она брала меня с собой в кабачок. Сама танцевала, а я спала, сидя на стуле. Иной раз она обо мне забывала, и я оказывалась в детском доме, позднее в исправительном. Государство всегда обо мне заботилось. Когда мне было пять лет, мать служила консьержкой в Менильмонтане в доме 49 по улице Пануайо. Я часто виделась с отцом, но не знала Эдит. Она на два с половиной года старше меня, и тогда жила в Бернее, в департаменте Эр, в Нормандии. Я только ко слышала о ней. Отец ее любил больше, чем меня. «Естественно,— говорил он,— ведь у тебя есть мать, а у нее нет». Да, если угодно, у меня была мать. Во всяком случае, я долго так считала. У других ребят в Менильмонтане дела в семье обстояли не лучше, а таких, кто мог сказать: «Моя мама делает то-то и то-то», мы называли «воображалами» и с ними не водились, они не принадлежали нашему миру. Я родилась в больнице, Эдит — на улице, прямо на тротуаре.

«Эдит появилась на свет не как другие,— рассказывал мне отец.— Это было в самый разгар войны, после боёв на Марне. Я воевал в пехоте, был одним из тех, кому говорили: «Иди вперед или подыхай»; «лучшие места» всегда достаются беднякам, их ведь больше. Моя жена, мать Эдит, Лина Марса, а по-настоящему Анита Майар, была певицей. Она родилась в цирке и была прирожденной актрисой. Она мне написала: «Собираюсь рожать, проси отпуск». Мне повезло, я его получил. Уж год как цветы засохли в ружьях. (Намек на фразу из песни «Солдат идет на войну с цветком в ружье».) В легкую, веселую войну больше никто не ве-

рил. Берлин — это очень далеко, если топать туди пешком. Приезжаю. Прямо домой. Пустота: ни угля, ни кофе, ни вина, только хлеб пополам с соломой, а вокруг моей хозяйки кудахчут соседки:

— Вот беда-то — война, а мужик на фронте.

— Вы свободны, дамочки,— говорю я им.— Я сам все сделаю».

Это было 19 декабря 1915 года.

Когда о своем появлении на свет рассказывала Эдит, она добавляла: «Три часа ночи не самое подходящее время, чтобы высовываться на свет божий. Где лучше — снаружи или внутри?..»

«Не успел я оглянуться,— продолжал отец,— как Лина начала меня трясти за плечо:

— Луи, у меня схватки! Рожаю! — Вся белая, щеки ввалились, краше в гроб кладут.

Вскакиваю, натягиваю штаны, хватаю ее за руку, мы выбегаем на улицу. В этот час там не было ни одного полицейского, либо они уже ушли, либо еще не вышли на дежурство. Лина хрипит:

— Не хочу мальчика, его заберут на войну...

Идет, переваливаясь, держит живот обеими руками... Вдруг останавливается у газового фонаря и садится на тротуар:

— Брось меня, беги в полицию, пусть присылают «скорую»...

Полицейский комиссариат находится в нескольких шагах, я влетаю как сумасшедший и ору:

— У меня жена рожает прямо на улице!

— Ах, мать твою...— отвечает бригадир с седыми усами. Ажаны хватают плащи и бегут за мной, словно они дипломированные акушерки.

Вот так под фонарем против дома номер 72 на улице Бельвиль на плаще полицейского родилась моя дочь Эдит».

Да, в смысле рекламы будущей исполнительницы реалистической песни трудно придумать более удачное появление на свет! Это был знак судьбы.

154

«Мать захотела, чтобы ее назвали Эдит в память молодой англичанки Эдит Кэвелл, которую боши расстреляли за шпионаж за несколько дней до 12 декабря. «С таким именем,— говорила Лина,— она не останется незамеченной!»

Нельзя сказать, чтобы при рождении Эдит не было недостатка в предзнаменованиях или исторических параллелях. Они впечатляли сильнее, чем гороскоп.

Когда отец уехал, его жена еще оставалась в больнице. «А через два месяца Лина,— она была настоящая актриса, но у нее не было сердца,— пояснял отец,— отдала нашу дочь своей матери, которая жила на улице Ребеваль».

Семья Эдит по материнской линии отнюдь не была похожа на семьи из книжек с картинками для хороших детей. И сама бабка и ее старик были настоящими подонками, распухшими от красного вина. «Алкоголь,— говорила старуха,— и червячка заморит и силенок придаст». И разбавляла красненьким молочко для Эдит. Эдит звала ее «Мена». Она не знала ее фамилии, но думала, что это и есть настоящая семья. А тем временем солдат Луи Гассион кормил в траншеях вшей вместе с другими такими же героями, как и он. Лина давно перестала ему писать, сообщив об отставке без громких фраз: «Луи, между нами все кончено. Я отдала малышку матери. Когда вернешься, меня не ищи».

Как бы там ни было, но отец не собирался бросать своего ребенка. В конце 1917 года, получив последний отпуск, он едет повидать Эдит и застает ужасное зрелище: головка, как надувной шар, руки-ноги как спички, цыплячья грудь. Грязна так, что прикасаться к ней следовало бы в перчатках. Но наш отец не был снобом. «Что делать?— подумал он.

— Нужно поместить малышку в более подходящее место. Когда чертова война кончится, я ведь снова стану уличным акробатом, а улица — не ясли для ребенка. Как быть?»

В то время не было всех тех видов благотворительной помощи, которые существуют теперь. Впрочем, предку и в голову бы не пришло ими воспользоваться. Ни бедность, ни беспорядочная жизнь никогда не заставили бы его отдать своего ребенка в приют, как собаку на живодерню. Папаша Гассион усаживается в бистро и заказывает себе для храбрости абсент. Когда у него водились денежки, он не пренебрегал «зелененьким» (то есть абсентом), но напивался только красным вином, считая, что это дешевле и менее вредно для здоровья. Он решил написать письмо своей матери, которая служила кухаркой у Мари, ее двоюродной сестры. Славная баба Мари могла бы быть хозяйкой на ферме, но стала хозяйкой «заведения» в Бернее, в Нормандии. Ответ пришел сразу — от матери и от «мадам»: «Не беспокойся, выезжаем за деткой».

И вскоре десант в составе бабушки Луизы и «мадам» Мари вырвал Эдит из рук бабки с материнской стороны.

«Крошке было хорошо, ей у нас было хорошо…» — хныкала Мена. Малышку привезли в Верней, девицы в восторге: «Ребенок в доме, это к счастью»,— говорили они.

Эдит отмывали в двух, трех, четырех водах, грязь сходила пластами, приходилось отскабливать. От крика звенело в ушах.

Эдит рассказывала: «Бабка Луиза купила мне все новое и выбросила на помойку старые вещи, но когда она захотела снять с меня ботинки, я заорала как резаная: «Это выходные!» А из них пальцы торчали наружу». Когда девочку отмыли, оказалось, что глаза у нее залеплены гноем. Решили, что это от грязи. И только месяца два спустя «девицы» заметили, что Эдит на все натыкается, она смотрит на свет, на солнце, но не видит их. Она была слепа. Это время Эдит помнила очень хорошо. Она говорила о нем со страхом, который так никогда окончательно не прошел. Девицы обожали ее, баловали.

«Они были очень добры ко мне. Я для них была талисманом, который приносит счастье… Хотя я ничего не видела, но понимала все. Это были славные девушки. В «заведениях» не такие отношения, как на панели. Это два разных мира; они друг друга презирают.

У меня появилась привычка ходить, выставив руки вперед, чтобы оберегать себя,— я обо все ушибалась. Мои пальцы стали необыкновенно чуткими. Я различала на ощупь

156

ткани, кожу. Прикоснувшись к руке, могла сказать: «Это Кармен, а это Роза». Я жила в мире звуков и слов; те, что не понимала, без конца повторяла про себя.

Больше всего мне нравилось механическое пианино, я предпочитала его настоящему; оно тоже было в доме, но на нем играли только в субботу вечером, когда приходил пианист. Мне казалось, что у механического звук богаче. Так я жила во мраке, в ночном мире, но очень живо на все реагировала. Одну фразу запомнила на всю жизнь. Она касалась кукол; мне их приносили, но когда хотели подарить, бабушка говорила: «Не стоит, девочка ничего не видит. Она их разобьет».

И тогда «девушки» — для них я была ребенком, подобным тому, который у кого-то из них где-то был или о котором кто-то из них мечтал,— шили мне тряпичные куклы. Целыми днями сидела я на маленькой скамеечке с этими куклами на коленях. Я их не видела, но старалась «увидеть» руками. Самым лучшим временем дня был обед. Я болтала, смеялась, и все смеялись вместе со мной. Я рассказывала разные истории. Они не были слишком сложными, но это были мои истории, те, что случались со мной.

Приученная бабушкой с материнской стороны к красному вину, я ревела, когда в Бернейе вместо него давали воду: «Не хочу воды. Мена говорила, что это вредно, что от воды болеют. Не хочу болеть».

...Сидя на скамеечке, в окружавшем меня мраке, я пыталась петь. Я могла слушать себя часами. Когда меня спрашивали: «Где ты научилась?» — я отвечала с гордостью: «На улице Рампоно» (там был кабачок, куда ходила Мена). Чтобы выпить за чужой счет, бабка водила меня на танцульки в кабачки, в трактиры. Она говорила:

— Спой, малышка, спой им «Ласточку из предместья».

Ее звали ласточкой из предместья,
А она была просто девушкой для любви*.

Все вокруг смеялись, и Мена получала свою рюмку».

---

* Тексты песен даются в подстрочном переводе. — *Примеч. ред.*

157

Эдит часто вспоминала свою жизнь в Бернейе. «Девицы» по вечерам веселились, в комнатах приятно пахло сигаретами и вином, с шумом взлетали пробки от шампанского. До слуха девочки, правда, доносились лишь звуки веселья — бабушка считала, что ей не место в гостиной.

Некоторых клиентов Эдит знала. Она их делила на две группы: на тех, у кого был интеллигентный голос, а колени обтянуты тонким сукном, и на тех, кто был грубее, и у кого кололась борода.

«Дамы», как их называла Эдит, были ласковы, и от них хорошо пахло. Эдит с ними больше никогда не встречалась, кроме одного раза — несколько человек приезжали на похороны отца.

«Папу я тогда не знала. Никогда не слышала, поскольку не могу сказать: видела.

Мне было года четыре, когда меня впервые повезли к морю. Непонятная музыка и незнакомые запахи. Я сидела на песке.

Это была не земля, про которую мне говорили: «Не пачкайся». Я набирала его полные пригоршни, и он сыпался, сыпался... Как вода, которую можно удержать. И вдруг слышу незнакомый голос:

— Мне сказали, что тут есть маленькая девочка, которую зовут Эдит.

Я протянула руки, чтобы потрогать, и спросила:

— Ты кто?

— Угадай.

Я закричала:

— Папа!

Увидела я его только два года спустя.

Я всегда считала, что этот период жизни во мраке дал мне способность чувствовать не так, как другие люди. Много позднее, когда мне хотелось как следует понять, услышать, «увидеть» песню, я закрывала глаза. Я их закрывала и тогда, когда хотела «исторгнуть песню» из глубины моего существа или мне нужно было, чтобы голос зазвучал как бы издалека».

Я была еще совсем маленькая, когда мать, болтая при мне с подругами, сказала: «У Симоны есть сестра, ее зовут Эдит, она слепая».

Моя слепая сестра, которая жила где-то у матери моего отца, меня нисколько не интересовала. Дома было полным-полно сестер и братьев. Чем она лучше? Все мы, правда, от разных отцов. Подумаешь!

Как потом выяснилось, у Эдит вскоре после рождения выросла катаракта, но никто этого не заметил. Она не видела в течение трех лет.

Бабушка Луиза повезла ее как-то в Лизье, в департаменте Кальвадос, куда паломники отправляются на богомолье к святой Терезе. И Эдит прозрела. Это было настоящим чудом, она верила в него всю жизнь. С этого момента она стала поклоняться святой Терезе: носила ее образок, а на ночном столике у нее всегда стояла ее иконка.

Надо сказать, что «чудо» произошло довольно любопытным образом. Уже не помню, кто рассказал об этом Эдит, наверное, отец. В семь лет у нее уже были воспоминания. Эдит очень хорошо обо всем помнила.

В Бернее жизнь была иной, чем на улице Ребеваль. Через бордель проходит много разных людей, попадаются и образованные господа. Слепого ребенка здесь не воспринимают как наказание, его лечат. Даже если это стоит денег. А эти «дома» имели большой доход.

В Лизье врач сказал: «Шансов на излечение мало». Однако бабушка регулярно возила к нему Эдит. Лечили ее ляписом, глаза жгло, но малышка терпела, мечтая увидеть свет, солнце. Она старалась вспомнить, как выглядела улица Ребеваль в Париже. Но она была тогда совсем крошкой, и у нее всегда было плохо с глазами, все расплывалось, было мутным.

В округе и в «доме» все поклонялись святой Терезе из Лизье. Однажды Кармен сказала:

— Дождь из роз она сделать может, а почему бы ей не совершить чуда для нашей детки?

Все в борделе с ней согласились, даже те, у кого не было особых оснований верить в чудеса. Бабушка и «мадам» нашли мысль разумной. В перерывах между двумя клиентами девушки стали возносить молитвы.

Молитва, как деньги, запаха не имеет, и «мадам» дала обет: если девочка прозреет, она пожертвует церкви десять тысяч франков — в 1921 году это была большая сумма. Чтоб заключить сделку, нужно было ударить по рукам с маленькой святой, как это положено в Нормандии. Поездку к ней назначили на 19 августа 1921 года. 15 августа был праздник, «заведение» должно было работать. Но все пребывали как в лихорадке. И «мадам» сказала:

— Девочки, собирайтесь! Все поедем, а «дом» закроем. Вам полезно подышать воздухом.

Начались сборы: «Я тебе дам свою черную шляпу, а ты мне — то платье, ну, знаешь, приличное!»

Бабушка и Эдит, разумеется, тоже собирались. Девочку одели во все новое, девицы же выглядели как дамы-благотворительницы: шляпы, перчатки и никакой косметики. Утром в гостиной «мадам», по привычке хлопая в ладоши, произвела смотр. Обувь подкачала — слишком много лакированных туфель на высоком каблуке. Девушки так редко выходили на улицу, что у них не было другой обуви, кроме той, в которой они работали.

Когда они проходили по Бернейю, вслед им на окошках колыхались занавески. Но хозяйки напрасно беспокоились за своих «петушков» — «курочки» отправились на богомолье.

В Лизье в этот день можно было видеть совершенно удивительную процессию: девицы шествовали одна за другой, опустив глаза, как монахини на молебен. Они вошли в собор вместе с малышкой и провели там почти весь день, ставили свечи, перебирали четки, заодно что-то просили и для себя. Вздыхали, смахивали слезы. Они купались в атмосфере чистоты. Выйдя из собора, почувствовали себя очищенными, вот только ноги очень болели: из-за каблуков.

Вечером усталые, измученные «дамы» возвратились домой и закатили пир без мужчин, но с шампанским. Спать легли с прекрасным ощущением исполненного долга. И стали терпеливо ждать чуда, которое назначили на 25 августа, день святого Людовика, день рождения отца Эдит.

Бабушка молила:

— Святая Тереза, сделай так, чтобы малышка прозрела в день святого Людовика.

Чудо состояло в том, что оно действительно свершилось в этот день.

«Дамы» встали поздно, бродили в пеньюарах по кухне,
запах тел смешивался с горячими запахами соусов, они зева-
ли и следили за Эдит припухшими со сна глазами. Загляды-
вая ей в лицо, спрашивали:

— Ты знаешь, сегодня солнце?

А девочка протягивала руку.

— Да, я чувствую, тепло.

К семи часам вечера весь дом впал в уныние. Чудо за-
паздывало. Больше в него уже не верилось.

«Ей пора ложиться спать. Может, завтра…» — сказала бабушка. Пошли за Эдит. Она сидела в гостиной, положив руки
на клавиши пианино. Одним пальцем наигрывала песенку
«При свете луны». Это ей нравилось и никого не удивляло.

— Пойдем спать.

— Нет! То, что я вижу, так красиво!

У всех замерло дыхание; они ждали чуда, надеялись, но
когда оно свершилось, не смели поверить.

Бабушку била дрожь:

— Что красиво, мое сокровище?

— Вот это.

— Ты видишь?

Она видела. И первое, что увидела,— клавиши пианино. Все упали на колени, осенили себя крестным знамением
и закрыли «заведение». Тем хуже для клиентов! Нельзя все
сразу — и доходы, и чудеса!

Эдит было семь лет.

Приехал папа Гассион. Он был счастлив. Эдит такая, как
все, она видит! У него нормальный ребенок.

Около года Эдит ходила в школу. Ей столько нужно было
узнать. Но «приличные» люди были шокированы.

Когда отец приехал в Верней, кюре прочел ему мораль:

— Нужно увезти ребенка. Вы должны понять, ее присутствие — скандал! Пока девочка не видела, ее еще можно было
держать в «доме» такого рода, но теперь! Какой пример для
маленькой невинной души! Этого нельзя допустить.

И вот «маленькая невинная душа» выброшена на улицу.
Теперь ей предстоит жить с отцом. Эти годы не были для
нее счастливыми. Эдит часто мне рассказывала о них с го-

речью. Отцу же все казалось забавным, и он охотно вспоминал об этом времени.

С восьми до четырнадцати лет он таскал за собой Эдит по кабачкам и бистро, по улицам и площадям, городам и деревням.

Позднее, возвращаясь к этому периоду своей жизни, Эдит рассказывала:

«Я столько исходила с папой дорог, что у меня ноги должны были бы стереться до самых колен.

Моя работа состояла в сборе денег. «Улыбайся,— учил отец,— тогда больше дадут».

Чего только он ни придумывал, чтобы заработать на выпивку.

Мы заходили в кафе. Он высматривал женщину, которая выглядела не слишком злой, и говорил мне:

— Если ты что-нибудь споешь этой даме, у тебя будут деньги на конфеты.

Я пела, он меня подталкивал к женщине. Тогда и другие что-нибудь давали. Потом, правда очень ласково, он все отбирал:

— Дай-ка мне, я спрячу.

Так и жили.

Отец мне никогда этого не говорил, но я знала, что он любит меня. Я ему тоже ничего не говорила.

Однажды вечером я пела в кафе в каком-то шахтерском поселке, в Брюэ-ле-Мин, кажется. За одним столиком сидела супружеская чета, они слушали меня, но их лица выражали явное неодобрение. Женщина обронила:

— Она сорвет себе голос.

Нужно сказать, что уже в то время я пела во всю силу легких.

— Где твоя мама?— спросила женщина.

— У нее нет матери,— ответил отец.

Тут они стали очень ласковы и начали давать всякие советы, а через час, угостив отца вином, а меня лимонадом, объявили отцу, что готовы взять на себя все заботы обо мне: отправят в пансион, будут учить петь, меня удочерят, а отцу дадут много денег. Отец так разозлился, что казалось, разнесет все вокруг.

— С ума сошли? Моя девочка не продается. Матери у нее, может, и нет, зато тетенек — хватает.

Действительно, недостатка в них не было. Отец все время их менял.

Наглости ему было не занимать. Он придумал трюк, который всегда удавался. Закончив выступление, он поднимал платок, лежавший на «ковре», вытирал руки и объявлял:

— Теперь малышка соберет деньги, а затем, чтобы вас поблагодарить, сделает три сальто-мортале вперед и назад!

Я обходила зрителей по кругу, возвращалась к отцу, и тогда, дотронувшись до моего лба, он восклицал:

— Дамы-господа, у кого из вас хватит жестокости заставлять малютку делать сальто с температурой сорок градусов? Она больна. На ваши деньги я поведу ее к врачу. Но я честный человек, и то, что обещано, будет сделано. Если хоть один из вас потребует, она будет прыгать.

И медленно обходя зрителей, продолжал:

— Пусть тот, кто на этом настаивает, поднимет руку.

Однажды это чуть не кончилось плачевно. Кто-то стал ругаться:

— Деньги уплачены, пусть прыгает. Знаем мы ваши штучки.

Но отца нелегко было сбить с толку:

— Хорошо. Пусть будет по-вашему. Она вам сейчас споет «Я потаскушка».

> *Через три недели после его отъезда*
> *Я спала со всеми его друзьями.*
> *Да, меня надо было высечь.*
> *Я потаскушка.*

Мне было девять лет».

Так Эдит спела на улице в первый раз*. Отец отказался от мысли сделать из нее гимнастку. Он говорил: «У этой девочки все в горле и ничего в руках!»

---

* Этот же эпизод описан в книге Э. Пиаф «На балу удачи» — там речь идет о патриотичной песне, спетой Пиаф впервые.

Нет, он был неплохим отцом, он делал больше, чем мог. Он, может быть, и плохо поступал: у Эдит была целая куча мачех. Вероятно, с одной ей было бы лучше, но среди них попадались и хорошие женщины. В детстве Эдит чаще меня наедалась досыта. Я бы предпочла быть на ее месте, жить с моим отцом, а не с матерью. Он бы охотно взял меня, но не мог же бедняга таскать с собой еще одного ребенка? И с Эдит ему хватало забот!

Глава 2

«МОЯ КОНСЕРВАТОРИЯ — УЛИЦА»

Пока Эдит работала с папашей Гассионом, я мало что знала о ней. Мне было лет пять-шесть, когда я услышала о чуде. В зависимости от настроения моя мать то смеялась над ним, то возмущалась.

Я знала также, что раньше сестра жила в «доме», у шлюх. Что такое «шлюхи», мне было известно. Я их видела каждый день, разговаривала с ними, но что такое «дом», не представляла. Мать объяснила: «Дом» — это гостиница, где шлюхи живут взаперти». Мне казалось, что глупо жить взаперти, когда так свободно, так хорошо на улице, но я в это не вникала. В двенадцать лет у меня было о чем думать, помимо сводной сестры, которой стукнуло уже пятнадцать. Я знала, что Эдит жила у отца, а потом сбежала от него. Мама сказала: «Как ее мать, та тоже смылась».

Я в этом не разбиралась, но поступок Эдит вызвал у меня восхищение.

Мы по-прежнему часто встречались с отцом, он продолжал заниматься со мной акробатикой на квартире своего друга Камиля Рибона, которого звали Альверном. После каждого упражнения, которое мне удавалось, отец говорил: «А вот твоя сестра так не умеет». Я гордилась, но не более. Альверн часто виделся с Эдит, он с ней занимался гимнастикой. Отец, хотя она и ушла от него, все-таки заставлял ее тренироваться, это входило в его понятие о воспитании дочери. Он обучал ее также истории Франции. Если не знал какой-либо даты или путался, то говорил: «Это было так давно, что сотня лет не играет роли». Улица Пануайо была рядом с улицей Амандье, и я часто заходила к Альверну. Однажды отец сказал моей матери:

— Пусть Момона заглянет как-нибудь после работы познакомиться с сестрой.

В двенадцать с половиной лет я уже работала: собирала автомобильные фары на заводе Вондера, зарабатывала восемьдесят четыре франка в неделю. Я стояла у станка десять часов в день, закатывала фары в оправу. Тогда использовать детский труд не считалось преступлением. Другие соседские девочки из нашего квартала, мои ровесницы, работали на заводах Люксора и Трезе, которые были поставщиками Вондера. Это было нормально, такова была жизнь.

Как-то мать мне сказала:

— Послушай, сегодня к Альверну пришла твоя сестра Эдит. Сходим, посмотрим на нее?

Я была рада пойти к Альверну. У него всегда было грязно, но можно было хорошо поесть. Он часто нас звал. Я ни о чем другом не думала, до Эдит мне не было никакого дела. Когда мы пришли, в проеме двери на кольцах болталось что-то бесформенное в мальчишеских трусах. Если бы не две маленькие белые ручки, я бы никогда не подумала, что это и есть моя сестра.

— Ты Эдит?

— Да.

— Значит, ты моя сестра.

Мы стали разговаривать, присматриваясь друг к другу. Каждая что-то из себя строила. Вдруг она спросила:

— А ты сумеешь так сделать?

Мы с отцом этим занимались, поэтому я тотчас проделала упражнение, и гораздо лучше, чем она. У Эдит всегда была потребность кем-нибудь восхищаться. Чтобы любить, она должна была восхищаться. Мои способности произвели на нее впечатление. Она была не только рада, но удивлена.

Подумать только, у нее есть сестра, которая умеет делать то, что не удается ей! Это потрясающе! В дальнейшем наши роли переменились, потом она не переставала меня поражать.

Когда кто-то интересовал Эдит, она стремилась принять в нем участие. Мне она сказала:

— Бросай работу. Будешь ходить со мной.

— А ты чем занимаешься?

— Пою на улице.

Я остолбенела.

— И зарабатываешь?

— Спрашиваешь! И сама себе хозяйка. Работаю, когда хочу. Я тебя приглашаю!

Эдит меня потрясла. Я пошла бы за ней на край света. Что, впрочем, и сделала.

Эдит решила петь на улице, потому что с отцом она уже пела в казармах и на площадях. Отец предпочел бы, чтобы она исполняла акробатические танцы. Он считал, что акробатикой девчонка расшевелит публику скорее, чем песнями. Но к акробатике у Эдит действительно не было способностей. Отец любил Версаль и часто работал в районе Версальских казарм. Они поразили воображение Эдит, и с тех пор она полюбила солдат, в особенности из колониальных войск и из легиона*.

Когда мы сидели у Альверна на скамеечке, Эдит мне объяснила:

— Понимаешь, отец научил меня ремеслу. Я знаю хорошие места. Я знаю, что и как нужно делать.

— Но ты ведь ушла от отца?

— Да. Мы друг другу надоели. Он забирал весь мой заработок. И потом, я не могла больше выносить его баб, особенно ту, которая у него сейчас. Чуть что, хлещет по щекам, а я уже вышла из этого возраста. В последний раз она меня отколотила за то, что меня поцеловал парень. Понимаешь?

Я понимала.

Мы еще немного поговорили.

— Я ушла от отца, потому что мне до смерти надоело все случайное, захотелось чего-то постоянного. Но на улицу нельзя выйти вот так одной и начать петь. Нужно быть

---

* Иностранный легион.

166

вдвоем и чтобы была музыка, иначе выглядишь жалко, тебя не принимают всерьез. Будто ты не работаешь, а попрошайничаешь.

— И что же ты сделала?

— Прочла объявление в «Ами дю пепль»*. Я выбрала эту газетку из-за ее названия. Обошлось мне это в пятнадцать сантимов. Устроилась на работу в молочную на авеню Виктора Гюго. Ну и каторга! Я, конечно, не могла удержаться, чтобы не петь во время работы. Мой голос не понравился хозяину, он меня выгнал. Поступила в другую молочную и поняла, что это не для меня.

— И как же ты все-таки начала петь?

— Один парень уговорил, Рэймон. Ему нравилось, как я пою. У него была подружка, Розали. Получилась труппа: Зизи, Зозет и Зозу. Работали на площадях и в казармах. Потом мы расстались, но я не бросила петь, и дело пошло. Я аккомпанирую себе на банджо. Научилась.

Наступил вечер, пора было расставаться. Погода, помню, стояла хорошая. Эдит сказала моей матери:

— Ну, так если вы не против, Симона будет работать со мной. Вот увидите, пением на улице можно неплохо заработать.

Матери было все равно, чем я занимаюсь. С тем же успехом я могла выйти на панель. Главное — чтобы я приносила деньги... В тот же вечер мы отправились. Нашей первой улицей была улица Вивьен. Мы принесли около ста франков. Когда мать увидела, что я могу заработать больше, чем у Вондера, она подскочила от радости. Эдит сказала:

— Выручку делим пополам.

Мы с матерью пошли на бал на улицу Тампль, она это любила. Не нужно думать, что балы, на которые мы ходили, были настоящими. Жалкие танцульки с подонками и сутенерами... Пол в зале был посыпан опилками, двое-трое ребят играли что-то на аккордеоне и банджо.

> Пахло потом и вином...
> Бумажные воротнички...
> Грязные шелковые шарфы...

---

* «Друг народа».

167

За вечер мать спустила те пятьдесят франков, что ей дала Эдит. На обратном пути она называла меня «своей дорогой Момоной». Даже поцеловала, хотя терпеть меня не могла.

В ту ночь я впервые заметила, что сплю вчетвером на раскладушке, без простыней и одеяла. Но теперь я познакомилась с Эдит, а она-то ведь свободна! Значит, есть и другая жизнь? Мысли не давали мне заснуть.

Проснулась я как от толчка: опоздаю к Эдит! Вскочила с кровати (я спала одетая), на ходу всунула ноги в туфли и помчалась сломя голову.

Эдит велела мне прийти к десяти часам утра. Я опаздывала. Я могла бы ее упустить, и все бы пропало. Я пропустила бы самое важное свидание в своей жизни. Ведь Эдит была моей удачей.

Она меня увидела, и лицо ее просияло. Бывают в жизни такие мгновения счастья, которые охватывают все твое существо... Мы обнялись, будто не виделись десять лет. Она взяла меня за руку, и мы пошли петь. Моя работа состояла в том, что я собирала деньги, у меня это получалось. Вечером мы пошли к матери и снова отдали ей половину. Так продолжалось несколько дней.

Потом Эдит сказала:

— Я ушла от предка, чтобы жить своей жизнью, как хочу, а не для того, чтобы каждый вечер отчитываться перед твоей матерью. С меня хватит, больше ей деньги носить не будешь. Чтобы работать, как мы, нужно быть свободными. Будем жить вместе.

От счастья я не могла выговорить ни слова. Мы пошли к матери. Эдит набралась храбрости и сказала:

— Я окончательно решила нанять вашу дочь. У меня есть комната — она будет жить со мной, я буду о ней заботиться.

Моя мать, женщина практичная, ответила:

— Я согласна, но нужно оформить бумагу.

Эдит не растерялась. Она составила договор, и это был первый контракт, который она заключила. Это было очень смешно, потому что мать едва умела читать, а Эдит — писать. Но она все-таки справилась:

«Я, Эдит Джованна Гассион, родившаяся 19 декабря 1915 года в Париже, проживающая в доме номер 105 по улице Орфила, актриса по профессии, заявляю, что нанимаю на работу Симону Берто на неограниченный срок, обеспечиваю ее жильем и питанием и плачу 15 франков в день. Составлено в Париже... в 1931 году».

Кем мы тогда были? Две девчонки — каждая метр пятьдесят роста, сорок килограммов веса.

Каждый день Эдит отдавала матери пятнадцать франков, отсчитывая монеты по одной прямо в руку. Спустя некоторое время мы стали приходить раз в два дня, потом раз в три, а потом и вовсе перестали. Так в двенадцать с половиной лет я окончательно рассталась со своей матерью, которой, надо сказать, на это было совершенно наплевать.

Не следует думать, что наша жизнь с Эдит была беспорядочной. Эдит всегда умела все организовать. Она обладала талантом распоряжаться людьми. И могла от них требовать все, что угодно, самые немыслимые вещи. Я никогда не видела, чтобы кто-нибудь ей отказал. Ни у кого не поворачивался язык сказать Эдит «нет». Это было просто невозможно.

Начинала петь всегда я. И пела плохо. По правде говоря, я лишь совсем недавно поняла, насколько это было плохо. Мне всегда казалось, что Эдит не давала мне петь из ревности. Бывают же иногда идиотские заблуждения...

Итак, я начинала петь первой, потому что Эдит всегда было трудно петь с утра. Просыпалась она совершенно без голоса. Приходилось ждать, пока он к ней вернется. Для этого она должна была выпить кофе, прополоскать горло каким-то составом. А на это нужно было десять франков. Так вот эти первые десять франков зарабатывала я. До чего же время тянулось долго! Но как только она выпивала кофе и прополаскивала горло, можно было идти работать в любой квартал. Теперь она могла петь день и всю ночь напролет. Я хочу сказать, что она была в состоянии столько петь. И самое удивительное, что уже тогда у нее был тот голос, который потом узнали все, голос, который потом стоил миллионы.

Она пела так громко, что перекрывала уличный шум, гудки автомобилей. Она говорила:

— Посмотри, Момона, я сейчас запою, на седьмом этаже и на восьмом откроются окна, меня услышат даже на самом верху. Даже на Эйфелевой башне.

Я смотрела и, правда, нам бросали монеты, казалось, с самого неба. Эдит собирала на улице целые толпы. Однажды полицейский в штатском сказал ей:

— Послушай, это мой участок, и я не имею права разрешить вам здесь оставаться. Ступай на противоположную сторону и спой мне «Шаланду». Это моя любимая песня. Никто ее не поет так, как ты...

Мы перешли на другую сторону, Эдит для него спела, и он дал ей пять франков. Вечером она показала монету нашим друзьям: «Мне ее дал фараон... Это ли не слава?»

У нас не было какого-то своего квартала. Мы их часто меняли, хотелось побывать в других местах. Первое, что делали, приходя в новый квартал, спрашивали полицейского, где находится комиссариат, чтобы петь подальше от него. У нас не было разрешения, и то, чем мы занимались, называлось «групповым попрошайничеством». Впрочем, нас не раз задерживали, но всегда отпускали. С нами были даже ласковы, ведь мы были еще очень маленькие, почти дети, нас не принимали всерьез. К тому же мы придумывали разные истории. Рассказывали, что живем с родителями, что они не богаты и скупы, что мы поем просто так, для забавы, чтобы купить себе туфли или сходить в кино. Что только не болтали! И нам верили. Единственное, чего нельзя было им сказать, это правду. Я была несовершеннолетней, Эдит тоже. Этого было достаточно, чтобы оказаться у «Доброго Пастора»* или в другом таком же «детском саду».

Мы были одеты не как нищие, но недалеко от них ушли. У меня был берет, с которым я обходила публику. Мы причесывались одинаково, с челкой — стригли ее сами. Эдит считала, что будет лучше, если нас с первого взгляда будут принимать за сестер.

---

* «Добрый пастор» — исправительный дом.

— Понимаешь, когда я говорю легавым, что ты моя сестра, а документов у нас нет, мы должны быть похожи, чтобы они нам поверили.

Я не возражала, наоборот, мне нравилось быть похожей на Эдит. Я ее полюбила, и не потому, что она была моей сестрой (голос крови, когда вы сестры только наполовину, звучит не слишком громко), а потому, что это была Эдит.

Мы жили в гостинице «Авенир» на улице Орфила, дом 105. Она еще существует. Каждый раз, проходя мимо, я останавливаюсь и смотрю на окно четвертого этажа, окно нашей комнаты. В ней не было водопровода, был стол с умывальником, кровать, дряхлый шкаф, кажется, еще тумбочка,— и больше ничего. Но Эдит, когда мы возвращались под утро на метро, падая от усталости, приоткрывала сонный глаз и говорила:

— Не унывай, Момона. Мы станем богаты. Очень богаты. Я заведу белую машину и черного шофера. И мы будем одинаково одеты!

А пока что мы пели на улицах. Когда набирали достаточно денег, шли в ресторан и все проедали. Потом снова пели и шли в кино. К вечеру мы всегда были без гроша. Мы стремились потратить все. Такой Эдит оставалась всю жизнь!

Иногда мы зарабатывали до трехсот франков в день, это было много, ведь шел 1932 год!

Нужно уметь подобрать репертуар для каждого квартала. В сущности, это как в мюзик-холле. Улица — хорошая школа. Именно здесь сдаешь экзамен по мастерству. Ты видишь публику — она перед тобой. Ты слышишь, как бьется ее сердце, понимаешь, что она хочет. Понимаешь, что она любит и что — нет. И если она иногда плачет, значит, заплатит много.

Когда мы встретились, Эдит уже знала мужчин... Это произошло в пятнадцать лет. Первого она не вспоминала... Со вторым познакомилась у Альверна. Он был уличным актером, умел играть на банджо, на мандолине. Он научил ее песенке «Флотские ребята».

Вокруг Эдит кружилось много парней, много мужчин. Она очень нравилась, она была старше меня. Но мы были так грязны, что это охлаждало их пыл.

Глава 3

ЧЕТВЕРО В ОДНОЙ ПОСТЕЛИ

Как-то вечером в одном бистро возле форта Роменвиль мы встретили Луи Дюпона. Он пришел за вином. Он жил в Роменвиле, где у его матери была лачуга. Эдит ему понравилась — это была любовь с первого взгляда. В тот же вечер он перебрался к нам.

Луи, светловолосому пареньку, было восемнадцать лет, Эдит — семнадцать. Я не находила в нем ничего особенного, мне он казался ничем не примечательным. До него у нее были отличные парни из колониальных войск...

Она взбивала волосы, как в кино, мазала губы немыслимой красной, как бычья кровь, помадой, обтягивала на себе свитер, еще сравнительно чистый, а в глазах была тревога — тревога любви...

Эти жесты, эти слова... Сколько раз я их видела и слышала в течение нашей жизни! Казалось бы, для меня они должны были потерять и искренность и свежесть. Каждый раз, когда Эдит любила, ей снова становилось восемнадцать лет. Каждый раз она сгорала от первой и последней любви, единственной в жизни, любви до гроба. Она в это верила, и я верила вместе с ней.

Каждый раз она терзалась, кричала, ревновала, тиранила, подозревала своих любимых, запирала их на ключ. Она была нетерпимой, требовательной, невыносимой, и в отместку она им изменяла. Они тоже не сдерживались, но это и было для нее любовью. От сцен, от криков Эдит расцветала, она была счастлива.

— Когда любовь остывает, Момона, ее нужно или разогреть, или выбросить. Это не тот продукт, который хранится в прохладном месте!

Год ли она любила или один день — разницы не было. — Любовь это не вопрос времени, а вопрос количества. Для меня в один день умещается больше любви, чем в десять лет. Мещане растягивают свои чувства. Они расчетливы, скупы, поэтому и становятся богатыми. Они не разводят костра из всех своих дров. Может быть, их система хороша для денег, но для любви не годится.

Она ждала Луи не находя себе места.

— Если он не придет, подонок, я наделаю глупостей.

Глупостей нам и так хватало. Чтобы забыть измену, она пила или искала другого мужчину.

Сидя за столиком, стиснув руки, устремив на дверь глаза, мы ждали. И вот он вошел. Нет, это был не он — его брат или какой-то родственник! До этого он был в синей рабочей куртке, волосы торчали. Теперь он был в пиджаке и при галстуке, волосы смазал растительным маслом и сделал себе великолепный пробор. Он представился:

— Меня зовут Луи Дюпон. Мое прозвище Луи-Малыш. Давай жить вместе.

— Хорошо,— сказала Эдит, погружаясь в водоворот любви. Все было именно так просто. Разумеется, об этой встрече рассказывали потом целые истории; будто он услышал, как она поет, и пришел в восторг. В действительности же Луи не любил, когда она пела, это его бесило. Он не считал пение профессией. И он отчаянно ревновал Эдит: когда она пела, на нее смотрели другие парни. В глубине души он боялся, что песня отдалит Эдит от него. Как и все остальные, он хотел, чтобы она принадлежала ему одному.

Они сидели и смотрели друг на друга. Лицо Эдит менялось. Глаза становились огромными, нежными и горячими. Это была любовь. Это был трепет страсти.

В нашу гостиницу мы вернулись втроем. Никому и в голову не пришло, что я могу ночевать в другом месте.

Снимать две комнаты нам было не по карману, кроме того, мы не видели в этом ничего дурного. В Эдит был неисчерпаемый запас чистоты, которую ничто никогда не могло запятнать. Конечно, трое в одной постели — это, может быть, и не нормально, но когда вам всего семнадцать и вы бедны, любовь так чудесна, что совершается в полной тишине. Я заснула, как ребенок.

Эдит стала жить вместе с Луи-Малышом, потому что он был первым, кто ей это предложил.

— Видишь,— говорила она мне,— вот я и устроила свою жизнь. В семнадцать лет это не так уж плохо. Ты думаешь, он на мне женится?

— А ты согласишься?

— Наверное.

Луи-Малыш не посмел жениться на ней. Его мать никогда бы ему не разрешила; ей были нужны его деньги.

Дальше все пошло быстро: два месяца спустя Эдит забеременела.

— У меня будет ребенок, Момона, у нас будет свой собственный ребенок. Ты рада?

В течение нескольких дней Эдит ходила с гордым видом. Она важно заявляла подругам:

— У меня будет ребенок.

Верхом мечтаний для него было видеть Эдит в двухкомнатной квартирке с туалетом на лестничной клетке. И чтобы у нее была какая-нибудь рабочая специальность. И эта мечта чуть было не осуществилась. Беременная Эдит не могла больше петь на улице, мы и впрямь выглядели нищенками. Мы стали работать в мастерской, где изготовляли траурные венки с фальшивым жемчугом. Нам приходилось выполнять все заготовки, красить жемчуг из пульверизатора в черный цвет. Мастерицы же делали венки из цветов, вплетая в них нитки бус. За работой Эдит пела, это всем нравилось.

Луи Дюпон был доволен:

— Видишь, как хорошо. Каждую неделю у тебя получка. Это надежно. Ты в тепле, и поешь. Как тебе такая перемена?

Особой перемены мы не ожидали, жили по-прежнему в нашей клетушке, ели прямо из консервных банок, сидя втроем на кровати, потому что стульев не было. Луи-Малыш стал обзаводиться хозяйством. Он стащил у своей старухи три вилки, три ножа и три стакана. Тарелок Эдит не захотела.

— Я никогда не буду мыть посуду.

И она никогда ее не мыла.

— И потом, я предпочитаю есть в ресторанах.

Но с заработков от пения можно было ходить по ресторанам, от венков — нет. Луи мог сколько угодно твердить: «Венки — хорошая работа, с покойниками перебоев не бывает».

Убедить Эдит было нельзя. Она хотела улицы, хотела свободы. Улица затягивает. Петь на улице потрясающе интересно. В те годы для нас это было как чудо.

А Луи-Малыш ревновал ее к этой жизни. Они ссорились, даже дрались. Их часто забирали в полицию. Так не могло продолжаться. Он был простым рабочим, а она стала уже Эдит Пиаф. Правда, она этого еще не знала, это еще не бросалось в глаза, но она уже ею была.

Луи ревновал, и не без оснований. Эдит ему изменяла, несмотря на то, что им дорожила. Не знаю, любила ли она его еще... Ей всегда нужен был мужчина в доме. В этом она видела залог надежности. С Луи-Малышом Эдит поступила так, как поступала потом со всеми своими мужчинами, в этом она не менялась.

Беременность у Эдит была легкой. Если бы она не располнела, она бы ничего не чувствовала. В срок, который нам назвали, мы пошли в больницу Тенон. Она там осталась, а я вернулась к венкам. Девушки меня спросили:

— Когда роды?

— Уже.

— Вы все приготовили для младенца?

— Нет, ничего. А что нужно?

— Ну, пеленки, подгузники, свивальники. Это же не Иисус Христос!.. Он не может ходить с голым задом.

Мы об этом не подумали. Девушки были потрясены. Подобная беспечность ни у кого в голове не укладывалась.

— Вы что, его в газету заворачивать будете? Давай быстрее, все неси сестре.

— Да на что я куплю?

Они остолбенели. Я тоже.

— Ладно, не беспокойся,— сказала большая Анжела,— что-нибудь придумаем.

Работницы сложились, накупили приданого и еще всякой всячины. Они были по-настоящему добрыми женщинами. Эдит была счастлива, что у нее родилась дочь. Она назвала ее Марсель. Она любила это имя. Оно несколько раз встречается в ее жизни. Тех, кто его носил, она очень любила: Марсель, ее дочь, Марсель Сердан, Марсель, мой сын, ее крестник. Имя Луи тоже значило не меньше: Луи — папаша Гассион, Луи-Малыш, Луи Лепле, Луи Барье... Сесель была чудным ребенком. Луи был доволен. Он тотчас же ее признал, но о женитьбе не заговорил, и правильно сделал. Время было упущено — Эдит сказала бы «нет».

Луи вообразил, что раз есть ребенок, Эдит у него в руках. Он будет командовать. Но Эдит тут же заявила:

— Я возвращаюсь на улицу. На Сесель нужны деньги, и я должна их зарабатывать. А с твоими венками катись ты знаешь куда?

Теперь нас было четверо в комнате, четверо в одной кровати. Эдит согревалась в объятиях Луи. А у меня была Сесель. Я ложилась спать в толстом свитере, а ее прижимала прямо к телу. И так мы спали. Впоследствии нашлись люди, которые брезгливо поджимали губы и осуждали поведение Эдит. Но в семнадцать лет бедная девочка не представляла, что принесет с собой появление ребенка.

Мы не знали даже, что молоко нужно кипятить, и давали его сырым. Споласкивали соску, подогревали молоко, клали в него сахар, потому что Эдит считала, что это питательно, это укрепляет, и так кормили ребенка.

Когда мы шли на улицу, мы закутывали девочку и брали ее с собой. Она вообще всегда была с нами. Ни за что на свете Эдит не согласилась бы с ней расстаться. Это была ее манера любить. Она никогда не оставила бы свою дочку в отеле одну.

Где мы только ее не таскали! На дальние расстояния всегда садились в метро и никогда в автобус, потому что в автобусе дует.

Если девочка пачкалась, мы покупали ей все необходимое, чтобы переодеть. Мы ее одевали только в новое до двух с половиной лет. И никогда ничего не стирали. Это был верный метод. Да мы и не умели стирать. Эдит умела петь, а стирать — нет! Мы жили неплохо. Жили сегодняшним днем, безбедно!

В этот период с Эдит произошло нечто существенное. Она начала осознавать свое призвание, еще смутно, но уже отдавать себе в этом отчет.

Она многому научилась, знала улицу, знала свою работу. Правда, она не сделала еще настоящих успехов, не стала петь лучшее, но подобрала себе репертуар: песни предместья, уличные куплеты, да и кое-что получше. Она разглядывала афиши настоящих артистов, выступавших в мюзик-холлах «Пакпа», «Эропеэн», «А. В. С», «Бобино» и «Ваграм». Это были Мари Дюба, Фреэль, Ивонна Жорж, Дамиа — словом, «великие». На бульварах мы заходили в кафе, опускали монетки в автоматы и слушали их. Эдит вся превращалась в слух.

Однажды вечером, идя по улице Пигаль, мы прошли мимо кабаре «Жуан-ле-Пэн». У дверей стоял швейцар Чарли, он же зазывала. Чарли заговорил с нами. Он видел, что мы простые девчонки, да и лицом не вышли. Мы не были похожи на клиенток, к которым он привык. Как обычно, у нас был не слишком аккуратный вид. Ему захотелось с нами поболтать. Он спросил:

— Чем вы занимаетесь?

Эдит ответила:

— Я пою!

В этот момент из дверей выбежала хозяйка, Лулу, руки в боки, злая, одетая в мужское платье. Похожа на голубого. Она набросилась на Чарли:

— Что ты тут делаешь?

Он ей спокойным тоном:

— Болтаю с девочками. Вот эта вроде поет,— указал он на Эдит. — Хочет стать артисткой.

— Так ты поешь? А ну зайди на минутку, покажи, что ты умеешь.

Прослушав Эдит, Лулу сказала:

— С тобой порядок. Хорошо поешь. А эта?

— Это моя сестра.

— А мне она на что?

— Она танцует. И акробатка.

— Пусть разденется.

Когда я сняла свитер, юбку, трусики и на мне ничего не осталось, она сказала: «Ладно, годится». Мне бросили воздушный шар, заиграла музыка. Стоя лицом к публике, я прикрывала главное шаром, а поворачиваясь спиной, держала шар над головой. Обыкновенный стриптиз.

Я себе нравилась, я подросла, но была тоненькой. У меня не было никаких округлостей — ни груди, ни бедер, ничего.

Доска.

— Ты похожа на мальчишку. Это моим клиентам понравится. Выглядишь несовершеннолетней. Сколько тебе лет?

— Ей пятнадцать. Это моя сестра, и я за нее отвечаю.

Мне было четырнадцать с половиной, но законы о несовершеннолетних мы знали. На панели их знает каждая девочка.

У Лулу был первый ангажемент Эдит. Так с улицы она перешла в помещение. Не следует думать, что все в корне переменилось. Эдит пела, она нравилась, но не больше. Особенно праздновать было нечего. Мы тогда еще не поняли, какое это имело значение. Лулу деньгами не швырялась, благотворительность была не в ее стиле. Она не выбрасывала денег ради искусства, и раз наняла Эдит — значит, та того стоила.

Не радовался этому событию только Луи-Малыш.

— Это кабак для шлюх! Тогда между нами все кончено. Ты что, хочешь, чтобы мы расстались?

Эдит не сказала «да». Ей нужно было, чтобы кто-нибудь оставался с Сесель по ночам. Но было ясно, что это ненадолго.

Мы переехали в другой отель, в тупик де Бозар. Это было удобно для работы. И место нравилось Эдит. Теперь можно обойтись и без Луи. Девочке почти полтора года, она спокойная и послушная.

Мы не брали Сесель в заведение Лулу. Днем по дворам мы ее таскали, но на ночь оставляли одну в нашей комнате, в отеле. Конечно, она очень осложняла нашу жизнь. Эдит вспомнила о моей матери. Вот кто мог бы взять ребенка на воспитание. Мы с девочкой пошли к матери, но она дала нам от ворот поворот.

И мы стали жить, как прежде: днем пели на улицах, а вечером шли к Лулу. Иногда так уставали, что засыпали под скамейками. Девушки у Лулу были славные. Они садились так, чтобы ногами прикрыть нас. Среди официантов был один, с которым мы дружили. Если на тарелках оставалась еда, он, проходя мимо, говорил нам: «А ну быстро, кушать подано!» Мы бежали в подвал, куда он незаметно приносил нам тарелку, и мы ели. Это была хорошая сторона работы у Лулу. Но была и другая. По договору она должна была платить Эдит пятнадцать франков, но мы их никогда не получали. Она штрафовала нас по малейшему поводу. Работа начиналась в девять часов. Если мы приходили в пять минут десятого — уже штраф. И так почти каждый вечер. Штраф пять франков... Нас было двое — получалось десять. Утром мы уходили, унося в кармане один франк. Приходить точно, когда у тебя нет часов, и когда не имеешь ни малейшего представления о времени, нелегко. И потом, Лулу всегда орала на нас, особенно на меня. Так и не знаю почему. Наверно, ей нравилось.

Как нам ни было плохо, мы все-таки не уходили от Лулу. Если мы не кимарили, то «украшали зал своим присутствием» — картина не из Лувра! Однажды Эдит выставила клиента на газированную воду — мы полгода об этом говорили. Эдит делилась со мной:

«Понимаешь, ведь не на улице же, не на панели я могу стать артисткой. Здесь у меня все-таки есть шанс. В один прекрасный день сюда зайдет какой-нибудь импресарио. Он меня заметит и пригласит на работу».

Я до сих пор помню атмосферу этого заведения — тяжелую, прокуренную, полную безысходной тоски! Мы должны были оставаться там с девяти вечера и до ухода последнего клиента, который спал, уронив голову на стол перед пустой бутылкой. Пианист что-то наигрывал, вокруг него сидели девушки, уставшие от того, что им нечего было ждать. Я думаю, теперь уже многих нет в живых, если не всех! Для Эдит, которая пела вполголоса, пианист играл:

Музыкант играл
Ночью в кабачке
До утренних лучей,
Убаюкивая чужую любовь.

Между тем светало. Уходил последний клиент. Уходили девушки. Уходил пианист. Наконец, уходили и мы...

Так как мы расстались с Луи-Малышом и у нас в семье не стало мужчины, мы больше не снимали постоянной комнаты, а кочевали из отеля в отель. Дешево и удобно: мы снимали комнату на двенадцать часов. Двенадцать часов девочка спала ночью в номере, а потом мы ходили с ней по городу. Но как-то у нас совсем не было денег и мы не спали семь ночей, а потом вместе с ребенком заснули на скамейке прямо на улице.

Люди, которые приходят на Пигаль ночью,— не сливки общества. Но таким мы были по вкусу. С нами было просто, нам с ними тоже. У нас оказывалось очень много общего, мы принадлежали к одной породе — «пригородной». С нами им было весело, не то что с девушками, которые на них работали и которых они отправляли на панель прямо с поезда из Бретани. Они говорили о нас: «Славные девчата, веселые». Наши друзья — это взломщики, сутенеры, торговцы краденым, шулера. А подруги — их постоянные женщины.

Блатной мир, дно. Но нам оно нравилось. Мы здесь хорошо себя чувствовали. Никто ни к кому не приставал. Входишь — «здравствуй», уходишь — «до свидания». Никто тебя не спросит: «Откуда ты? Куда идешь?» Эдит вообще терпеть не могла, когда ей задавали вопросы и требовали отчета. На улице мы были свободны, поэтому Эдит так дорожила ею.

Однажды утром, когда мы вернулись в отель, где спала девочка, нас встретила мадам Жезекель; интересно, когда она вообще спала, она всегда сторожила в дверях, чтобы получить плату за номер.

— Для вас новость.

— Плохая?

— Не знаю, как вы посмотрите. Приходил ваш муж и забрал девочку. Он приехал на велосипеде, погрузил ее в багажник и увез. Я не могла ему помешать. Это же его дочь.

— Все правильно, мы с ним договорились,— успокоила ее Эдит, которая всегда знала, что нужно сказать.

Это никого не обмануло, но произвело хорошее впечатление. Увозя ребенка, Луи сказал:

— Я забираю свою дочь, потому что это не жизнь для ребенка. Если мать захочет ее получить, пусть придет за ней.

В этом и было дело. Он надеялся таким образом заставить Эдит вернуться к нему, вернуться в отель на улицу Орфила. Для него она была матерью его ребенка, его женой. Она должна вернуться. Но с Эдит такие способы не годились. Впрочем, никаких способов вообще не возникало, если она решала, что все кончено.

Она ничего не сказала. Честно говоря, девочка мешала нам работать.

Девочка стала жить у Луи, но он ею не занимался, она оставалась одна целый день. С нами ей было лучше, несмотря ни на что, мы неплохо смотрели за ней. Она много находилась на воздухе и была здорова.

С того дня, как Луи забрал Сесель, Эдит не произнесла о нем ни одного слова: никакой оценки, никакого воспоминания — вычеркнут.

Однажды вечером, когда жизнь казалась нам такой мерзкой, хоть в петлю лезь, появился Луи. Без громких слов он сказал:

— Малышка в больнице, она тяжело больна.

Мы побежали к «Больным детям». Девочка металась по подушке. Эдит прошептала:

— Она меня узнала. Видишь, она меня узнала...

Я не хотела лишать ее иллюзий, но менингит в два с половиной года... Крошка была уже в том мире, куда нам не было доступа.

То были черные дни, может быть, самые черные в нашей жизни. Но прошли они быстро. Через несколько дней мы уже забыли о том, что Марсель умерла. Это ужасно... О ней мы больше не думали.

Глава 4

ЭТО ПРОСТО, КАК «ЗДРАСТЕ»...

Улицы днем, Лулу ночью — наша жизнь продолжалась, как прежде.

Мы уже целый год выступали у Лулу, а долгожданный импресарио все не появлялся. Этот период был исключительным в жизни Эдит. «Не беспокойся,— говорила она, обняв меня за плечи.— Придет время, мы выберемся из этой грязи».

Мы пели на улице Труайон — и здесь в жизнь Эдит вошел Луи Лепле.

Это был очень элегантный господин — не наш жанр,— седеющий блондин, изысканно одетый. И вот этот слишком ухоженный господин в перчатках не сводил глаз с Эдит. Он так на нее смотрел, что я подумала: «Как только она перестанет петь, он сделает ей предложение. Так одет, что хоть сейчас под венец. Даже в перчатках».

Господин приблизился и сказал:

— Не хотели бы вы петь у меня в кабаре «Жернис» на улице Пьер-Шаррон? Зайдите завтра.

И дал нам десять франков. Эдит не осознавала, что происходит. Он написал адрес на уголке своей газеты и ушел. Эдит отдала мне бумажку, говоря:

— Смотри не потеряй, это может стоить целое состояние.

Собираясь к Лепле, Эдит надела свою единственную черную юбку, но почистила ее. Правда, не щеткой. Щетки у нас не было. Мы делали так: брали газетную бумагу, мочили и терли ею пятна. Челку она густо склеила мылом, остальные волосы торчали во все стороны. Мы купили губную помаду темно-гранатового цвета, чтобы ярко выделялась, и еще две пары матерчатых тапочек. Не идти же к Лепле босиком! Выбрали темно-синие. Это практичней, не надо их чистить зубным порошком. Мы были убеждены, что выглядим прилично.

Согласно легенде, Эдит опоздала. Это неправда. Мы пришли в кафе «Бель Ферроньер» — он сказал, чтобы мы ждали его там,— на полчаса раньше. Как можно думать, чтобы такая женщина, как Эдит, только и мечтавшая о том, чтобы петь, не поняла, что ей представился исключительный случай: ее заметил владелец кабаре! С деньгами, хорошо одетый и вежливо с нами говоривший! Это же чудо!

Мы пришли заранее, нас била дрожь при мысли, что он мог забыть о нас. Мы так волновались, что не могли говорить. Лепле провел Эдит в «Жернис». Около четырех часов дня там никого не было. Он попросил Эдит спеть все свои песни. Без аккомпанемента. Она пела так, как тогда, когда он ее услышал. Прослушав, он спокойно сказал:

— Хорошо. Здесь это звучит лучше, чем на улице. Как вас зовут?

— Гассион. Эдит Джиованна.

— Это не годится. В вашей профессии...

Ей говорили «ваша профессия»! С ней обращались как с настоящей певицей. И говорил это тот самый красиво одетый господин, от которого так приятно пахло, употребляя слова, которые мы не привыкли слышать. Эдит спрашивала себя, не смеется ли он над ней.

Она пожирала его глазами, казалось, на ее лице ничего не было, кроме глаз. Она смотрела на него, как на Господа бога.

Это выражение я часто видела на лице Эдит. Во время работы, когда она слушала всем своим существом, стремясь все понять до конца, усвоить, ничего не упустить. Делая руками изящные округлые движения, Луи Лепле продолжал:

— Имя очень важно. Значит, как вас зовут?

— Эдит Гассион. Но у меня есть другое имя, под которым я пою: Югетта Элиас.

Его рука отмела эти имена. Его ногти, чистые, блестящие, меня заворожили. Мы с Эдит никогда не подозревали, что у мужчины может быть маникюр. Сутенеры, с которыми мы водились, до этого не доходили.

— Детка, мне кажется, я нашел вам имя: Пиаф.

— Как — пиаф, воробышек?

— Да. «Малютка Воробышек» — это имя уже занято, а вот «Малютка Пиаф» — что вы об этом скажете?

Нам не очень понравилось имя «Пиаф», мы сомневались, подходит ли оно для артистки.

Лепле сделал ей широкую рекламу. Повсюду на афишах и в газетах можно было прочесть: «Жернис»: прямо с улицы — в кабаре! «Малютка Пиаф»!

«Посмотри-ка,— говорила Эдит,— ведь это мое имя! Ущипни меня, Момона, мне не верится».

Это была неправда: она верила, и очень сильно, но ей нравилось притворяться. Она не могла говорить ни о чем другом. А меня распирало от гордости, что я ее сестра. Эдит, для которой спеть песню было как другому выпить глоток воды, у которой не было никакого чувства ответственности, ломала себе голову над кучей вопросов. Я ее не узнавала.

Всю неделю она ничего не пила, ни с кем не спала. Как будто хотела очиститься. Она говорила только о своей удаче и не находила себе места.

Когда Луи Лепле говорил Эдит: «*Недаром я племянник Полена. Ты слишком молода и не знаешь, что в начале века он был королем кафе-концерта. Благодаря ему песня у меня в крови. Поэтому, малышка, можешь на меня положиться. Ты не похожа на других, а публика это любит*»,— она ему верила. Она знала, что он прав.

Лепле ничем не рисковал, приняв в ней участие. Он решил дать ей шанс, потому что любил песню, настоящую песню, и был по горло сыт вульгарными куплетами со скабрезными припевами. Либо его уличная певица сумеет встряхнуть тех, кто называет себя «весь Париж» и где-то между сердцем и желудком у них что-то шевельнется, либо, глядя на нее, они будут хохотать до упаду. В любом случае скажут: «Ах, этот Лепле! Всегда откопает что-то новенькое. Ас! Гениально!» В любом случае он будет в выигрыше.

По улице Эдит ходила не чувствуя под собой земли. Она летала, я тоже. Мы и не предполагали, что скоро нам понадобятся парашюты.

С работой все было в порядке. Эдит овладевала профессией, много вкалывала, чтобы быть в форме, да ее к этому и тянуло. Время от времени она дела на улицах. Личная жизнь Эдит никогда не была простой. Но в этот период ее занесло.

Что касается дружбы, у нее был папа Лепле, к которому она тянулась всем своим сердцем воробышка, и Жак Буржа, который учил ее множеству вещей и остался нашим другом на всю жизнь. За долгие годы Эдит написала ему более двухсот писем, никому из мужчин она столько не писала!

Что же касается любви — здесь она просто сошла с рельс. Это был период увлечения моряками, солдатами легиона и разными проходимцами. Эти люди не приходили слушать ее в кабаре — их бы туда на порог не пустили. Они ждали ее после концерта. У них хватало терпения. Никогда еще на Елисейских полях не толклось столько парней с Пигаль. Они крутились там всю ночь, ждали, когда появится Эдит. Не скажу, что их было пятьдесят, не буду преувеличивать, но были те, кто приходил ради нее, и другие, кто помогал им провести время в ожидании. Вообще, народу хватало.

Актриса! Солистка, которая зарабатывает пятьдесят франков за вечер! Для них это была колоссальная сумма, золотые горы! Они выпивали, Эдит платила. Как всегда, по-королевски щедро.

Но 6 апреля 1936 года все рухнуло — убили Луи Лепле...

Он упал под скамью
С маленькой дыркой в голове:
Браунинг, браунинг...
О, звук выстрела не был громким.
Но все же он умер.
Браунинг, браунинг...
Если нажать здесь, то кто выйдет
Из маленькой дырочки?— Госпожа
Смерть.

«Браунинг». Эдит пела эту песню много лет спустя. И каждый раз с болью в сердце. Каждый раз ей казалось, что это убивают Лепле.

«Ах, Момона, когда полицейские втолкнули меня в комнату папы Лепле и я увидела, что он лежит поперек кровати, запрокинув голову, в красивой шелковой пижаме, я так заревела, что чуть не задохнулась. Знаешь, он был

очень красив, только слишком бледен, казалось, он спит. Но они заставили меня зайти с другой стороны: здесь уже не было красоты. На месте глаза страшная дыра, полная крови. Директриса, Лора Жарни, скорчившись в кресле, рыдала, прикрыв лицо платком. Она повторяла: «Моя бедненькая Эдит, моя бедненькая...» А я кричала: «Это неправда, папа Лепле, это неправда!»

Полицейский сказал мне:

— Ну, нагляделась? Теперь едем с нами.

И они меня повезли на Ке-дез-Орфевр, в уголовную полицию. Дело вел комиссар Гийом, поджарый, большие усы с проседью. На такого посмотришь и почти захочешь, чтобы он был твоим отцом.

— Вы кажетесь неглупой, детка, не заставляйте нас терять зря время. Скажите правду.

— Я ничего не знаю. Я гуляла с друзьями».

Он передал Эдит своим инспекторам, совсем молодым ребятам, но эти бывают часто пожестче старых. Они начали с того, что стали допрашивать ее как свидетеля, тогда это не показания, а свидетельство. Так им удобнее, могут все себе позволить.

Полиция выдвигала следующую версию: Эдит была знакома с парнем по имени Анри Валетта, сутенером, в прошлом солдатом Колониальной пехоты. Поступив к Лепле, она дала ему отставку; из мести Валетта убил Лепле. Все очень просто. Полицейские не любят усложнять. Эдит повезло, прислуга Лепле не узнала Валетту на фотографии. Сорвалось. Тогда выдвинули другую версию. Именно ее я прочла под заголовком: «МАЛЮТКА ПИАФ ЛЮБИЛА ДВОИХ». По их мнению, Эдит любила Жанно Матроса. А вторым ее любовником был Жорж Спаги. Это было правдой.

Несколько месяцев спустя дело было закрыто. Но не для Эдит.

Некоторое время она еще продолжала жить на Пигаль. Потом переехала в отель на улицу Мальты. Если «друзья» бросили Эдит, то газеты и полиция не оставляли ее в покое. Они незаметно следили за ней, кружились вокруг нее, как шакалы.

«Каждый раз, когда я открывала газету, меня начинало трясти. Они все еще писали о «деле Лепле», а так как я была единственной женщиной, которая попалась под руку, то продолжали рвать меня на части. Их писанина превратилась в кровавый роман с продолжениями. Поскольку мне нечего было им больше сказать, они выдумывали, что хотели. Розами меня не осыпали. Выходило, что я была соучастницей; более того, толкнула других на преступление. Я чувствовала себя больной от омерзения».

Что касается работы, то Эдит считала, что ей везет. Вокруг нее, как большие зеленые мухи, кружились директора кабаре всех калибров. Гонорары предлагали небольшие — она ведь не могла ничего требовать,— но она приносила с собой атмосферу скандала, а это было бесплатной рекламой.

Эдит пригласили в кабаре «Одетта» — по имени хозяина этого заведения, выступавшего в женском платье, впрочем, с очень забавным номером. Надо сказать, что травести в женском платье были в некотором роде жанром этого кабаре, но все было выдержано в хорошем вкусе. Сюда ходили снобы, интерьер был очень приятным и модным. Публике здесь нравилось.

«Милая Момона, если бы ты знала, как меня колотило каждый вечер! Меня встречало ледяное молчание. Кладбище в зимнюю стужу выглядит приветливее, чем эти люди с застывшими физиономиями, сидевшие неподвижно за столиками. Я пела, а в ответ ни звука, это ведь были воспитанные господа, но у меня от их воспитанности делались спазмы в желудке. Я кланялась, уходила со сцены, и мне казалось, что в ушах у меня звучат газетные фразы: «Нет дыма без огня», «Она поставляла ему развлечения», «От тех, кто приходит с улицы, всего можно ждать...». Очень трудно петь, если тебе никогда не аплодируют. Но ведь нужно есть.

«Одетта» был доволен. Я была аттракционом. Сюда приходили за тем, чтобы послушать песни не улицы, а мусорной ямы».

Однажды я потащила ее в церковь, и мы помолились за то, чтобы что-нибудь наконец произошло. И произошло... То ли наши молитвы были услышаны, то ли помогли два чинзано, которые мы выпили залпом для храбрости. Когда дело касается чуда, никогда не знаешь, настоящее ли оно. Ведь, чтобы оно произошло, делаешь столько разного! Сидя за столиком в маленьком баре, мы обсудили еще раз свои планы, и вдруг из памяти всплыло волшебное слово «импресарио».

Быстро телефонный справочник — и мы принялись отыскивать в нем номер Фернана Ломброзо, импресарио Марианны Освальд (певицы очень популярной у образованной публики). Уже то, что мы помнили фамилию, само по себе чудо! У меня в одной руке жетон, в другой — маленькая ручка Эдит. Мы в кабине телефона-автомата под лестницей, разумеется, как обычно, рядом с туалетом. После нескольких слов нам сразу назначают встречу.

Больше всего меня поразило то, что контракт был подписан немедленно, пятнадцать дней в кинотеатре в Бресте. Эдит выступает в антракте, четыре песни, двадцать франков в день. Это ли не чудо, когда вы на нуле!

И вот мы отправились в турне, наше первое турне...

Когда две недели спустя мы возвратились в Париж, Ломброзо встретил нас довольно прохладно. Директор дал ему полный отчет.

Мы снова стали петь в маленьких кинотеатрах, и в первый же вечер опять столкнулись с «делом Лепле». Со скандальной историей не так-то легко развязаться. Когда Эдит в сопровождении Робера Жюэля появилась на сцене, публика распоясалась. Из зала кричали: «Убирайтесь со своим сутенером!» Робер Жюэль поставил аккордеон на стул, вышел вперед и сказал:

— Сутенеры не на сцене, а в зале.

Так повторялось из вечера в вечер.

Благодаря Лепле Эдит узнала много хороших людей, которые могли бы ей помочь,— Канетти, Жака Буржа, Реймона Ассо и других... Но она говорила:

— Лучше сдохнуть в канаве, чём просить их о чем-нибудь. Что они, не видят, что мы умираем с голоду? Я сама справлюсь!

Это была ее любимая фраза.

Первым более-менее порядочным человеком, которого она встретила, был Ромео Карлес. Как-то Ромео Карлес, шансонье, спросил:

— Что ты делаешь?

— Пою. Но пока что…— ответила Эдит,— понимаешь… я подыхаю с голоду.

— Ты бы хотела петь мои песни?

— Еще бы,— ответила Эдит, хотя знала Ромео Карлеса только по имени.

— Тогда приходи послушать меня. Я каждый вечер в «Куку» и «Першуаре».

Она сразу воспрянула духом. Еще бы, предлагают песни, о «деле Лепле» не говорят. Она не знала, что Ромео всегда витал в облаках и имя «Малютка Пиаф» ему ничего не говорило.

И вот мы отправились в «Першуар» — самое модное кафе на Монмартре.

С порога Эдит начала «выступать». Ромео Карлес был на сцене, и она своим громовым голосом закричала:

— Я пришла к своему Ромео! Эй! Ромео! Жюльетта пришла!

В «Першуаре» была шикарная публика. Люди зацыкали на нее, стали кричать, чтобы ее вывели. Я застыла ни жива ни мертва, боясь рот открыть, не было бы хуже.

Как настоящий артист, Ромео нашел остроумный выход из положения. Он подал ей ответную реплику. В зале засмеялись. Раздались голоса: «Это нарочно. У них такой номер!»

Я подумала: «С песнями пиши пропало. Ничего он ей теперь не даст».

Как раз и нет. Перед тем как запеть «Лавчонку», он крикнул Эдит со сцены:

— Ты, моя Жюльетта! Будь умницей, внимательно слушай.

> Я знаю пустынный квартальчик,
> Уголок, который хочет

Выглядеть аристократическим,
Я нашел там в прошлом году
Крошечную лавчонку,
Зажатую между двумя домами.

В антракте она бросилась за кулисы.

— Это правда? Ты мне даешь «Лавчонку»?

— Разве заслуживаешь?

— Да! Послушай, как я ее спою...

И Эдит запела отрывки из песни. (Она очень долго потом включала ее в свой репертуар.) Ромео был в полном восторге. Он подмигнул ей:

— А чем заплатишь?

— Поцелуем.

Вот как все просто между ними началось.

Они продержались вместе полгода. Для Ромео Эдит была случайным знакомством. Он жил с Жанной Сурза, очень талантливой комической певицей.

Эдит испытывала к нему дружеские чувства. Внешне он был непримечателен, лысоват, но как человек был очень приятен — приветлив, а, главное, умен. Его забавляли в облике Эдит черты парижского гамэна. Он был первым, кто в этот тяжелый период поверил в Эдит. А для нее тогда это значило больше, чем любовь.

— Видишь, Момона, рано сдаваться, если такой человек, как Ромео Карлес, дает мне песни.

Он не только давал. Он сделал больше — написал песню специально для нее. Сюжетом служили мы с нею. Называлась она: «Просто, как «здрасте».

Это такая банальная история,
Действительно, совсем не оригинальная,
Что даже не знаю, по правде говоря,
Как вам ее пересказать и объяснить.
Блондинка и брюнетка
Всегда понимали друг друга...
Смерть унесла одну...
Это просто, как «здрасте».

Глава 5

РОЖДЕНИЕ «СВЯЩЕННОГО ИДОЛА»

И в это время Эдит встретила Реймона Ассо. Они столкнулись случайно в актерском бистро «Новые Афины». Познакомились они раньше, в прекрасный период «Жерниса», в одном из музыкальных издательств, куда он приносил свои песни, Ассо там бывал также по делам Мари Дюба, у которой тогда служил секретарем.

Это был странный парень лет тридцати, бывший солдат Иностранного легиона. Он служил также и в войсках спаги. Послужной список специально для Эдит. Для нее не было ничего прекраснее, чем плащ, красные шаровары, сапоги и феска... Мечты уносили ее.

Меня также. Мы говорили друг другу: «Какие красивые ребята! Глаз нельзя оторвать!» Это было как удар в солнечное сплетение. Мы мечтали спать с ними под одним плащом.

Однажды вечером Реймон появился в «Новых Афинах». У него был мрачный, замкнутый вид, плохое настроение.

— У меня для тебя есть контракт. Ты, конечно, за него схватишься и совершишь ошибку.

— Не твоя беда,— ответила ему Эдит. «Контракт — это хорошо», подумала я. Ассо начинал меня раздражать. Я была не на его стороне. Его осведомленность во всех вопросах действовала мне на нервы.

— Куда надо ехать?

— В Ниццу. На месяц.

— Лазурный берег,— отозвалась Эдит,— от такого не отказываются. Где выступать?

— В «Буат а витэс».

— Это прилично?

— Терпимо.

— Тогда почему похоронный вид? Такие новости полагается праздновать!

— Если ты подождешь, мы найдем лучше.

— Не могу я ждать. Да и не хочу. Наоборот, мне нужно отойти на расстояние от Парижа. От «дела Лепле»... Там мне будет спокойно. Это ведь провинция.

Да, Эдит умела создавать себе иллюзии! Провинция всегда отстает от Парижа. И для тамошней публики скандальный ярлык с «делом Лепле» все еще был приклеен ко лбу Эдит. Именно поэтому ей и предложили контракт.

Мне тогда едва исполнилось восемнадцать лет, и я не понимала Реймона. Это был сложный человек. Только несколько лет спустя я осознала, что означал для него наш отъезд в Ниццу. Он, вероятно, не хотел говорить Эдит, но он в нее влюбился всерьез. Гордость ему не позволяла, ему было нужно, чтобы она за ним сама бегала. По поводу ее отъезда он, наверно, заключил с самим собой пари: «Если она уедет, я ее брошу, если останется — займусь ею». Это было в его духе. И он подумал, что проиграл, что Эдит от него ускользнула. Особенно его поразило, что она спросила:

— А для Момоны ты в этом кабаре ничего не устроил?

— Нет.

— Тем хуже, сами разберемся. Я все-таки беру ее с собой.

Нужно было его видеть в этот момент. Он меня не любил и надеялся, что эта поездка нас разлучит. Может быть, он собирался к ней приехать? Поди знай! Реймон ревновал Эдит ко мне. Его злило, что я имею на нее влияние. Он ее ревновал ко всем. Уже тогда он хотел, чтобы она принадлежала ему одному. Я ему мешала: критиковала, не считалась с ним.

Как-то перед нашим отъездом он отвел меня в сторону и прочитал нотацию:

— Послушай, ты имеешь влияние на Эдит. Пусть она не встречается с кем попало, и не давай ей пить.

— Почему ты ей сам не скажешь? А вдруг ей это нравится и мне тоже?

Стиснув зубы, он бросил:

— Ты ее «злой гений».

Я расхохоталась. Позднее мне вспомнились эти слова. Это я-то злой гений Эдит! Я смеялась не к добру. Эдит легко поддавалась влиянию, и в один прекрасный день ему удалось ее в этом убедить.

В Ницце мы встретили Роже Луккези, дирижера оркестра, он был с приятелем. Они повезли нас на машине посмотреть побережье. Какая красота! Красные скалы, синее море и маленькие, как конфетки, домики... А мы-то думали, что это существует только на почтовых открытках, что это реклама для туристов! Не хотелось показывать, какое впечатление все это на нас произвело, но мы были поражены.

В Ницце Эдит также пела на улицах. Правда, немного. Здесь это приносило мало денег. Здесь уличные певцы выступают на террасах перед ресторанами на набережной, на берегу моря. Это поддерживает местный колорит. «Соле мио» или «Санта Лючия» — песни клошаров для этого климата не годились. В Ницце мы отпраздновали день рождения Эдит, ей исполнился двадцать один год. Не думайте, что был торт со свечами! Нет. Мы даже не знали, что такое бывает. Мы провели вечер вдвоем; перед нами стояла бутылка вина... Уже шесть с половиной лет, как мы жили вместе. Шесть лет... На бумаге это быстро; но в жизни — долго... Ведь есть надо три раза в день, а на еду надо заработать.

Гастроли в Ницце закончились, и мы сели в поезд. В третий класс. И не ради солдат или моряков; на лучшее у нас не хватило бы денег.

На перроне мы выглядели жалкими и несчастными. Хотелось спать. Никто нас не встречал. Реймон?.. Но Эдит ему ни разу не написала, даже не ответила на его письма.

— Ну, что будем делать?— спросила она.

У меня не было ни одной мысли.

— Ну, конечно, когда ты нужна,— тебя нет! И никого нет! К счастью, у меня голова на плечах. Сейчас убедишься.

И прямо с вокзала она позвонила Реймону.

— Так вот, Реймон, ты говорил, что готов заняться мной. Я согласна.

Мгновение она слушала, потом повесила трубку.

— Он сказал: «Приезжай. Бери такси...»

Я не могла прийти в себя.

— Почему вдруг он?

— А у тебя есть другой вариант?.. С какой стати ему тогда было говорить мне: «Если я тебе вдруг понадоблюсь, позови». Вот я и позвала.

Мы поехали на Пигаль, в отель «Пикадилли». Реймон нас уже ждал. Он жил там с одной женщиной, ее звали Мадлена. Они так долго были вместе, что их считали мужем и женой. Ассо выглядел еще более угрюмым, чем обычно. Он сказал:

— Я снял вам комнату.

Однако в его глазах был влажный блеск, что-то похожее на счастье. Это были первые кадры второй серии. Со слова «приезжай» началась настоящая карьера Эдит.

Лепле нашел Эдит, но создал ее Ассо. Это был нелегкий труд, ох, нелегкий... но вдохновенно-прекрасный! Да, Реймон был личностью. Он сразу же поставил условия Эдит:

— Я тебе помогу. Я знаю эту профессию. Знаю людей из этого мира. Даю тебе слово: если будешь меня слушать, про нищету забудешь. Но забудь и про веселье. Тебе придется много работать, придется делать то, что я тебе буду говорить. Парни, загулы — с этим покончено. Если ты принимаешь мои условия, я тебя не брошу. Никогда. Если нет — стучись в другую дверь. Я не марионетка.

У Эдит перехватило дыхание. Никто никогда с ней так не говорил. Не употреблял таких слов, таких интонаций. Она согласилась.

Эдит относилась к Реймону иначе, чем к другим мужчинам. Он был тем, кто писал для нее хорошие песни, подыскивал контракты, заботился о ней. Она полностью ему доверяла. Но для нее этого было недостаточно. Мужчина, который говорил ей «до свиданья», когда она ложилась в постель, не мог иметь на нее никакого влияния.

Но в один прекрасный день все изменилось. Она вошла в нашу комнату смеясь. Она так хохотала, что не могла говорить.

— Момона, знаешь, кого я сейчас встретила на лестнице? Реймона!

— Ну и что! Ты его встречаешь двадцать раз на дню. Он живет над нами.

— Момона! Я без ума! Я влюбилась!

— Прекрасно!

— Нет, не говори «прекрасно»... Догадайся в кого?

Но разве можно догадаться, когда речь идет об Эдит! Торжествуя, она мне крикнула:

— В Реймона Ассо!

Вот это была новость так новость! Эдит мне объяснила:

— Я поднималась по лестнице. Он спускался. Я посмотрела на него и вдруг все поняла. Поняла, почему мы ругались, почему он меня раздражал, все! Я его люблю. Надо же быть такой дубиной, чтобы не понять этого! Такое со мной случается впервые. Обычно я прежде всего об этом думаю...

Когда прошло время первых «я тебя люблю», «я тебя обожаю», Реймон начал с ней работать. Тут-то его и подстерегали неожиданности. Он нас мало знал. Он не представлял себе, что можно быть невежественными до такой степени. В нашей комнате происходили забавные занятия! Эдит лежит на кровати. Реймон сидит верхом на стуле с трубкой в зубах. Он немного наклонил голову и делает маленькие затяжки: «пых», «пых», «пых»... С улицы раздаются гудки автомашин, где-то вдалеке звучит музыка... На Пигаль праздник. Я говорю:

— Эдит, на Пигаль праздник. Может, смотаемся?

Эдит загорается. Она поднимает голову, улыбается:

— Это мысль!

— Нет,— говорит Реймон,— с этим кончено.

Мне хочется кусаться. Я кричу:

— Ты здесь не командуешь!

Меня охватывает неистовое желание бежать на улицу. Я вдруг вспоминаю, что мне восемнадцать лет и я хочу музыки, света, шума.

— Командую.

Концом своей трубки, как пальцем, Реймон показывает Эдит на меня.

— Ты слышишь, что говорит «твоя» Симона? Праздник! Так, так. Это значит, гуляя на праздниках, ты собираешься стать актрисой? Нужно заниматься делом. Ты даже не умеешь читать.

— Оставь!

— Я заметил, что некоторые слова в твоих песнях тебе непонятны. Если ты сама не знаешь, что поешь, как же ты можешь заставить это понять других?

В одно мгновение Реймон одержал победу. Я злилась, но знала, что он прав. Что верно, то верно: Эдит едва умела читать. Она разбирала текст так медленно, что чтение быстро ей надоедало. Что касается уменья писать... Она писала только мне и Жаку, которого не стеснялась. Я тоже писала не лучше...

Чтобы Эдит могла делать посвящения на пластинках без орфографических ошибок, в начале ее карьеры Реймон сочинил ей образцы, которые она переписала и выучила наизусть. Она была уже «Великой Пиаф» и все еще пользовалась фразами Ассо: «В знак большой симпатии от Эдит Пиаф», «От всего сердца» и т. д.

Он создал в песнях «стиль Эдит».

Как было хорошо, когда мы втроем обсуждали песню! Как я это любила! К нам часто приходила Мадлена. Она приносила кофе. За работой мы были одна семья, локоть к локтю, дышали рядом.

Осложнялось все в другие моменты, когда Эдит хотела оставить Реймона у себя на ночь. Однако ссоры начались позднее. В тот период, о котором я рассказываю, была в разгаре работа по «созданию» Эдит, и все мы помогали Реймону как могли.

После того как бывали написаны слова, Маргерит Монно писала музыку. Реймон Ассо сделал гениальный ход, когда к работе привлек Маргерит Монно.

Увидев впервые вместе Реймона и Маргерит, мы с Эдит не поняли, что у них может быть общего. Ассо был человеком нервным и жестким. У Маргерит был нежный овал лица, светлые волосы, полусонный взгляд, на губах след улыбки, невысказанная нежность. Он взрывался по всякому поводу, она всегда витала в облаках.

Реймон сказал Эдит:

— Я тебя познакомлю с Маргерит Монно. Это она написала музыку «Чужестранца».

Я не помню, в какое время впервые пришла Маргерит. Эдит тотчас же ею увлеклась. Она как бы увидела ее всю насквозь и в ее руку с полным доверием вложила свою.

— Я уверена, что вы потрясающая женщина! Какой у вас талант!

«О!» — сказала Маргерит тоном дамы, только что заметившей, что ее насилуют.

Эдит сразу же стала называть ее «Гит» и полюбила на всю жизнь.

Когда Эдит впервые пришла к Маргерит, произошло такое, что мы обе чуть не заплакали. Маргерит сказала ей:

— Сядь за мой рояль. Положи руки на клавиши.

Эдит положила руки на клавиши и закрыла глаза.

— Гит, я мечтала об этом, когда мне было пять лет, я была слепой и могла только слушать.

— Тогда слушай внимательно.

У Маргерит были прекрасные руки виртуоза. Она положила их на руки Эдит.

— Играй, играй со мной.

Лицо Эдит сияло. На нем застыл смех. Так смеются дети, когда они переполнены счастьем.

Так Эдит научилась играть на рояле. Она это очень любила. Она говорила, что лучше понимает музыку, когда разбирает ее сама.

Реймон и Маргерит были так же несовместимы, как солдатский сапог и туфелька Золушки. Но когда они работали над песней, все менялось. Это был брак по любви. Третьей в этом союзе стала Эдит.

Эдит говорила: «Гит всегда в облаках...» Эдит любила ее всем сердцем. Они не расставались до самой смерти Маргерит, тихо скончавшейся в 1961 году. Она не выглядела больной. Никто о ее болезни не подозревал, она никогда не говорила о себе. Просто у нее стал более потусторонний вид, чем обычно. Умерла она так же, как жила: бесшумно. Выскользнула из жизни и ушла в смерть так же легко, как прошла свой путь.

Маргерит сыграла в жизни Эдит такую же важную роль, как и Реймон. Она научила ее тому, что такое песня. Объяснила ей, что музыка это не только мелодия, что в зависимости от того, как ее исполнять, она может передать столько же чувств, сколько слова. С тем же количеством оттенков. До конца жизни Эдит будет говорить: *Самый чудесный подарок, который мне сделал Реймон, — это Гит! Какая удивительная женщина! Она живет не на земле, а в каком-то другом, светлом мире, где все, что ее окружает, необыкновенно чисто и прекрасно. Ангелов, например, я представляю себе такими, как Гит*.

У Реймона хватило мужества встретиться с компанией Эдит. Он знал их всех, ее постоянно видели с ними. Да, Реймон проделал большую работу. Генеральная уборка!

Среди этих людей были не только мелкие проходимцы, барыги и коты, но были и твердокаменные парни, которых нельзя было запугать. Мы когда-то им платили. Правда, недолго, но они сохраняли на нас свои права. Эдит вообще нисколько не смущало то, что она платила мужчине деньги. У нее создавалось впечатление, что это скорее делало мужчину зависимым от нее, чем наоборот.

Как Реймону удалось? Он нам ничего не рассказал. Поскольку Эдит все это было неприятно, она предпочла не расспрашивать. Единственное, что она сказала в этой связи: — Смотри-ка, Момона, а Реймон-то — настоящий мужчина. Надо кое-что иметь, чтобы это сделать.

Не зря он когда-то служил в Иностранном легионе! Он это доказал, разогнав весь бордель: котов, Лулу с Монмартра, толстую Фреэль. Дорога открыта! У него была магическая фраза. Если кто-то пытался поднять на него руку, его голубые глаза становились узкими, и он сквозь зубы бросал: «Терпеть не могу чужого прикосновения». Когда я впервые услышала эти слова, я задрожала. Очевидно, такое же впечатление они производили и на других.

Со мной у него были старые счеты. Я ему мешала, значит, меня тоже надо было убрать. Он давно решил, что завершит мной «генеральную уборку», теперь ему предстояло это осуществить. В тот день Эдит куда-то ушла. Он выжидал... При всей его худобе я находила, что он вытесняет слишком много воздуха в нашей комнате. Я в упор смотрела на него. Он не спеша набил трубку, двигались только его пальцы; наклонив голову несколько набок, он тщательно раскурил ее; затягиваясь, одним пальцем прикрывал трубку. Взгляд его прищуренных голубых глаз был устремлен на меня. Я знала, что он собирается нанести мне удар, но не боялась. Во мне все кипело, но я была уверена, что сумею ему ответить. С Реймоном мы разговаривали «как мужчина с мужчиной». Некоторое время он молча курил, потом сказал:

— Момона...

Тут я поняла, что дело обстоит серьезно. Он никогда меня так не называл. Я была «Симона», и все. Я почувствовала, что внутри у меня все оборвалось, как бывает, когда лифт резко идет вниз.

Он нервничал, трещал суставами пальцев. У него были длинные тонкие пальцы, красивые руки артиста.

— Милая Момона, тебе всегда казалось, что я тебя не люблю. Ты ошибаешься. Ты мне, скорее, симпатична.

— Хватит причитать!

— Как тебе будет угодно.

— Обойдусь без твоей жалости. Говори прямо, что тебе нужно?

— Согласен, так будет проще. Ты знаешь, что я на все готов ради Эдит. Я на нее делаю ставку. Я в нее верю. А... ты на нее плохо влияешь.

— «Злой гений!» Ты уже это говорил. Неплохо придумано, но нуждается в доказательствах.

— Ты подаешь ей плохой пример. Убегаешь из дома, напиваешься, сманиваешь ее за собой. У меня для нее есть два контракта: один в «Сирокко», другой в кабаре в районе Елисейских полей, на улице Арсен-Уссэ. Потом она выступит в «АВС». Она должна сменить окружение, образ жизни. Нельзя, чтобы она утратила то, что приобрела. Ты — ее прошлое. С тобой оно постоянно перед ее глазами. А она должна его забыть. Если ты останешься, она ничего никогда не добьется. Речь идет не о том, чтобы вы не встречались, но...

— Спасибо на добром слове! Ну, знаешь, наглости тебе не занимать!

— Ты не должна больше с ней жить. Мы переезжаем в другой отель, на улицу Жюно. Я тоже порываю с прошлым. Я не снял там комнаты для тебя.

— Она согласна?

— Да.

— Поэтому она и ушла? Она знала, что ты собирался мне все это выложить?

— Да.

— Тогда мне нечего возразить.

Я забрала свои жалкие пожитки и ушла. Не хотела, чтобы он видел мои слезы. Я была слишком молода, чтобы понять, что он ведет свою игру, что он мне лжет. Он делал ставку на мою гордость. И выиграл.

Много времени спустя Эдит мне рассказала, что, возвратившись, она спросила, где я, и он ей ответил:

— Ушла. Совсем. У нее кто-то есть.

— Ничего мне не сказав?! Вот дрянь!

Эдит не прощала, когда ее бросали. Сама она могла так поступать, но другие — нет!..

Из рассказов Эдит я хорошо представляла себе ее жизнь с Реймоном. Песня их связывала крепче, чем обручальные кольца.

Эдит быстро возместила Реймону все, что он ей дал. Благодаря ей он стал знаменит.

Как и другие, Ассо оставался возле Эдит примерно полтора года. Но даже много времени спустя, когда они уже давно не были вместе, все еще говорили: «Пиаф и Ассо».

Глава 6

«ЕСЛИ ЭТО ИСТОРИЯ, Я ПРЕДПОЧИТАЮ О НЕЙ ЧИТАТЬ!»

Самые прекрасные слова, когда-либо написанные об Эдит, принадлежат перу Кокто:

«Посмотрите на эту маленькую женщину, чьи руки подобны ящерицам на руинах замка. Взгляните на ее лоб Бонапарта, на глаза только что прозревшего слепца. Что она запоет? Как выразит себя? Как исторгнет из своей узкой гру-

ди великие стенания ночи? И вот она поет, или, скорее, как апрельский соловей, пробует исполнить свою любовную песню. Приходилось ли вам слышать, как трудится при этом соловей? Это тяжкий труд. Он раздумывает, прочищает себе горло. Задыхается. Воспаряет и падает. И внезапно — находит. Начинает петь. И вокализ потрясает нас».

Эдит считала, что это так прекрасно, что вырезала статью и всем читала. Она была убеждена, что если такой человек, как Жан Кокто, пишет такое, значит, она поднялась на высокий уровень.

У них с Жаном вошло в привычку встречаться в Пале-Руайале. На улице Божоле, в подвале дома Кокто, было нечто вроде закрытого клуба, где собирались артисты, писатели, художники. Это был первый из парижских подвалов, открывшийся на четыре года раньше подвальчиков Сен-Жермен-де-Прэ. У него было преимущество: во время воздушных тревог не надо было бежать в бомбоубежище.

Какими долгими были ночи затемненного Парижа, города в темных очках слепца! Какую тоску наводили синие лампочки! Как далеко в прошлом остался Город Света!

В нашем подвале мы забывались, здесь были только близкие друзья. Жан спускался из своей квартиры по-соседски, в теплом халате, со своим другом Жаном Маре, которого все звали Жанно. До чего же он был красив! Он обожал Кокто. С ними приходил Кристиан Берар, его звали Бебе, художник-декоратор, с круглым и розовым кукольным лицом и красивой бородой, лежавшей веером на бархатной куртке. Он все время что-то рисовал на клочках бумаги. Приходила Ивонна де Брэ, черноглазая, живая, умная,— крупнейшая актриса того времени. Она и Маре играли главные роли в пьесах Кокто. Эдит гордилась тем, что вошла в их круг, потому что Жан, несмотря на всю свою деликатность, очень легко избавлялся от людей, которые ему не нравились.

Между Эдит и Жаном сразу установился контакт. Она с ним всегда была искренней и рассказывала все, что приходило в голову. Самым главным для нее в ту пору был Поль. Она его еще любила и делилась с Жаном своими горестями.

«— *Поль меня сводит с ума. Я с ним глупею. Объясни мне, что делать.*

— *Дорогая,*— *отвечал ей Жан,*— *мы никогда не понимаем тех, кого любим, когда мы с ними, не принимаем их такими, какие они есть, требуем, чтобы они были такими, какими нам хочется, какими мы видим их в своих мечтах... А наши мечты с их мечтами совпадают редко*».

Несколько дней спустя раздался телефонный звонок:

— Эдит, приезжай сейчас же, я тебе кое-что прочту.

Мы примчались на улицу Божоле. Там уже были Жанно, Ивонна де Брэ и Бебе Берар. Жан Кокто прочел нам «Равнодушного красавца», одноактную пьесу, которую только что закончил. Он создал ее по рассказу Эдит.

«*Бедная комната в отеле, освещенная огнями уличных реклам. Диван-кровать. Патефон, телефон. Дверь в маленькую туалетную комнату. На стенах афиши.*

Занавес поднимается, актриса на сцене одна, на ней короткое черное платье... Она выглядывает в окно, бежит к двери, прислушивается к шуму лифта. Потом садится у телефона. Заводит патефон. Ставит пластинку в собственном исполнении «Я схожу по тебе с ума», останавливает. Возвращается к телефону, набирает номер...»

Женская роль была списана с Эдит: известная певица, ревнующая своего возлюбленного ко всему, что его окружает... Мне казалось, я слышу голос Эдит:

«Вначале я тебя ревновала к твоим снам. Я думала: «Куда он ускользает от меня, когда спит? Кого он видит?» А ты улыбался, был спокоен и доволен, и я начинала ненавидеть тех, кто тебе снился. Я тебя часто будила, чтобы вас разлучить. А ты любил видеть сны и сердился на меня. Но я не могла выносить твоего счастливого лица».

— Тебе нравится?— спросил ее Жан.

— Жан, потрясающе.

— Это посвящается тебе, Эдит. Я тебе ее дарю, и вы будете ее играть вместе с Полем.

— Это невозможно, я не сумею. Я же только певица. И потом, играть с Полем! О нет, Жан, я не смогу!

Эдит была в этом вся. С одной стороны, была смелой, с другой — боялась, что не справится. Когда дело не касалось ее профессии, она всегда сомневалась.

Жанно смеялся. У него были великолепные зубы, теплая улыбка. Он говорил:

— Это же очень просто: Поль ничего не говорит, а ты играешь сцену, которую устраиваешь ему каждый день.

Но все только казалось легким. Монолог, продолжающийся целый акт, очень долог. Нет, было совсем не так легко. Это стало ясно на первой же репетиции.

Разумеется, Поль согласился играть. Пьеса Жана Кокто в постановке самого Жана и Реймона Руло — значительное событие. А выступить в роли без слов было к тому же испытанием для актера, и Поля это привлекало.

Итак, две роли — два актера. Один молчит как рыба, другая говорит, не закрывая рта. К сожалению, молчит тот, кто умеет говорить на сцене, а говорит та, кто умеет только петь.

На первой репетиции у Эдит ничего не получилось. К счастью, Поля не было, его заменял Жанно. Эдит, умевшая выразить на сцене все чувства голосом и жестом, вдруг стала фальшивить, разучилась ходить, двигать руками... Она была в отчаянии.

— Жан, театр не для меня! Какое несчастье! Я так хотела, но не получилось. Я никогда не смогу.

Жан посмотрел на Ивонну де Брэ, которая молча сидела в углу. Эти двое понимали друг друга без слов... Она сказала:

— Эдит, ты сыграешь, я тебя научу.

Какой это был прекрасный и вдохновенный труд! Мне кажется, что даже я, пройдя через руки Ивонны, сумела бы играть на сцене. Она разобрала всю роль Эдит, фразу за фразой, отрывок за отрывком, как механизм по деталям. Потом, когда она собрала их вместе, механизм заработал, как бьющееся сердце.

В конце пьесы равнодушный красавец поднимается с кровати, надевает пальто, берет шляпу. Эдит цепляется за него, умоляет: «Нет, Эмиль, нет, не оставляй меня...»

Он высвобождается из ее объятий, отталкивает и дает ей пощечину. Он уходит, а Эдит остается на сцене. Она прижимает руку к щеке и повторяет: «О, Эмиль... О, Эмиль...» На репетиции Жан сердился, но по-своему, вежливо и деликатно.

— Нет, Поль, это плохо. Она тебя раздражает, выводит из себя своей любовью. Ты не можешь ее больше выносить и даешь ей пощечину, настоящую, со всего размаху... Пощечину мужчины, а не аристократа, который бросает перчатку в лицо маркиза, вызывая его на дуэль... Давайте еще раз! Корректно, элегантно Поль снова отвешивает пощечину. Эдит умирает со смеху.

— Он не виноват, он просто не умеет. Я ему сейчас покажу. — И со всего размаху залепляет ему великолепную двойную пощечину, сначала одной, потом другой стороной руки... Если бы он мог, мне кажется, он испепелил бы ее взглядом!

А Эдит очень спокойно, очень по-актерски ему объясняет:

— Первая пощечина дается с размаху. Вторую бьешь сильно, тыльной стороной руки. Именно тут ты делаешь больно... Понял?

— Понял,— отвечает Поль, внешне невозмутимо, внутренне — со скрежетом зубовным.

— Прекрасно,— говорит Жан,— повторим.

Поль боится не сдержаться и снова шлепает Эдит по щеке благовоспитанно и робко. Эдит хохочет, я тоже. Она настолько вывела его из себя, что в вечер премьеры в театре Буфф-Паризьен он дал ей настоящую, совсем не театральную пощечину. За кулисами он бросил Эдит небрежно:

— Получила то, что хотела? Довольна?

Она пожала плечами:

— Ну, это же в театре...

На месте Поля я бы ей оторвала голову!

Эдит приложила много стараний, чтобы получить пощечину, но теперь получала ее каждый вечер. Мне казалось, что Поль облегчает свою душу!

Пьеса была гвоздем сезона 1940 года. Она шла в один вечер с другой пьесой Жана Кокто, «Священные монстры», в которой играла Ивонна де Брэ. Художником был Кристиан Берар. Эдит очень гордилась своим успехом в театре, теперь она совсем не боялась сцены. Что касается Поля, то после успеха «Равнодушного красавца» его стали приглашать играть

204

в других пьесах и сниматься в кино. Критики писали: «Даже в неблагодарной роли Поль Мёрисс проявил себя как актер исключительного дарования. Он не ограничивается ролью партнера, на фоне которого блещет мадам Пиаф. Поль Мёрисс наделяет своего персонажа яркой характеристикой».

В конце «странной войны» Эдит одержала другую победу. Ее пригласили выступить в большом концерте, организованном Красным Крестом в пользу солдат Действующей армии. Афиша мюзик-холла «Бобино» сверкала именами самых известных эстрадных певцов. Концерт начался в полночь и закончился в пять утра. Это был единственный раз, когда Эдит выступала в одной программе с Мари Дюба и Морисом Шевалье. В зале было много солдат. Эдит, как всегда, приготовила сюрприз. Она спела «Где они, мои старые друзья?»

Где мои дружочки?
Те, кто рано утром
Отправился на войну?
Где мои дружочки,
Те, кто говорил:
«Не печалься, ты вернешься».
Все ребята с Менильмонтана
В строю откликнулись: «Мы здесь».
Они отправились на войну,
Распевая песни.
Где они?
Где они?

На последнем «Где они?» в глубине сцены зажигался синий — белый — красный свет. Вначале он был величиной с кокарду, а потом заливал всю сцену, и казалось, что на Эдит наброшен французский флаг. Все это придумала она сама. Люди повскакали с мест, кричали и подхватывали ее песню хором, некоторые даже отдавали честь. Мы с Полем, стоя за кулисами, боялись даже взглянуть друг на друга, чтобы не расплакаться.

После выступления Эдит мы остались в зале слушать других. Никто не хотел уходить. В эту ночь в «Бобино» люди верили в победу. Казалось, еще немного, и все запоют «Марсельезу». Когда мы вышли на улицу, край неба порозовел, занималась заря, было тепло. Нас охватило ощущение удивительной легкости, мы не пили, но нас опьянила надежда.

— Впервые в жизни мне хочется смеяться, когда встает солнце!— сказала Эдит.

Дома Поль откупорил бутылку шампанского, мы выпили за нас, за все наши надежды! Поль улыбался. Мы были счастливы. Нам было хорошо. Машинально он включил свой новый красивый приемник и одновременно поднял бокал:

— За сегодняшний день, за 10 мая.

И тут мы услышали зловещий голос диктора: «Сегодня, в шесть часов утра, германские войска нарушили бельгийскую границу. Танковые части продвигаются в глубь страны...» Веселье кончилось, и надолго.

Недели мчались за неделями. Поль не отходил от приемника. Мы услышали имена Поля Рэйно, Даладье, Вейгана, потом Петэна.

Париж имел жалкий вид. Мы узнали, что такое воздушные тревоги, и ужасно их боялись. Эдит не хотела спускаться в подвал. Она боялась оказаться заживо похороненной. Поэтому мы мчались в «Биду-бар». Это запрещалось, но нас туда все-таки впускали. Мы сидели впотьмах и ждали. Поль был с нами, он теперь не оставлял нас одних.

Мимо нашего дома проезжало много странных машин. Первыми появились машины с бельгийскими беженцами, на крыше у них было по два, а то и по три матраса. Вначале мы с Эдит думали, что это их постели, но оказалось, что так они защищались от пуль. После бельгийцев появились беглецы с севера и востока Франции. Все они проходили мимо, никто не задерживался в городе; они дрожали от страха и рассказывали о бошах страшные вещи. Но главное, они говорили, что Париж не надежен. В это трудно было поверить, но люди стали покидать Париж, сначала опустели шикарные кварталы, затем постепенно весь город. Правительство, министерства уехали в Бордо.

На стенах появились объявления, в которых говорилось, что Париж будут защищать до последнего. Тогда, охваченные паникой, уехали те, кто еще оставался. Париж объявили открытым городом. В обращениях по радио население призывали оставаться на местах. Но люди потеряли веру, никто ничего не слушал. Была полная паника.

Мы ничего не понимали и держались за Поля. Мы никуда не уехали.

Немцы должны были вот-вот вступить в Париж. Никто не знал, что они сделают с мужчинами — отправят их в концлагерь, в тюрьму или сделают заложниками? А Поль был с нами. Он выполнял свой долг, остался, чтобы нас защищать. Он не был трусом. Мы были уверены, что он скорее умрет, чем позволит покуситься на нашу добродетель. Хотя, между нами, она того не стоила!

В Эдит всегда жил дух парижского гамэна. Как-то Поль, которому обычно это не было свойственно, сказал такую громкую фразу: «Мы переживаем исторические мгновения». Она ответила: «К черту! Если это история, я предпочитаю о ней читать, а не участвовать в ней!»

Улицы опустели, в небе висели густые черные и розовые тучи. Это горели склады горючего в Руане и в других городах; их жгли, чтобы замедлить немецкое продвижение. Черный, жирный туман делал пустынный Париж еще более мрачным.

Наступила ночь. Воцарилась мертвая тишина, и лишь изредка были слышны чьи-то медленные шаги, как шаги кладбищенского сторожа. Как ни странно, это успокаивало; думалось, что мы все-таки не одни.

Погасив всюду свет, мы ждали… и даже не заметили, как наступил рассвет. Время перестало существовать. И вдруг утром «они» вошли в Париж:. Это было похоже на цирковой парад: молодые, здоровые, белокурые, загорелые парни в черных мундирах шли с песнями. За ними ехали грузовики с солдатами в зеленой форме. Они смеялись, играли на аккордеоне и были совсем не похожи на голодающих. Что же это? Нас обманули?

Мы с Эдит вышли потихоньку на Елисейские поля. Смотрели издали. Кафе, магазины — все было закрыто, железные шторы опущены. Видя немцев в залитом солнцем Париже, мы спрашивали себя: «Почему нам так страшно?»

Эдит, вцепившись в мою руку, шептала: «Видишь, все кончено. Боев не будет».

Да, это был цирк, но жуткий. Нам предстояло жить в страхе, от которого выворачивались внутренности. Присутствовать при ужасном зрелище. Присутствовать безмолвно, в течение четырех лет.

День за днем люди возвращались на нашу улицу. Открылся «Биду-бар». Но никогда мы больше не увидели старой консьержки из дома напротив.

Месяц спустя в ресторане «Фукетс» на Елисейских полях какие-то типы начали вступать в сделки с оккупантами. Появились первые коллаборационисты.

Как все артисты, Эдит должна была явиться в Управление пропаганды, которое расположилось на Елисейских полях. Это было обязательно. Иначе вы не допускались до работы. Она там встретила многих артистов.

И жизнь возобновилась, но она была не похожа на прежнюю. В числе первых в Париж вернулся Морис Шевалье. Он отказался сесть в машину, а поехал с вокзала на метро, как все.

Никогда у Эдит не было такого количества контрактов и приглашений для бесплатных выступлений в пользу военнопленных, Красного Креста.

Люди стояли в очереди за всем: за хлебом и за билетами в кино, в театры и мюзик-холлы.

Не знаю, по какой причине, вероятно, из-за потрясения, вызванного оккупацией, Эдит была в очень нервном, взвинченном состоянии.

Возможно, это объяснялось и тем, что Поль перестал быть таким, как в дни отступления. Перед нею снова был одетый с иголочки джентльмен. Эдит называла его манекеном, айсбергом. Он стал еще более замкнут, чем раньше, и все время проводил, слушая английское радио. Эдит выходила из себя.

— К чему это, все пропало. Не понимаю, почему ты слушаешь, ведь музыки не передают!

Она взывала ко мне:

— Ты думаешь, он умеет разговаривать? Может быть, вне дома он и раскрывает рот, но до нас снизойти не хочет!

А ведь Поль ее любил; просто их манеры любить были очень разными.

Кроме того, у Эдит была я. Еще до оккупации «Маркиза» и даже Маргерит Монно, каждая в отдельности, говорили мне примерно следующее: «Двоим всегда легче договориться», «Время от времени мужчина и женщина, живущие вместе, должны устраивать себе маленький медовый месяц».

И я сказала себе: «Я должна решиться. Может быть, если меня не будет рядом, у них все наладится». Скажи я об этом Эдит, она бы закричала: «Я тебе запрещаю уходить. Это не твое дело». Поэтому я смоталась потихоньку.

«Равнодушный красавец» продлил пребывание Поля в жизни Эдит, но ее чувство умерло. *«Не нужно быть неблагодарной, Момона. Поль мне многое дал. Если бы не он, я продолжала бы жить в отеле. И у меня не было бы секретаря!»* Она не шутила: вот уж несколько месяцев, как у нее был секретарь. Поль убедил Эдит, что она не может обходиться без секретаря, что это очень удобно, солидно, производит впечатление. Так мадам Андре Бижар вошла в нашу жизнь... Это была брюнетка с короткой стрижкой. Вероятно, она обладала деловыми качествами, но судить об этом было трудно, так как ей нечего было делать.

Глава 7

НОВЫЙ АВТОР ПЕСЕН И... НОВАЯ ЛЮБОВЬ

В начале 1940 года появился Мишель Эмер. Он вошел в жизнь Эдит... через окно. В то утро она была в плохом настроении. Очень нервничала. Она готовила выступление в «Бобино», генеральная должна была состояться на следующий день. Звонок в дверь. Эдит кричит мне:

— Не открывай, я не хочу никого видеть.

Звонят раз, другой... потом перестают: кто-то робкий. Я была в гостиной, когда постучали в окно. На тротуаре стоял военный; в шинели не по росту он выглядел как Петрушка. Он делал мне знаки. Это был Мишель Эмер. Он носил очки, и за сильными стеклами его глаза сверкали, как две рыбки в глубине аквариума. Мне нравилась его ослепительная улыбка. Он был похож на мальчишку, который не заметил, как вырос. Он вызывал к себе нежность.

Эдит встретила его в 1939-м в коридорах Радио-Сите... Он ей был симпатичен, но то, что он писал, для нее не годилось: там речь шла о голубом небе, птичках, цветочках...

Я открыла окно.

— Мне нужно видеть Эдит.

— Невозможно. Она готовит концерт в «Бобино».

— Скажите ей, что это я, Мишель Эмер, я принес ей песню.

Иду к Эдит.

— Гони его, Момона. Его песни — не мой жанр. Мне они не нужны.

Возвращаюсь. Он спокойно сидит на тротуаре, закутавшись в шинель. Многим мужчинам идет военная форма, но это был не тот случай.

— У нее много работы, Мишель, приходите завтра.

— Не могу, я нахожусь в военном госпитале в Валь-де-Грас и должен быть на месте к восемнадцати часам. Умоляю вас, у меня для нее прекрасная песня. Скажите ей только название: «Аккордеонист».

Я сжалилась.

— Давай лезь и играй свою песню.

Через окно он влез в комнату. Сел за рояль и спел — плохо спел!— «Аккордеониста». Услышав первые такты, Эдит прибежала.

> Доступная девушка прекрасна.
> Она стоит там, на углу улицы.
> У нее достаточная клиентура,
> Чтобы наполнить деньгами ее чулок.
> Она слушает музыку танца,
> Но сама не танцует,
> Она даже не смотрит на танцевальный круг.
> Ее влюбленные глаза

Глядят не отрываясь
На нервную игру
Длинных и худых пальцев артиста.
Остановите музыку! Остановите!

Мишель кончил и смотрел на нас с тревогой через свои иллюминаторы. Его лицо покрылось крупными каплями пота.

— Это ты написал, лейтенантик?

— Да, мадам Эдит.

— Что же ты мне раньше не сказал, что у тебя есть талант? Снимай мундир, галстук, располагайся, будем работать. Играй снова и напиши мне слова. Завтра я спою ее в «Бобино».

Он пришел к нам в полдень, отпустила она его в пять часов утра. Мы поддерживали его силы колбасой, камамбером и красным вином. Для больного он был в прекрасной форме, несмотря на подпитие.

— Эдит, меня будет судить военный трибунал за дезертирство... Но мне наплевать. Никогда я не был так счастлив.

— Не беспокойся,— величественно отвечала Эдит,— у меня есть знакомые среди генералов.

Ни одного генерала она не знала, но если бы Мишелю грозила опасность, можно не сомневаться: она пошла бы к военному министру. Смелости ей было не занимать! Мы не знали, как он выкрутится, но на следующий вечер он был в «Бобино», и Эдит спела его песню. Ее приняли не так, как мы ожидали. Концовку публика не ощутила, ей казалось, что песня не закончена. Но потом «Аккордеонист» имел огромный успех. Было продано восемьсот пятьдесят тысяч пластинок, колоссальная цифра по тем временам. Эдит пела эту песню в течение двадцати лет, с 1940 по 1960 год.

Эдит сказала Мишелю: «Поклянись, что ты принесешь мне еще песни». Он поклялся. Но когда мы с ним встретились через какое-то время, он выглядел совсем по-другому. Я сразу поняла, что с ним произошло что-то очень странное. У него было лицо загнанного, запуганного насмерть человека.

— Эдит, все кончено. Тебе не разрешат петь мои песни. Я еврей и должен носить желтую звезду. Начинается с этого, а потом...

Но ужасного «потом» не было. Она дала денег на его переход в свободную зону. Мы увиделись только после Освобождения. Он написал для нее прекрасные песни: «Господин Ленобль», «Что ты сделала с Джоном?», «Праздник продолжается», «Телеграмма», «Заигранная пластинка», «По ту сторону улицы».

> В комнатке на седьмом этаже,
> В конце коридора,
> Он прошептал: «Я люблю тебя»,
> Я ответила: «Я тебя люблю».

> А по ту сторону улицы
> Живет девушка, бедная девушка,
> Она ничего не знает о любви,
> О ее безумных радостях...
> По ту сторону улицы...

Эдит очень ценила талант Мишеля, которого продолжала называть лейтенантиком.

— Мне нравится, что Мишель пишет и текст и музыку. У него сразу получается готовая песня. Так бывает очень редко.

Это божий дар. Его мелодии запоминаются сразу, как будто они давно носились в воздухе.

Они много работали вместе.

Но вернемся в 1941 год. Эдит искала автора песни. Она без конца звонила по телефону Маргерит Монно:

— Но это же твоя обязанность, Гит, найди мне когонибудь.

— Для чего? — спрашивала Гит.

— Для песен. Для любви у меня есть.

Фильм «Монмартр-на-Сене» принес Эдит то, что она искала: нового автора песен и... новую любовь.

Дуэт Пиаф — Мёрисс, сыгравший «Равнодушного красавца», привлек внимание режиссера Лакомба. Пьеса три месяца шла в Париже и пользовалась успехом во всей Франции; публика знала Поля и Эдит, это стоило использовать. И Лакомб предложил Эдит сценарий фильма, который назывался «Монмартр-на-Сене».

Эдит уже снималась в 1937 году. Она пела в фильме «Холостячки», где играла Мари Бель. Особого впечатления исполнение Эдит не произвело. В «Монмартре-на-Сене» у нее был не эпизод с песней, а главная роль.

Полю нравилось сниматься. Поскольку они работали вместе, он все еще был в доме. Жизнь текла спокойно: теперь Эдит была к нему равнодушна.

Эдит любила сниматься, единственным неудобством было то, что приходилось очень рано вставать. Студия присылала за Эдит машину. Я, разумеется, тоже должна была ехать — Эдит ни в коем случае не хотела быть одна в гримерной.

В первый же день в столовой киностудии Жорж Лакомб представил Эдит высокого, красивого, элегантного мужчину. В волосах у него сверкали серебряные нити, а в глазах — озорные искорки. Это был Анри Конте — пресс-атташе фильма. Жорж сказал Конте: «Я поручаю тебе Эдит».

В тот же момент все было решено. Если Поль и не увез свои вещи немедленно, то только потому, что Анри не мог к нам переехать.

С первого взгляда я поняла, что это «наш» парень. В тот же вечер во время «заседания» в ванной комнате Эдит спросила:

— Тебе понравился этот Анри?

— Очень. Нам подойдет.

— Значит, договорились. У нас еще никогда не было журналиста, он работает в газете «Пари-суар» и пишет о кино для журнала «Синемондиаль». Кроме всего прочего, он будет нам полезен.

8 августа 1941 года Анри Конте написал об Эдит:

«Да, сомнений нет. Маленькая женщина, неподвижная и серьезная, стоявшая под аркой из серого камня,— это Эдит Пиаф. Ее присутствие было для меня неожиданным, так как я пришел на встречу, которую она мне назначи-

ла, намного раньше срока. Она не одна. Возле нее мужчина, и я тотчас замечаю, что у него злое, жесткое выражение лица. Этому человеку не свойственна жалость, снисхождение, прощение. Мне кажется, я узнаю Поля Мёрисса.

...Однако нет, она не плачет. Она похожа на несчастного ребенка, который надеется, чего-то ждет: то ли волшебного счастья, то ли наивной и простой любви, той, о которой поет в своих песнях народ. Мне хочется сочинить песню для этой Пиаф:

> У того, кого я полюблю,
> Будет седина на висках,
> Блеск золота на запястье
> И красивая сорочка...

...Она еще не заговорила, но я уже знаю, что она скажет. Потому что в ее глазах, в протянутых руках я вдруг вижу мольбу, я ее узнаю, она стара, как мир, это мольба, надрывающий душу, но напрасный стон: «Останься со мной... Я тебя еще люблю... У меня есть только ты... останься...» ...Из чего сделано сердце Пиаф? Любое другое на его месте давно бы разорвалось.

...Эдит Пиаф еще больше наклонила голову, как будто она слишком тяжела для нее. Я вижу ее запавшие глаза, которые ничего не хотят больше видеть.

...Что делать? Утешать? Но как? Я думаю о всех этих песнях, в которых слышатся ее собственные рыдания, биение ее сердца и та удивительная сила, которую она черпает в самой себе, в своей груди, в своей жизни.

Сумеет ли она выстоять? Ее плечи кажутся мне слабыми. И у меня в голове, независимо от меня, складываются слова другой песни:

> Она хочет знать: может ли Сена
> Убаюкать ее горе?
> Она хочет знать: если она прыгнет,
> Не пожалеет ли она об этом?

До меня доносится журчание ручья, влажный смех реки: Эдит Пиаф тихо плачет».

Никогда ни один мужчина не мог устоять перед Эдит. Не было никаких причин, чтобы и этот не заключил ее в свои объятия.

Официальный разрыв с Полем прошел безболезненно. Они оба устали друг от друга, а усталость облегчает расставание. Они дождались окончания съемок. Друг на друга они не сердились, каждый был не удовлетворен другим. Поль аккуратно сложил в чемоданы свои вещи. Он поцеловал Эдит:

— Желаю тебе с Анри большого счастья.

Нужно отдать ему справедливость, он не был слеп. Когда он уходил, мне хотелось сделать ему реверанс, как маркизу, настолько он был в образе.

После ухода Поля мы переменили квартиру, но далеко не уехали, а стали жить в доме напротив, соседнем с «Биду-баром». Удобней было бы просто пробить дверь — случались вечера, когда мы не могли попасть ключом в замочную скважину.

Когда Эдит меняла мужчину, она любила менять и обстановку. Она говорила: *«Понимаешь, Момона, воспоминания на следующее утро — это как похмелье, от них болит голова. Их надо откладывать на будущее, после того, как сделаешь генеральную уборку и выметешь весь мусор».*

У Эдит с Анри отношения сложились сразу: оба были одной породы. Он очень много писал о ней. Ей это нравилось, она понимала, что реклама является составной и необходимой частью ее профессии. *«Момона, имя актера это как любовник; если его долго не видишь, если он отсутствует, о нем забывают».*

Для Эдит Анри в первую очередь был красивым мужчиной, который ей нравился. Она не подозревала, что он-то и окажется тем автором песен, в котором она так нуждалась. Анри был полной противоположностью Полю. Он с удовольствием проводил с нами время в «Биду-баре». Я ему не мешала, жизнь втроем его не отпугивала, он ко мне очень хорошо относился, мы сразу подружились.

Однажды, когда мы сидели в «Биду-баре», он сказал Эдит:

— Не знаю, будет ли тебе интересно узнать, но я когда-то писал песни. Мне было двадцать лет. Одну положил на музыку Жак Симон: «Морское путешествие». Ее пела Люсьенна Буайе, но успеха не имела, это был не ее жанр.

— Тем лучше, значит, не сладкая патока. А что у тебя еще есть?

— Нет, я разочаровался и перестал. Но с тех пор как узнал тебя, начал снова.

Эдит, конечно, бросилась ему на шею.

После Реймона Ассо Анри Конте писал для Эдит большее всех и лучше всех. Его песни всегда оставались в ее репертуаре. Среди них «Нет весны», которую он написал на краешке стола за двадцать пять минут на пари с ней: Эдит поспорила, что ему это не удастся; «Господин Сен-Пьер», «Сердечная история», «Свадьба», «Брюнет и блондин», «Падам… Падам…», «Браво, клоун!».

Я король, я пресыщен славой.
Браво! Браво!
Словно рана — мой смех кровавый,
Браво! Браво!

Эдит хотела, чтобы Анри принадлежал только ей, а он уже долгие годы жил с одной певицей. Не в привычках Эдит было долго делить мужчину с кем-то. Но Анри она все прощала: он умел ее рассмешить. И хотя Анри был любовником Эдит, он не был по-настоящему ее мужчиной, он не жил у нас в доме. К большому сожалению. Потому что тогда мы не прожили бы в таком угаре с сорок первого по сорок четвертый год.

Глава 8

В НЕЙ БЫЛО СЛИШКОМ МНОГО ОТ ГАВРОША…

Был разгар оккупации. Запреты, облавы, черный рынок, заложники, объявления с приказами, аусвайсы со свастикой. Было ощущение такой непрочности, что жили кое-как, стараясь урвать от жизни что только можно и повеселиться, когда удавалось. Смех казался «временным», после него насту пало похмелье. Никогда мы столько не пили. Надо было согреться и забыться.

Имя Эдит начинало приносить деньги. У нее не было недостатка в контрактах. Она получала три тысячи франков за концерт. Это было немало, но она могла бы получать гораздо больше. К сожалению, у нее не было никого, кто занимался бы ее делами. Иногда она выступала в двух местах за вечер. Получался роскошный заработок — шесть тысяч. Но деньги текли у нее из рук как песок. Во-первых, был «Биду-бар», который съедал немало. Во-вторых, черный рынок. Килограмм масла, стоивший ранее четыреста-пятьсот франков, в сорок четвертом году стал стоить тысячу двести, тысячу пятьсот. Повар Чанг вечером набивал холодильник продуктами, а к утру он оказывался пуст. У китайца была своя тактика.

— Мамамизель, он не любит масла; Мамамизель, он не любит, когда розбиф, жаркое не целый. Тогда моя унести домой.

И уносил. Чтобы не выбрасывать. У нашего Чанга была жена и пятеро детей. Всех надо было кормить. А у Эдит было много друзей; с одними она только что познакомилась, других знала несколько дней, и все хотели что-нибудь урвать. Каждый изобретал свой способ. Например, сидеть с мрачным видом. Она спрашивала:

— Что с тобой? Почему голову повесил? Выпей.

— Не могу. Душа не лежит. У меня неприятности.

— Любовные?

— Нет, денежные.

— Ну если дело только в этом, можно уладить.

Говоривший на это и рассчитывал.

Другие шептали Эдит на ухо: «Мой отец еврей, он старик. Его нужно переправить в свободную зону. Я боюсь за него. А сам на нуле». «Сколько надо?» — спрашивала Эдит. Тариф был от десяти до пятидесяти тысяч франков, в Испанию даже сто. Если Эдит не могла дать всю сумму, она давала хотя бы часть.

Встречались и женщины, чьих сыновей надо было укрыть от обязательной службы в Германии. Эдит давала деньги; через два-три месяца те же люди приходили с другой историей. Многие солдатские и офицерские лагеря в Германии объявили ее своим шефом. Она отправляла посылки. Для тех, кто сидел в лагерях, сердце Эдит было трехцветным, как французское знамя, а кошелек всегда открыт. «Я слишком любила солдат,— говорила она,— чтобы их бросить в беде».

Эдит не была тщеславной, но она гордилась своим именем, и тогда играли на этой струне, без конца произнося «мадам Пиаф». Совсем недавно ей говорили: «Эй, девчонка! Греби сюда, у тебя хорошенькие гляделки!» или «Отваливай, девчонка, хватит, надоела!» Легко понять, что она чувствовала, когда ее называли «мадам Пиаф».

— С вашим именем, мадам Пиаф, нужно носить песцовый мех.

— Ты что думаешь, Момона?

Попробуйте сказать ребенку, который блестящими глазами смотрит на рождественскую елку: «Это не для тебя». Но если бы только это! Наша новая квартира на улице Анатоль-де-ля-Форж была проходным двором, ночлежкой: туда приходили, уходили, оставались, спали где придется — на наших кроватях, в креслах, на полу. Получалось просто. Когда мы компанией выходили из «Биду-бара», обычно уже наступал комендантский час и метро не работало. «Заходите, переночуете,— говорила Эдит.— Выпьем по последней и перекусим».

Мы были беззащитны. В доме не было мужчины. Жаль, что этим мужчиной не стал Анри, добрый, красивый. Морщины на его лице свидетельствовали об уме, они были гармоничны, как план Парижа. В нем было что-то от Гавроша, и это очень нравилось Эдит, но в этом Гавроше чувствовалась порода. «Видишь, Момона, это такой тип людей — берут тебя за задницу так, что ты не можешь возразить. Мне это нравится». Она не лгала. Ни Эдит, ни я не могли подняться по лестнице впереди Анри без того, чтобы он нас не похлопал. Быстро и ловко! Для него этот жест был, скорее, проявлением вежливости и внимания.

Анри все время колебался; он хотел перейти жить к нам, но та женщина его крепко держала. Сколько из-за этого было сцен! Время от времени он объявлял: «Девочки, на этот раз решено. Готовьтесь, в будущем месяце переезжаю». Мы покупали ему трусы, носки, пижамы, рубашки — все необходимое по ценам черного рынка, без талонов, раскладывали по ящикам комода и радовались. Эдит говорила: «Осталась неделя! Скоро в доме будет мужчина. Все изменится».

Но Анри не приходил. Тогда Эдит в гневе выбрасывала все купленное, топтала ногами белье и вместе с ним свои надежды. Она кричала: «Отнеси все это на помойку!» Анри появлялся в дверях без чемодана. Какой актер! В глазах стояли слезы. «Эдит, прости. Она плакала, цеплялась за меня, я уступил. Дадим ей еще несколько дней…».

Это повторялось не один раз. Наконец мы поняли, что никогда он к нам не придет. Анри любил певиц, но больше всего он любил удобства. А та, вторая, была отличной хозяйкой. Она за ним хорошо смотрела. На нем всегда были отглаженные рубашки, безупречные складки на брюках, начищенные башмаки. Он выглядел так же элегантно, как Поль…

Если в доме не было мужчины, Эдит не знала удержу. Днем все шло более или менее нормально. Анри рассказывал ей разные истории. Он был в курсе всех событий, знал сплетни обо всех знаменитостях. Эдит любила перемывать косточки, и ей лучше было не попадаться на зубок. А самое главное — они с Анри очень много работали, и с ними всегда была Гит. В работе никого не было требовательнее Эдит. Ей аккомпанировали Даниэль Уайт, молодой человек лет двадцати семи, и Вальберг, чуть постарше. Она заставляла их вкалывать как каторжных. Но никто никогда не жаловался. Это маленькое существо было властно, как диктатор. Несмотря на бедлам, царивший в доме, несмотря на все безумства, Эдит всегда сохраняла ясный ум. Она бросалась в работу, как олимпийская чемпионка в бассейн. Ей всегда нужно было побить очередной рекорд. Она не знала усталости.

Я недоумевала: из чего она сделана? Откуда берет силы?.. Работа начиналась обычно часов в пять-шесть вечера и заканчивалась на рассвете. Если в это время шли концерты, то все начиналось около часу ночи.

Если Реймон научил ее технической стороне профессии, грамматике, то Анри объяснил ей, как этим пользоваться для того, чтобы подняться выше, чтобы стать Великой Пиаф. Ассо был учителем требовательным и властным. Конге не командовал, не проявлял упорства, он старался ее понять. Умел ее слушать, обсуждать вопросы — эхо очень помогало Эдит в ее поисках. Именно с ним, сама еще того не сознавая, она приобретала командную хватку и становилась той, кому в свою очередь в скором времени предстояло начать формировать других.

Эдит прочитывала сотни песен. У ней было совершенно точное представление о том, каким должен быть ее текст. «Песня — это рассказ. Публика должна в него верить. Для публики я воплощаю любовь. У меня все должно разрываться внутри и кричать — таков мой образ; я могу быть счастливой, но недолго, мой физический облик мне этого не позволяет. Мне нужны простые слова. Моя публика не думает, она как под дых получает то, о чем я пою. И в моих песнях должна быть поэзия, которая заставляет мечтать».

Когда Эдит выбирала наконец свою песню, ей играли мелодию. Слова и музыку она разучивала одновременно, никогда их не разделяла. «Они должны войти в меня вместе. В песне слова и музыка неотделимы друг от друга».

Если ей давали советы, которые она не принимала, она говорила: «Моя консерватория — улица. Мой ум — интуиция». После того как она выучивала песню, в работу включались автор и композитор. Для них начиналась драма, хождение по мукам. В разгар репетиции Эдит останавливалась, иногда настолько внезапно, что пианист продолжал играть. Тогда она кричала: «Стой!» Или: «Заткнись! Анри, замени мне это слово. Оно у меня не звучит правдиво! Я его и выговорить не могу, оно слишком сложно для меня».

Затем она обрушивалась на Гит, которая с отсутствующим видом ожидала, когда до нее дойдет очередь. «Гит, проснись! Вот послушай это место: «тра-ла-ла ла-лэр» — так не годится. Это длинно, это вяло, это тянется, как резина. Я не плачу, а растекаюсь, как оплывшая свечка. А мне здесь нужен крик. Вот примерно так: «Тра-ла ла-ла!». Суше к концу, короче! Нужно, чтобы это обрывалось внезапно, потому что девушка не может выдержать. Если она будет продолжать, она начнет скулить, и поэтому она обрывает. Понимаешь?»

Как-то один журналист задал ей вопрос:

— Вы отрабатываете жесты перед зеркалом?

Эдит смеялась до упаду.

— Вы можете себе представить, что я кривляюсь перед зеркалом? Разве я — клоун? Моя цель не в том, чтобы публика хохотала, я не на манеже!

Что касается мизансцен песен, Эдит искала их только на сцене. Окончательно она доводила свою песню уже на публике. Если же замечала, что, исполняя песню, думает о чем-то постороннем, тотчас же убирала ее из программы. «Я делаю все механически, так не годится».

Именно в этот странный период Эдит нашла свою манеру работы над песней. Потом она оттачивала, совершенствовала ее, но метода уже не меняла. И именно эта манера в сочетании с ее непоколебимой волей и одержимостью позволили ей стать Первой леди Песни с большой буквы.

Папа Лепле, Реймон, Жан Кокто, Ивонна де Врэ — все что-то ей дали. Теперь количество переходило в качество. Умение неистово работать, труд муравья, на который оказалась способна стрекоза, заставили Жана Кокто написать о ней: *Мадам Пиаф гениальна. Она неподражаема. Другой такой никогда не было и не будет. Подобно Иветте Жильбер или Ивонне Жорж, Рашели или Режан, она, как звезда, одиноко сгорает от пожирающего ее внутреннего огня в ночном небе Франции*».

Всю жизнь Эдит не вылезала из долгов. Если она не платила сразу, это откладывалось надолго. Бедняжка Андре! У нее всегда была пачка неоплаченных счетов! Сколько она из-за этого выдержала! С Эдит невозможно было говорить о деньгах: она их зарабатывала, и этого было достаточно. Она слушать не хотела о том, что ее расходы превышают доходы. Все у нас шло вкривь и вкось. Жизнь с: Конте не сложилась. В доме было холодно, центральное отопление не действовало, печи дымили и гасли: мы забыли вовремя запастись углем на черном рынке. Эдит очень плохо переносила холод.

Закутанная с ног до головы в шерстяные вещи, она постоянно находилась в мрачном, раздраженном состоянии. Поэтому, когда хозяин нас выставил, мы, пожалуй, даже обрадовались.

Задолженность Эдит облегчила ему эту задачу. Список наших проступков был длинным: шум по ночам, попойки и тому подобное. Несмотря на рюмочки вина и чаевые, консьержка донесла хозяину, что у нас в любое время дня и ночи бывают мужчины, значит, мы шлюхи и не можем жить в приличном доме. Эдит сказала Анри:

— Мы съезжаем с этой квартиры, хозяин говорит, что мы ведем себя как шлюхи.

Он ответил:

— Ну, что ж, девочки, все складывается очень удачно, я как раз хочу устроить вас в бордель.

— В настоящий?

— Ну, не совсем, это, скорее, дом свиданий. Район прекрасный — улица Вильжюст (теперь улица Поля Валери). Вы будете жить на верхнем этаже, там очень спокойно. Прислуга будет вас обслуживать. В этом доме прекрасная клиентура. Будете как сыр в масле кататься.

— Ну, с тобой не соскучишься,— засмеялась Эдит.

— Девочки, вам там будет хорошо. Хозяину вы понравитесь, я уверен. Вам будет уютно, тепло. В таких домах клиенты боятся сквозняков! И ты наконец избавишься от своих нахлебников. Разберешься с деньгами.

Когда мы с Эдит и мадам Бижар приехали в этом дом хозяин и хозяйка бросились нам на шею. Мы обнялись и расцеловались, как друзья-однополчане. Их звали Фреди; разумеется, у них была другая фамилия, но мы ее так и не узнали. Он был итальянец, похож на Тино Росси, только крупнее и не так хорош собой. Она — расплывшаяся блондинка целыми днями ходившая в ночной рубашке, опущенной на одно плечо. Своих девиц она называла «деточка» и «лапочка», но замечала абсолютно все и ничего им не спускала.

«Детка, ты вчера была не в форме, мсье Робер был недоволен». Или: «Лапочка, следи за бельем. Ты часто носиш одно и то же, некоторым это не нравится. Мсье Эмиль мне вчера про это сказал. Надо поддерживать нашу репутацию»

Дело было поставлено очень скрытно: клиентов знали не по фамилиям, а по именам.

С Фреди контакт установился сразу. Не успев войти дом, Эдит заявила: «У меня нет денег».— «Ничего, мы подо ждем». Они нам предоставляли кредит, но когда у нас появлялись деньги, то не терялись и возвращали себе все с лихвой! Грабеж! Но зато в разгар оккупации мы были в тепле, нас прекрасно кормили, и мы были не одни. Нам казалось, что мы в семье.

Нам с Эдит отвели комнату с ванной. Комната с ванной была и у мадам Бижар. Мы жили в борделе, но с секретаршей! «Момона, это — уровень!» Повсюду были ковровые дорожки, красивая мебель — словом, комфорт. Чего же еще? Эдит пришла в восторг.

В тот же вечер мы познакомились с девицами. «Рабочие» помещения находились под нами, а на первом этаже была большая гостиная.

Заведение функционировало следующим образом (они оказались не дураки, эти Фреди): днем девиц не было, их вызывали по телефону, вечером же все напоминало роскошные бордели типа «Сфинкса» или «Шабанэ». В гостиной обедали, ужинали. За инструментом всегда сидел пианист. Было спокойно и уютно. В первый же вечер Эдит закрыла глаза и сказала: «Момона, помолчи-ка минутку, я хочу прислушаться к своим воспоминаниям. Звуки рояля, аромат духов... Музыка и духи другие, но здесь пахнет борделем, как в детстве, когда я была слепой. С тех пор прошло почти семнадцать лет, и мне кажется, что я сейчас услышу голос бабушки: «Эдит, хватит слушать музыку, пора спать».

В этом доме была своя атмосфера. Было оживленно, но девушки не имели ничего общего с теми, кто работает на панели или живет в закрытых домах. Они умели говорить о книгах, о театре, о музыке. Без этого было нельзя. Мужчины, которые сюда приходили, либо занимали крупные посты при режиме «Труд — Семья — Родина», либо ворочали делами на черном рынке, либо были коллаборационистами. Боши, не ниже генералов и полковников, держались скромно, как тогда принято было выражаться— «корректно». Они всегда появлялись в штатском. Сюда приходили самые крупные чины из тайной полиции, французской и немецкой. Улица Лористон, где работала эта сволочь, находилась совсем рядом. Между двумя допросами с пытками они приходили разрядиться в дом Фреди. Их все ненавидели, но Фреди их

223

слишком боялись, чтобы отказывать. Лучшее я оставила напоследок: приходили сюда и ребята из Сопротивления... Конечно, инкогнито. Мы об этом узнали лишь много времени спустя. Фреди были предусмотрительны, они ели из всех кормушек и, надо сказать, за обе щеки.

Анри Конте был в восторге. Этот карнавал ему нравился. Его смелость доходила до того, что он слушал Би-би-си в комнате Эдит, в то время как этажом ниже генерал фон «Трюк» развлекался с «Мадемуазель францозен».

У нас бывали самые разные люди. Однажды явился Анри, наш бывший кот, самый наш верный друг в прошлом. Он принес Эдит огромный букет цветов. «Это тебе. Ты же понимаешь, в жизни надо волюционировать».

Ну и посмеялись же мы в этот день. Подумать только, к нам пришел наш сутенер и он (э) «волюционировал»! На пальце у него был камень величиной с пробку от графина. Не подделка, настоящий! И он принес цветы!..

— Так что, дела идут?— спросила Эдит.— Ты чем теперь занимаешься?

— Ну, по-прежнему забочусь о девочках, они у меня труляги. Но сейчас основные деньги идут не от них. Я теперь занимаюсь бизнесом.

Мы его не спросили, каким именно. В блатном мире чем меньше вы знаете, тем безопаснее. Этой истины мы никогда не забывали. Мы распили бутылку шампанского и поговорили о добрых старых временах. Он рассказал нам кое-что о наших прежних друзьях.

— Знаете, девочки, некоторые ребята сподличали, попали в гестапо. Другим не повезло: за спекуляцию попали в концлагерь. А с Фреэль произошло несчастье. Она пела в Гамбурге, вдруг началась бомбардировка. По улицам тек фосфор, асфальт стал жидким, люди сгорали стоя, как факелы. Дома рушились. Было светло, как днем, можно было бы читать газеты, если бы у вас было на это время и желание. Все люди, говорят, криком кричали. И запах был, как когда палят свиную щетину. У Фреэль сгорели волосы, брови, ресницы и обгорели ноги. Когда она об этом рассказывает, меня начинает бить дрожь. Ты ведь знаешь, какой я нервный. После этого я решил, что бошам войны не выиграть. Надо скорей высосать из них все деньги. Он ушел, сказав на прощанье: «Девочки, я рад за вас. Вам тепло, и вы в приличном месте».

Время от времени появлялась Гит. Она приезжала на велосипеде (в это время все передвигались на двух колесах). Чтобы не трепались волосы, она повязывала на голову шелковый платок: это было очень модно, из них сооружали целые тюрбаны. Но Гит тем не менее всегда была растрепана. Прелестная, восхитительная Гит, она была настолько не от мира сего, что хотелось взять ее за руку и вести по жизни. Как я уже говорила, у Эдит бывало много народу, но в тот период она больше встречалась с драматическими актерами, чем с эстрадными певцами.

Большим ее другом стал Мишель Симон. Удивительный человек! На редкость уродлив, но этого не замечаешь. Я могла слушать его часами... Он часто приходил поболтать с Эдит. Когда они находились вместе, эти два священных кумира сцены, от них нельзя было отвести глаз.

Мишель мало говорил о своей работе, больше о жизни, с ним столько всего случалось! Рассказывал о животных, о своей обезьяне, которую любил, как близкое существо.

Он был прекрасным рассказчиком, и его голос, не похожий ни на какой другой, совершенно особый, придавал щемящую достоверность тому, о чем он говорил. Он так и не смог смириться со своей внешностью, его терзала мысль о собственном уродстве. «У меня такая рожа, что она не противна только шлюхам, это добрый народ... А еще меня любят животные. Моя обезьяна, например, находит меня красивым. И она права, пойди найди другую такую обезьяну, как я!»

Эдит смеялась, а я ему сочувствовала.

Мишель Симон считал, что в этом он схож с Эдит, что она, в своем женском облике, так же чудовищна, как он — в мужском. Это придавало ему уверенности, прогоняло чувство одиночества. «Видишь, Эдит, мы с тобой и без красоты добились успеха».

Удивительно то, что через некоторое время я тоже стала смотреть на Эдит его глазами. Раньше я считала ее хорошенькой, а теперь стала находить в ней отклонения от нормы: узкие плечи, огромный лоб, маленькое личико. Но в жизни она была лучше, чем на сцене: утрачивала страдальческий вид, и тогда можно было обратить внимание на округлые бедра и стройные ноги.

Мишель Симон и Эдит рассказывали друг другу свою жизнь. Оба любили соленую шутку и смеялись до слез. И оба умели крепко поддать. «Мы с тобой страшны, как смертный грех,— говорил Мишель,— зато не слабаки!»

Бывали у нас Жан Шеврие и Мари Бель из «Комеди Франсез». Она выглядела как светская дама, что не мешало ей приходить в наш бордель. Мы принимали их в гостиной, а потом они незаметно поднимались наверх. В то время они еще не были женаты. ·

Приходила и Мари Марке. Когда обе Мари встречались, у них были довольно кислые мины. Они не любили друг друга. Эдит очень ценила Мари Марке, считая ее актрисой высокого класса. В ней все было крупное: фигура, рост (когда она раскидывала руки, мы обе свободно проходили под ними), талант. Никто не умел так читать стихи, как она. Это было прекрасно, как сон! Эдит слушала ее с уважением: «Мари, ты декламируешь, а я учусь, потому что стихотворение — это песня без музыки, здесь те же трудности».

Забавно было наблюдать эту женщину такой высокой культуры в обстановке нашего дома свиданий. Она ее нисколько не шокировала. Мари рассказывала нам удивительные истории. Она познакомила нас с пьесами Эдмона Ростана: «Сирано де Бержераком», «Орленком», «Шантеклером» — и рассказывала нам о доме Ростана в Арнаго, возле Камбо. Поэт и она очень любили друг друга. Это была прекрасная история любви, приводившая Эдит в восхищение.

Постоянно у нас находились Мадлен Робэнсон и Мона Гуайа. Первая была лучшей подругой Эдит. (Мадлен Робэнсон и Мона Гуайа — известные драматические актрисы.) Однажды в 1943 году Эдит вызвали в полицейский участок по поводу ее матери. Ее вызывали уже не в первый раз, но, как оказалось, в последний. С тех пор, как Эдит стала знаменитой, мать устраивала скандал за скандалом. Не один раз она попадала в тюрьму Фрэн. Ее подбирали прямо на улице в состоянии опьянения вином или наркотиками, выглядела она, как клошары... Мы забирали ее из тюрьмы, одевали с головы до ног... И все начиналось сначала. Когда в 1938 году Эдит выступала в «АВС», однажды вечером какая-то нищенка вцепилась в дверцу такси, в которое села Эдит. Волосы закрывали ей лицо, от нее несло винным перегаром, и она кричала хриплым голосом: «Это моя дочь... Это моя дочь...»

Реймон Ассо тогда возмутился и на некоторое время избавил от нее Эдит. Но потом она стала всем плакаться: «Моя дочь — Эдит Пиаф. Она купается в золоте, а я подыхаю в нищете». Она угрожала Эдит, что пойдет в редакции, газет. И она это сделала, более того, она обратилась в отдел общественной благотворительности газеты «Пари-суар». Она хорошо отработала свой номер, но, так как она практически не протрезвлялась, он проходил не всегда. К 1943 году мы уже так привыкли ко всему, что от нее исходило, что в этот раз Эдит мне сказала:

«В полиции мне сообщили, что она умерла ужасной смертью в канаве. Она жила на Пигаль с одним молодым парнем, жалким опустившимся подонком. Их связывали наркотики; оба нюхали кокаин. Как-то вечером он поднялся с их кишевшего насекомыми топчана, чтобы пойти раздобыть дозу. Он посмотрел на мать Эдит: она храпела. Когда он вернулся, она лежала в той же позе. Он дотронулся до нее, она уже была холодной. Потеряв голову от страха, одурманенный кокаином, он вынес тело на улицу и там бросил. Она умерла, как предсказывал отец, — в канаве».

Все хлопоты взял на себя Анри Конте, я ему помогала. Эдит похоронила свою мать на кладбище в Тье. Она не пошла на похороны. Не была ни разу на ее могиле. «Моя мать умерла для меня очень давно, через месяц после рождения, когда она меня бросила. Матерью моей она была только по документам».

Это правда. Между Эдит и ее матерью никогда не было никакой привязанности. Мать приходила к дочери только ради денег.

Эдит много работала. И не всегда у нее все проходило гладко с оккупантами. Она не была героиней, но в ней было слишком много от Гавроша, от парижского гамэна, чтобы она могла позволить посягнуть на свою независимость.

В 1942 году, когда она выступала в «ABC», в вечер премьеры в зале оказалось много немецких офицеров в мундирах всех цветов. Зеленый — цвет вермахта, черный — СС, серый — военно-воздушных сил, синий — военно-морских. Но зал был битком набит также парижанами всех мастей. В конце программы Эдит для них выдала «Где все мои друзья?» на фоне трехцветного знамени, высвеченного прожекторами на сцене. Что творилось в зале!

На следующий день ее вызвало немецкое начальство. Ей сделали серьезный выговор, потом потребовали:

— Уберите эту песню из своего репертуара.

Эдит умирала от страха, но ответила:

— Нет.

— Тогда я вынужден ее запретить.

— Запрещайте. Но над вами будет смеяться весь Париж.

В конце концов песню оставили, убрали только трехцветное знамя.

Немцам очень нравилось пение Эдит. Раз двадцать, не меньше, они приглашали ее выступить с концертами в больших немецких городах, но она всегда отказывалась.

Зато готова была сколько угодно петь в лагерях для военнопленных и отдавала им полученные гонорары. Из этих поездок она возвращалась потрясенной. Солдаты были ей дороги, как верные друзья, она всегда их любила. Принимали они ее, как королеву.

Андре Бижар попросила Эдит сопровождать ее вместо меня в поездках по лагерям.

— Ты так любишь фрицев?

— Я просто люблю путешествовать.

— Она лжет,— сказала мне как-то Эдит.

Мы давно уже обратили внимание на то, что в комнате Бижар бывает много мужчин. Вначале Эдит смеялась: «Смотри-ка, это, наверное, атмосфера дома оказывает на Андре такое влияние. Ты заметила, сколько к ней мужиков ходит! Я от нее этого не ожидала!»

Потом мы поняли, что, оказавшись в логове врага, она использует положение и активно участвует в Сопротивлении. А все мужчины, которые у нее бывают — «террористы», как их называли фашисты.

Поездки по ту сторону Рейна были связаны с большими неудобствами для Эдит. Как-то после концерта один из старших офицеров немецкой армии спросил ее:

— Надеюсь, мадам, вы довольны гостеприимством, которое вам оказывает рейх? Как вы находите Германию?

— О чем вы говорите? В комнате холод, стекла в окнах выбиты, пища несъедобна, и нельзя получить две капли вина! Жуть!

Немец покраснел, схватил телефонную трубку и стал кричать в нее что-то по-немецки. Эдит подумала: «На этот раз я хватила через край». Она ошиблась. Через час ее устроили в лучшей гостинице, подали приличный ужин и бутылку французского бордо.

В другой раз, снова в лагере, Эдит узнала, что французские пленные положили на мелодию гитлеровского гимна следующие слова:

> В ж... в ж...
> Получат они победу.
> Они потеряли
> Всю надежду на славу,
> Они пропали,
> И весь мир радостно поет:
> «Они в ж..., в ж...!»

И вот в конце своего выступления Эдит сказала:

— Чтобы поблагодарить господ офицеров, я спою немецкую песню, но, так как слов я не знаю, я ее только напою. И она запела во всю мощь своего голоса. Все немцы встали по стойке «смирно» и слушали, как Эдит им пела, по сути дела, «В ж...».

Так как атмосфера создалась благоприятная, мадам Бижар сказала Эдит:

— Попросите разрешения сфотографироваться с военнопленными. Чокнувшись с комендантом лагеря «за Сталинград», «за победу», за все, что он хотел, Эдит сказала:

— Полковник, окажите мне любезность.

— Заранее согласен,— ответил тот, щелкнув каблуками.

— Мне бы хотелось, чтобы на память о таком прекрасном дне у меня осталось две фотографии: одна с вами, другая — с моими заключенными.

Немец согласился. В Париже Эдит отдала фотографию Андре. Ее увеличили. Голова каждого солдата была переснята отдельно и наклеена на фальшивые удостоверения личности и на фальшивые документы французов, «добровольно» приехавших в Германию. Потом Эдит попросила разрешения снова посетить этот лагерь. В коробке с гримом, в которой было двойное дно, Андре доставила все фальшивые документы и раздала их военнопленным. Тому, кто сумел бежать, эти бумаги очень помогли. Некоторым они спасли жизнь.

Эдит и мадам Бижар повторяли эту операцию каждый раз, когда это оказывалось возможным. Эдит говорила: «Нет, я не участвовала в Сопротивлении, но своим солдатам я помогала». Мы бы до конца войны оставались в нашем роскошном борделе, но, к несчастью, семейка Фреди переусердствовала с черным рынком. Дело близилось к концу, и оккупанты, решив навести порядок среди своих, для острастки стали забирать тех, кто был связан с черным рынком. Потом произошли истории с девицами, которые обирали клиентов; среди них попался один немецкий офицер. Мерзавцы из гестапо приходили теперь не за тем, чтобы развлекаться, а чтобы выполнять свою грязную работу. С каждым днем в доме становилось все опаснее, и однажды утром, весной 1944 года, Анри пришел за нами. «Девочки, запахло жареным. Пора сматывать удочки».

Эдит, всегда быстрая в решениях, объявила: «Отступаем в отель «Альсина».

Мы расстались с Фреди, уплатив им два миллиона франков. Эту сумму мы им перед отъездом еще оставались должны, несмотря на огромные деньги, которые выплачивали все время. Предоставляя нам кредит, они регулярно вытягивали из нас все, и мы практически оставались на нуле.

На следующий день после нашего отъезда их дом на улице Вильжюст был оцеплен и хозяев посадили. Так кончилась наша красивая жизнь в борделе!

Глава 9

ЭДИТ ОТКРЫВАЕТ ИВА МОНТАНА

В отеле «Альсина» мы вернулись к своим привычкам. Но вначале все было очень трудно.

Война для немцев оборачивалась плохо. Повсюду на стенах расклеивались объявления в траурных рамках; это были списки заложников, среди которых могли оказаться ваши соседи, родные, друзья. Тут уж было не до веселья. Немцы всех считали террористами, даже старушку, продававшую на углу газеты. Свободной зоны больше не существовало. Евреев увозили, набивая ими до отказа товарные вагоны.

«Корректные» оккупанты, которые вначале заигрывали с населением, исчезли.

Мы совсем упали духом. Денег не было. Не было Чанга. Со слезами расстались мы и с мадам Бижар. Считать деньги, ограничивать себя Эдит не умела. На улице Вильжюст она жила, ни о чем не задумываясь, все деньги уходили на еду и вино. Живя у Фреди, мы совершенно обносились, так как все время выплачивали им долги.

Раз не было денег, не стало и друзей, выпивающих на дармовщину. Это должно было бы послужить Эдит уроком. Отнюдь. Как только у нее завелись деньги, ее снова начали доить.

Эдит уехала в один из лагерей военнопленных. С ней поехала мадам Бижар, присутствие которой было оговорено контрактом. Андре потихоньку плакала от волнения и повторяла: «Это в последний раз...» Все трое мы были в этом уверены.

Когда я вернулась с вокзала в отель, портье сказал мне: «Звонил слуга отца мадам Пиаф. Он просил, чтобы вы срочно позвонили ему».

С этим слугой была забавная история. Эдит не бросила отца на произвол судьбы, она с ним виделась довольно часто. Однажды он сказал ей: «Теперь, когда ты выбилась в люди, мне бы хотелось иметь слугу. Это произвело бы впечатление на моих друзей». Ну и смеялись же мы в тот день! Так как Эдит сама склонна была иногда мыслить подобным образом, она тут же поместила объявление, сказав мне: «Бедный старикан, может, ему уже не так долго жить осталось. Наймем ему слугу. Но за то, чтобы поселиться на улице Ребеваль, придется дорого платить!» Отец действительно так никогда и не захотел расстаться со своим грязным, жалким, полуразвалившимся отелем, в котором не было никаких удобств. Держать в таких условиях слугу, это же надо придумать... И тем не менее он его завел.

Не знаю почему, но я встревожилась. Отец всегда звонил из ближайшего кафе на углу, когда ему были нужны деньги. Я набрала номер этого кафе, так как слуга должен был сидеть там и ждать звонка. Мне его тотчас позвали. «Я только хотел сообщить мадам, что ее отец умер».

Я не замечала, что у меня из глаз льются слезы. Я очень любила нашего старика. Вместе с ним уходил целый кусок и моей жизни.

Не колеблясь, я вызвала Анри Конте. Вместе мы поехали на улицу Ребеваль. Предупредить Эдит не было никакой возможности, однако она успела вернуться к похоронам. Она очень горевала об отце.

В отеле, где жил отец, нас ждала целая куча родственников — двоюродных и троюродных братьев, которых мы в жизни в глаза не видели. Все они хотели получить что-нибудь на память. Пока отец был жив, никто бы ему не подал стакана воды! Золотые часы папаши Гассиона Эдит подарила слуге. «Другим отдай трубки»,— сказала она мне. Я раздала всем его старые, обкуренные трубки, которые он так любил. На кладбище Пер-Лашез его опустили в могилу. На похороны приехало несколько бывших «девиц» из борделя в Нормандии. Они проливали искренние слезы и не смели подойти обнять Эдит. С нами был Анри Конте. Распорядители из фирмы Борниоль (фирма, организующая проведение церемонии похорон) поместили его в похоронной процессии в числе «членов семьи». Когда земля застучала по крышке гроба, мне стало больно. Эдит крепко сжимала мне руку. Обе мы думали об одном: мы хоронили свое детство, свою юность. Все кругом было мрачным. Анри приходил к нам какой-то скучный, тусклый. Ему было не до песен. Каждый старался забиться в свою нору. Даже Гит не появлялась больше. Она потеряла свой последний велосипед. У нас в отеле не было пианино. А Гит умела разговаривать, только когда под руками у нее были клавиши.

Наверное, это было не самое подходящее время, но Анри вбил в голову Эдит, что она должна вступить в SACEM (Общество авторов, композиторов и музыкальных издателей).

— Это тебя займет. Ты ведь уже писала песни, но поскольку ты не член общества авторских прав, то ты не можешь их подписывать, и поэтому ничего за них не получаешь. Вступи в SACEM, и твои права будут охраняться.

— Ты сошел с ума, Анри. Никогда мне не выдержать экзамена!

Тут уж я насела, и, как Эдит ни сопротивлялась, все-таки она туда пошла. «Я подала заявление, Момона, до чего же у них все серьезно поставлено! С ними не соскучишься. Чтобы быть допущенным к экзаменам, нужно представить метрику, справку об отсутствии судимости, фотографию и пройти еще довольно занятное испытание: написать прямо с ходу на заданную тему песню в три куплета: *я просто умираю от страха*».

В начале 1944 года Гассион Эдит, известную под именем Эдит Пиаф, вызвали на экзамен. «Ничего не получится, Момона, я никогда в жизни не сдавала экзаменов. Я обязательно провалюсь. И все эти бородачи будут меня судить...». (Ей казалось, что судьи и профессора обязательно носят бороды, а она их терпеть не могла.)

За час до экзамена, буквально не помня себя от страха, она все же отправилась на улицу Балю в SACEM. В маленькой комнате одна перед листком белой бумаги, на котором была написана ее тема: «Вокзальная улица», Эдит совершенно растерялась.

«Момона, листок бумаги плыл у меня перед глазами, а слова «Вокзальная улица» мелькали, как мухи, не вызывая никаких мыслей. Чего они от меня хотели с этой дурацкой улицей? Мне пришли в голову такие слова:

На Вокзальной улице
Девушка заблудилась.
Она потеряла свое сердце,
А с ним — свое счастье.

Ничего глупее нельзя было придумать! Я не могла написать больше ни одного слова и, разумеется, забыла думать об орфографии. В голове у меня все смешалось. Я вышла оттуда не помня себя и того, что я там написала! И с отчаянной головной болью».

Затея провалилась.

Луи Барье вошел в жизнь Эдит удачней, чем кто-либо другой.

И он остался с ней до конца. Это был поразительный человек. Достаточно рассказать, как он появился. Портье отеля позвонил однажды к нам в номер и сказал Эдит:

— Здесь некто мсье Луи Барье. Он хочет вас видеть.

— Хорошо. Иду. — Она повесила трубку. — Ты знаешь такого — Луи Барье, Момона?

— Нет, не имею представления.

К нам приходило тогда не так много людей. Мы сбежали вниз по лестнице и увидели в вестибюле у входной двери высокого симпатичного блондина: одной рукой он придерживал велосипед, на брюках у него были велосипедные зажимы. Он стоял и ждал очень спокойно. «Видите, какое дело, мадам Пиаф, я пришел к вам, потому что я импресарио». Мы посмотрели друг на друга и расхохотались. Уже десять лет как мы ждали импресарио, представляя его себе в «Роллс-Ройсе» и с сигарой в зубах, а он явился на велосипеде и с подколотыми брюками... Это было до того забавно, что не могло не принести удачи. У него не было никаких рекомендаций, ничего, кроме честного, открытого лица. Луи понравился Эдит.

«Я хотел бы заняться вашими делами. Я знаю, что у вас никого нет. Возле вас нет мужчины, который защищал бы ваши интересы. У вас никогда не было импресарио. Сейчас он вам необходим. Вы больше не можете без него обходиться. Вы вступили на путь успеха, это удачный момент: я к вашим услугам. Располагайте мной».

Сказать такое, как раз тогда, когда нас несло под откос,— вот это характер! И какое чутье!..

«Я принимаю ваше предложение,— сказала ему Эдит,— вы мне нравитесь».

Они не подписали контракта, никакой даже самой маленькой бумажки. Им это было не нужно. Эдит всегда полностью доверяла Лулу. Он был ей предан, как сенбернар. И он был одним из немногих, кто никогда не обращался к ней на «ты». Он всегда выручал ее, а с Эдит часто бывало нелегко. Барье замечательно повел дела Эдит. В ее карьере он сыграл очень важную роль. Он был талантливым импресарио — Эдит это сразу же ощутила. В тот трудный период он сумел получить для нее контракт на две недели в «Мулен-Руж», который был тогда одним из лучших мюзик-холлов страны. Снова вернулись славные времена лихорадочной работы.

Периоду, который наступал, суждено было длиться долго. Эдит назвала его «фабрикой», потому что она сама стала формировать певцов. Открыла их серийное производство. Начала она с Ива Монтана. Лулу сказал как-то Эдит: «Больше вам не будут навязывать актеров. Теперь право выбора за вами. Для концертов в «Мулен-Руж» вам предлагают Ива Монтана». — «Нет. Я о нем не имею представления... Я хочу Роже Данна, оригинальный жанр. Это товарищ, его я знаю». Но Роже не было в Париже. И никого нельзя было пригласить из провинции, все стало слишком сложно. Дело происходило за месяц до Освобождения.

«Ну ладно,— сказала Эдит.— Назначьте прослушивание вашему Иву Монтану. Я приду».

Сидя в глубине зала «Мулен-Ружа», Эдит ждала. На сцену вышел крупный темноволосый парень, по типу итальянец, красивый, но безвкусно одетый: куртка в немыслимо яркую клетку, маленькая шляпа, наподобие шляпы Шарля Трене. В довершение всего он стал петь старые американские и псевдотехасские песенки, подражая Жоржу Ульмеру и

235

Шарлю Трене. До чего же это было плохо! Я следила за Эдит, будучи уверена, что она не досидит до конца.

Спев три песни, он вышел на авансцену и вызывающе спросил: «Ну что, продолжать или хватит?»

«Хватит,— крикнула Эдит,— подожди меня».

Я была уверена, что он сейчас взорвется. Эдит знала, что он злится на нее за это прослушивание и что он, не стесняясь, говорил о ней так: «реалистическая песня в уличном исполнении», «скука смертная» и т. п. Забавно было смотреть на них издалека: он стоял на краю сцены, она — внизу, такая маленькая, что ее нос не доставал до его колен. Он счел унизительным для себя нагнуться к ней. Но Эдит не собиралась вести с ним длинной беседы: «Если хочешь петь в моей программе, приходи через час ко мне в отель «Альсина».

Ив задохнулся, побелел от бешенства. Однако через час в комнате отеля «Альсина» сдался на милость победителя. Эдит не стала надевать белых перчаток.

— Для краткости начнем с твоих достоинств. Ты красив, хорошо смотришься на сцене, руки выразительные, голос хороший, приятный, низкий. Женщины по тебе будут сходить с ума. Ты хочешь выглядеть и выглядишь умным. Но все остальное — нуль. Костюм дурацкий, годится для цирка. Жуткий марсельский акцент, жестикулируешь, как марионетка. Репертуар не подходит совершенно. Твои песни вульгарны, твой американский жанр — насмешка.

— Он нравится! Я с ним добился успеха.

— В Марселе! Там уже четыре года ничего не видели. А в Париже публика рада, когда пародируют оккупантов. Здесь аплодируют не тебе, а американцам. Но когда американцы будут здесь, рядом с ними ты будешь выглядеть как придурок. Ты уже вышел из моды.

Пытаясь подавить злость, Ив даже скрипел зубами. Эдит внутренне веселилась.

— Спасибо, мадам Пиаф. Я понял. Я вам не подхожу.

— Опять не угадал. Подходишь, и я не хочу помешать тебе заработать на жизнь. Две недели в программе с тобой пройдут быстро.

Ив был уже не в состоянии сдерживаться. Он хотел бы вылететь из комнаты, не открыв больше рта, но Эдит остановила его.

— Подожди, я не кончила. Я не сказала самого главного. Я уверена, что ты певец, настоящий певец. Я готова заняться тобой. Если ты будешь меня слушать, доверишься мне, ты станешь самым великим.

Он ответил ей: «Благодарю!» — и ушел, хлопнув дверью. Я была ошеломлена. Все продолжалось менее четверти часа. За это время передо мной предстала женщина, о существовании которой я не подозревала. Как она разобрала его по косточкам! С какой уверенностью она выделила лучшее, что в нем было, отбросив смешное, фальшивое и вульгарное. Я в себя не могла прийти. Эдит всегда меня удивляла, но до такой степени еще ни разу.

Когда Ив бывал у нас, в комнате совсем не оставалось свободного места. Его метр восемьдесят семь роста и восемьдесят два килограмма веса занимали все пространство. Он стоял перед ней одновременно покорный и своенравный, наморщив лоб, и был похож на щенка, который не понимает, что от него хотят. У меня он вызывал нежность. Он боялся выглядеть глупым, но все-таки им выглядел, и мне таким нравился.

Мы тотчас же подружились. Он не был похож на тех, кого мы знали раньше. Он был как глоток чистого воздуха. Как молодой волк на пороге жизни, полный сил, с длинными и крепкими мышцами. Его улыбка, честная и открытая, сразу покоряла. Он все время смеялся, и нам казалось, что все вокруг залито солнцем.

После урока мы вышли из отеля. Мы шли рядом по улице Жюно. Он наподдал камешек ботинком не менее сорок шестого размера! Остановился, засунув руки в карманы, и сказал мне очень серьезно: «Мне кажется, я могу ей полностью доверять. Я буду работать до седьмого пота».

Слова не разошлись с делом. Через две недели даже со своими неудачными песнями Ив очень многого добился. Надо правду сказать, что уроки он теперь брал на дому. Он перебрался к нам. Эдит влюбилась в него по уши. Лишний раз я убедилась в том, что у нее хороший вкус и что она умеет выбирать мужчин. Ив и сейчас все еще красив, а в двадцать два года вместе с ним в комнату, казалось, входило солнце. Любовь не мешала Эдит заставлять его работать в поте лица. Для нее не было мелочей. Она решила, что он должен быстро добиться успеха, она не могла ошибаться! Поскольку в работе она была неутомима, занятия продолжались часами. Бывали дни, когда она могла довести до белого каления. В таких случаях мы с Ивом переглядывались, нам хотелось сбежать. Но об этом не могло быть и речи; она нас крепко держала в своих маленьких ручках. «Момона, не отвлекай его или уйди. Когда он кончит, я отпущу вас прогуляться на часок».

Это было совершенно необходимо: комната была слишком мала, а Эдит не любила, чтобы открывали окна. После получаса занятий Ив своими атлетическими легкими выкачивал весь воздух.

О том, чтобы отпустить его на прогулку одного, не было и речи. Он не имел на это права. Его должна была сопровождать я. Не то чтобы Эдит ему не доверяла, она принимала меры предосторожности. «В нем жизнь бьет ключом, Момона. Его нельзя выпускать одного на природу». Я начинала думать, что ему надоест, если я буду всюду таскаться за ним. Несмотря на улыбку, которая не сходила с его лица, он был не из тех, кто позволяет надеть на себя ошейник и держать на привязи.

Работали они оба, как одержимые. Один заводил другого. Ив вкалывал не жалея сил, а терпения у него было на двоих. Еще не успев ничему научиться, он уже наседал на Эдит:

— Согласен, Эдит, мне нужен новый репертуар. Но где ты найдешь песни для меня? К кому ты думаешь обратиться?

— Не беспокойся, любовь моя. Все в порядке. Я уже обратилась.

— Как? Уже? К кому? Я имею право знать.

У него тоже был нелегкий характер. Каждый из них был личностью, и оба друг друга стоили. Да, нам предстояли веселые деньки! Когда Эдит надоедали его расспросы, она обрывала: «Ты мне веришь или нет?»

Эту фразу мне предстояло слышать бесконечное множество раз. Они готовы были схватиться по любому поводу. Эдит любила, чтобы вокруг все кипело, так она понимала жизнь. В лице Ива она обрела прекрасного партнера. Он всегда был готов к бою.

Я знала, что она ему солгала: она еще и не начинала ничего искать для него.

«Понимаешь, Момона, я еще ничего не знаю о его жизни. Человек может хорошо петь только о том, что его держит за живое, о том, что приносит ему радость или боль. Ив вообразил себя ковбоем, но это бредни мальчишки, насмотревшегося американских фильмов. У него голова забита старыми довоенными вестернами. Честное слово, он думает, что он — Зорро! Мне нужно, чтобы он подробно рассказал о себе. Мне нужно знать, о чем он думал, когда его руки были заняты работой или когда он гулял по городу. О девчонке? О поездке за город? О пении? Ив нормальный парень. Все другие должны узнавать себя в нем. Значит, у него должны быть такие же желания, как у них. А старше двенадцати лет немногие мечтают скакать на кляче по горам и долам американского Запада! Я примерно уже представляю себе его жанр, но должна быть в нем абсолютно уверена».

Эдит говорила, а мне казалось, что я слышу Реймона Ассо, когда он занимался с ней в нашей комнатке на Пигаль.

«Момона, ты будешь его слушать вместе со мной».

В течение нескольких вечеров мы слушали Ива. Великолепный театр! Он прекрасно рассказывал. На сцене его жесты были неудачны, но в жизни — точны, совершенны. Я знала, что Эдит, как и я, думала: «Как прекрасно владеет своим телом, собака!»

«Ты ведь знаешь, что я итальянец, макаронник. Родился в пятидесяти километрах от Флоренции, в маленькой деревушке, в октябре 1921 года. Мама назвала меня Иво. Фамилия моего отца — Ливи. Когда я появился на свет, у меня уже были брат и сестра. Родители говорили, что жизнь была тогда очень трудной: нищета, безработица. В 1923 году, когда отец со всеми нами сбежал во Францию, мне было всего два года. Ему не нравился фашизм. Он боялся, как бы его сыновей не забрали силой в отряды Балилла (отряды Балилла — фашистская молодежная воспитательная организация, созданная в 1926 г.): «Мои сыновья не будут ходить в черных рубашках, они не будут носить траур по Италии...» Он был прав. Италия черных рубашек была страной, заранее надевшей траур по своим детям.

Мы задержались в Марселе. У нас не осталось ни гроша, и дальше ехать было не на что. Временно... Отец хотел эмигрировать в Америку... Знаешь, ведь для итальянцев это земля обетованная, где можно нажить состояние. В Италии у всех есть хоть один родственник, который написал оттуда, что разбогател. На чем, как и правда ли это, никто не знает, но верят на слово. Это помогает жить.

Ты надо мной смеешься за то, что я подражаю американцам, но всю жизнь я только и слышал, что эта страна — рай. Когда нам было совсем плохо, отец говорил: «Вот увидите, в Америке...» И все мы принимались мечтать.

Мама откладывала каждый грош, чтобы можно было ехать дальше. Но при первых же трудностях, которые сваливались на семью Ливи, мы снова оставались без денег. Тем хуже. В нашей семье все закаленные, упрямые, и мы снова начинали копить. Долго вносил свою лепту и я. Но однажды я понял, что это неосуществимо, что мы никогда никуда не уедем, что, живя в нищете, просто тешимся этой мечтой. И выбыл из игры.

— Когда ты был мальчишкой, ты шатался по улицам?

— Мне не разрешали, я ходил в школу, и обратно мама всегда меня поджидала. Она строго следила, чтобы я нигде не болтался. Французы думают, что раз в Италии много солнца, дети там лентяи, целыми днями гоняют по улицам. Это неправда. У нас жизнь очень суровая, особенно на севере. Есть очень много вещей, с которыми в итальянских семьях не шутят. В первую очередь это работа и честь женщин и девушек. Если мальчику так повезло, что он может ходить в школу, он не должен сбиваться с пути истинного. У нас свято верят, что образование означает возможность есть досыта и кормить семью. У нас очень сильно развиты родственные чувства.

— Значит, ты ходил в школу?

— Да. Я неплохо учился. Что-то мне нравилось больше, что-то меньше. Помню, один из преподавателей, выставив мне оценку за семестр, записал в дневнике: «Мальчик умный, но недисциплинированный. Строит из себя шута, изображая героев американских мультфильмов!» Как мне тогда от отца влетело!»

Ни Эдит, ни я не могли представить себе жизнь Ива. Он был домашним ребенком. С этой породой мы еще не встречались. Эдит раздражалась, приставала с вопросами:

«Подумать только, ты не был знаком с улицей! Но как же так? В Марселе улица, наверно, как праздник! Звуки, краски, запахи... Она должна манить, опьянять. Я бы не устояла.

— Я наверстал позднее, когда ушел из школы. Отцу было слишком тяжело, он кормил троих детей и жену. Поэтому с пятнадцати лет я пошел работать. Кем только я не был! Гарсоном в кафе, учеником бармена, рабочим на макаронной фабрике (рай для итальянца!), а поскольку моя сестра работала парикмахершей, стал даже дамским мастером. Представляешь?

Он хохотал и начинал изображать парикмахера, делал вид, что крутит в руке щипцы, завивает локоны. Его улыбка изменилась, сделалась слащавой. Я смеялась, но Эдит впивалась в него глазами. Я понимала, что она работает...

— Повтори этот жест, Ив, он очень хорош.

— Если ты ради этого выспрашиваешь меня о моей жизни, я больше не буду рассказывать.

Эдит была умна, она сразу уступала.

— Любимый, ты с ума сошел! Я люблю тебя... Поцелуй меня...

После антракта она снова возвращалась к прерванному рассказу. Она не сдавалась.

— А где же среди всего этого пение?

— А вот где! Я вкалывал не только ради куска хлеба, но и ради свободы, ради права делать то, что я хочу. Все остававшиеся деньги я тратил на пластинки Мориса Шевалье и Шарля Трене. Я умирал от желания стать такими, как они. Для меня они были самыми великими! Я знал наизусть все их песни. Я ходил их слушать, когда они приезжали в Марсель. Дома перед зеркалом я копировал их жесты. Я работал так часами и был счастлив. И вдруг однажды мне удалось спеть в одной забегаловке на окраине. Для меня это был «Альказар» («Альказар» — старейший французский мюзик-холл; он был основан в 1852 году.) Именно в этом кабачке мне пришлось изменить фамилию. «Иво Ливи,— сказал мне хозяин,— это плохо. Слишком типично и не звучит».

Интересно, как я себе придумал псевдоним. Когда я был маленьким,— помнишь, я тебе рассказывал,— мама не любила, чтобы я околачивался на улице. Она плохо говорила по-французски и кричала мне в окно по-итальянски: «Ivo, monta! ... Ivo, monta!...» Я вспомнил об этом, взял французское имя, а monta* превратил в Монтана.

Я выступал сначала в маленьких третьесортных залах, потом во второсортных и, наконец, добрался до «Альказара». Его хозяин — Эмиль Одифред. Ему я обязан началом своей карьеры. Он ко мне великолепно относился. Он говорил: «Вот увидишь, сынок, в Марселе тебя ждет мировая слава». И мы оба смеялись. Но в первый вечер меня колотило от страха... Когда в Марселе люди идут в театр, они несут с собой автомобильные гудки, помидоры, тухлые яйца с намерением пустить их в дело, если что-то не понравится. Со мной все прошло отлично, даже устроили овацию. Но овациями сыт не будешь! Однако имя мое в Марселе знают. Вернись я туда хоть завтра, увидишь, как меня встретят!

Война все поломала. Я стал рабочим-металлистом, точнее, формовщиком. Это очень вредно для легких. Мне выдавали три литра молока в день. Потом я стал докером.

— Наверно, молока не любил.

— Любил, но на заводе рабочий день от и до, пробиваешь карточку в проходной. У докеров более свободный распорядок. Я мог петь и не бояться, что меня вышибут с работы.

Я прекрасно понимал, что в Марселе настоящей карьеры не сделать, поэтому все бросил и подался в Париж. И мне повезло. В феврале 1944 года я выступил в «АВС».

— Интересно, мы могли там с тобой встретиться. Ну и как? Успешно?

_____

* Monta (*ит.*) — поднимайся.

— Не очень. Галерка назвала меня стилягой из-за моей куртки!

— А с февраля до августа что ты делал?

— Выступал в кино, брался за все, что попадалось под руку, но главным образом голодал, как последний пес.— Ив широким, уже «пиафовским», жестом разводил руками.— Как видишь, жизнь у меня была нелегкая. Жизнь у меня была трудная».

Мы с Эдит переглянулись. Воспоминания нахлынули на нас. «Трудная жизнь»... Мы знали, что это такое. Но мы и не мечтали о школе до пятнадцати лет, о маме, которая запрещает шляться по улицам, о папе, который работает, о настоящей семье... Это было не про нас.

Воспоминания детства Ива, которого мы считали родным и близким, неожиданно отдалили его. Но все, что было позднее, нас сближало. У Эдит были те же чаяния: имя на афише, сцена, поднимающийся занавес, свет рампы, успех. Да, они все-таки были одной породы: обоих снедало стремление добиться большего, чем другие, оба были объяты яростной жаждой жизни и победы.

Когда они сходились лицом к лицу, я гадала, кто кого съест. Но пока Ив был смирным. Он любил Эдит и ждал от нее всего. Но так не могло продолжаться вечно!

С Ивом Эдит вступила в область неизведанного. Она открыла в себе способности, о которых раньше не подозревала: талант создавать «звезд». Это пьянило сильнее вина. По прошествии нескольких дней она решила, что теперь ей о нем известно достаточно.

В течение нескольких дней нам было не до песен... Август сорок четвертого. После высадки в Нормандии в июне воинские части проделали большой путь по дорогам Франции, и у парижан, ожидавших вступления в город генерала Леклерка во главе Второй бронетанковой дивизии, температура поднялась до 40 градусов.

Немецкая армия бежала, ее сдувало как ветром. Полное поражение. Парижане назвали это «зеленый понос». На рукавах участников французского Сопротивления, старых, молодых и совсем юных, расцвели трехцветные повязки. Дым пороха пьянил. В Париже наконец запахло победой. Повсюду красовались флаги.

Эдит ждала вступления частей генерала Леклерка, как дети ждут парада 14 июля. Для нее он был освободителем. Де Голль ее не интересовал. Она говорила: «Это политик. Он — не настоящий генерал. Он не марширует впереди своих солдат!»

В тот день, когда де Голль прошел от Триумфальной арки в Собор Парижской Богоматери слушать мессу, Эдит не могла усидеть дома. Ива с нами не было. Он, по-моему, был с отрядами внутренних сил Сопротивления. В эти дни все мужчины уходили из дома за новостями. И, воспользовавшись свободой, мы пешком, как в доброе старое время, когда пели на улицах, спустились с Монмартра к площади Этуаль.

«Пойдем, Момона, я хочу видеть Леклерка. Я хочу обнять этого человека».

Ах, какой это был прекрасный день! Как все любили друг друга! У Триумфальной арки мы только издали сумели увидеть рыжеватую голову генерала де Голля. Леклерка не было в помине. Но сколько было народу! Люди взбирались на танки; они назывались: «Лотарингия», «Эльзас», «Бельфор». Это были наши французские названия.

Как все женщины, мы целовали моряков, солдат в красных беретах, в черных, всяких. Они не знали, что целовали Эдит Пиаф, но она им очень нравилась. Мы бы с радостью остались с ними.

Возвращаясь домой, Эдит сказала: «У меня сердце переворачивается, как подумаю, что еще совсем недавно я видела французских солдат в лохмотьях за колючей проволокой. Сегодня наши ребята были такими, как когда-то». Как все артисты, выступавшие во время оккупации, Эдит должна была предстать перед Комитетом по чистке. У нее не возникло никаких осложнений. Мы снова начали жить, но теперь дышалось легко.

Работа возобновилась. Эдит встречалась с Анри Конте, но вне дома. Она не забыла, как Ив раздавил в руке стакан, однако это не заставило ее отступиться от принятого решения.

«У меня не ладится с Анри. Он не хочет работать для Ива. Как смешно, теперь, когда между нами все давно кончено, он ревнует! Только этого мне не хватало!»

В конце концов он сдался. Она добилась того, чего хотела. «Ну, все в порядке, Момона. У меня есть песни для Ива! Анри написал их вместе с Жаном Гиго. «Джо-боксер» — история боксера, которому не повезло, он ослеп. В песне «Полосатый жилет» говорится о слуге из отеля, который попадает на каторгу. У меня есть также песня «Этот самый человек» — история слабого человека, который не может справиться с жизнью и кончает самоубийством. И еще «Луна-парк» — о рабочем с завода Пюто, который бывает счастлив только в «Луна-парке». Теперь больше не будем работать впустую. Пора засучить рукава! Ив! Скорей!»

Ив спокойно спал в соседней комнате. Он появился в проеме двери, как портрет в раме. До чего же он был красив, негодяй: обнаженный торс, широкие плечи, узкие бедра, плоский живот... Я понимала Эдит.

«Послушай, Ив». И она напела ему одну за другой все песни. «Как здорово! Спеть такое, это же потрясающе! Кто их написал?» — «Жан Гиго и Анри Конте».

Ив набрал воздуха в легкие, потом выдохнул и процедил: «Твоя взяла». Сдерживаемое бешенство говорило о многом. «Теперь, любовь моя, возьмемся за работу».

И они ушли в нее с головой.

На сцене у Ива уже не было акцента, но в жизни, как только он переставал следить за собой, акцент появлялся. Эдит говорила ему: «Внимание, Ив, опять от тебя запахло чесноком!»

Петь он умел. С этим все было в порядке. У него был очень красивый, от природы хорошо поставленный голос. Но песни нуждались в режиссуре, а главное, еще надо было работать над жестом. Ив успел приобрести дурные навыки. Эдит билась с ним часами. Пот тек по его лицу, но он не просил передышки. Он был единственным, кто мог работать так же исступленно, как Эдит. Это продолжалось по пятнадцать часов кряду. У всех окружающих давно уже было темно в глазах. Пианист играл, как заводная кукла. Но эти двое были одержимы.

— Нет, Ив. Начало не годится. Что толку молотить кулаками в пустоту! Нужен один удар, но такой, чтобы публика увидела весь матч. Встань в стойку, и уже будет ясно, что ты не рыболов! Не суетись. Ну, давай. Со слов: «Это имя...»

Это имя забыто теперь...
Силуэт жалкой склоненной фигурки,
Опирающейся на белую палку...

— Плохо! Ты выглядишь как старый маразматик. А слепой Джо — все еще мужчина. Он сломлен только потому, что потерял зрение. Что и требуется показать. Двигайся точнее. Твои герои карикатурны.

— Отстань от меня,— отвечал Ив.

Но на следующий день он отрабатывал эти движения перед зеркалом, чего Эдит терпеть не могла. Это противоречило ее принципам. А Ив не мог иначе, он привык так работать. Самое смешное, что он не видел себя во весь рост в зеркальце шкафа, комната была слишком мала. Ему приходилось становиться в профиль в дверях ванной. Он никогда не видел себя и в фас. Поэтому, когда мы с ним вдвоем бродили по улицам, он украдкой проделывал свои жесты, останавливаясь перед витринами.

Чтобы дополнить концертную программу Ива, Эдит написала для него две песни.

— Видишь, для тебя я написала свои первые песни о любви: «У нее такие глаза...»

У нее такие глаза —
Чудо!
И руки —
Для моего пробуждения.
И смех —
Для того, чтобы меня соблазнить.
И песни,
Ла-ла-ла-ла... У нее столько всего...
Розового цвета...
И все для меня...
То есть, я так думаю...

И вторую песню — «Что же это со мной?»

> Что же это со мной?
> Почему я так сильно люблю,
> Что мне хочется кричать
> Со всех крыш:
> «Она моя!»
> Если бы я так делал, я бы выглядел сумасшедшим.
> Это ненормально,—
> Вы мне скажете,—
> Так любить — это нужно сойти с ума!

Он все же оставил в своем репертуаре несколько американских песен, таких, как «На равнинах Дальнего Запада». «Без них, Эдит, публика меня не узнает!» Итак, репертуар у Ива был! Сделано самое главное, но не самое трудное.

«Теперь, Ив, нужно обкатать программу на публике. Не волнуйся. Ты готов! Только не забывай, что в зрительном зале сидят и мужчины и женщины. Нужно понравиться мужчинам, чтобы они увидели в тебе того, кем сами хотели бы быть. Что касается женщин, то с твоей наружностью осечки не будет. Пока ты поешь, все они тебе отдадутся. Но смотри, не до конца программы. В последней песне будь сентиментален. И тогда мужчина возьмет за руку свою подругу. Они будут счастливы. Ведь не ты, а он поведет ее в постель. Когда их два сердца сольются, ты получишь в награду самые ценные аплодисменты. Ты увидишь, как прекрасна жизнь в те дни, когда публика талантлива».

Был еще только сентябрь 1944-го. За два месяца Эдит создала нового Монтана. Теперь, слушая Ива, я видела, что он стал совсем другим. Как и Пиаф, он переворачивал душу. Его жесты потрясали. В коричневой рубашке и брюках он перевоплощался во всех мужчин, о которых пел. Вы в это верили. Вы столбенели от прямого попадания; вы получали удар и говорили: «Еще!» Да, мальчик из «Мулен-Ружа» остался далеко позади. Нужно знать эту профессию, чтобы оценить, какую они проделали работу. Я одинаково восхищалась обоими.

Эдит велела Лулу Барье включить Ива в турне по Франции, которое она собиралась совершить.

Первым городом в их турне был Орлеан. Эдит сказала мне: «Иди в зал и будь там, пока он будет петь! Потом все мне расскажешь!» Приятная миссия!

Когда поднялся занавес, Ив вышел на сцену, его внешность понравилась. Он держался очень просто и выглядел таким сильным, что казалось, вот-вот достанет до неба и коснется звезд рукой! Сила всегда нравится публике. Но что-то мешало... Я чувствовала, что не хватает чего-то очень малого, но не понимала чего. Успех был средний. Достаточно было увидеть их в одном концерте, как сразу становилось ясно, что Ив — ученик Эдит. Он так же раскатывал «р», так же использовал свет. И освещение было похожим. Главным же была очень «пиафовская» жестикуляция. Я это заметила еще во время репетиций, но на публике это особенно бросалось в глаза. Вечером, после концерта, он был на пределе. Она также.

Успех Ива был очень неровным. Каждый вечер меня колотило от страха. Днем Ив смотрел на всех злобным взглядом. Он вновь и вновь все прокручивал в голове, стремясь понять, в чем загвоздка.

В Марселе мы должны были выступать в «Варьете», и я опять дрожала от страха. Днем Эдит репетировала с Ивом в исступленном азарте. Оба друг друга стоили. И если Эдит не кричала: «Повтори!» — то повторять хотел сам Ив.

Вечером она пошла вместе со мной в глубину зала. Она крепко сжимала мне руку. Мы боялись больше, чем он сам. Когда Ив вышел, зрители зааплодировали. Но это еще ничего не значило: его приветствовали как земляка. Из-за этого они, наоборот, будут к нему более придирчивы. На первой же песне пальцы Эдит впились в мою руку. Мы поняли его не приняли. Здесь его знали и любили за американские песни. Нового Монтана зрители не понимали. Еще немного и его бы освистали. Случилось хуже — они остались холодны. Это марсельцы-то!

Ив ждал нас в гримерной, сидя на хромоногом стуле. «Ты их видела, Эдит? Подумать только, ведь они меня носили на руках!»

Увидев отражение своей катастрофы на наших лицах, он расхохотался раскатистым, здоровым смехом великана: «Мне плевать, Эдит, родная, любовь моя. Когда приеду в следующий раз, они мне устроят овацию и не отпустят со сцены. А пока у меня для тебя сюрприз: ужинаем у моих родителей».

До чего же мне понравилась маленькая кухонька в квартире Ливи, в которую врывался уличный шум Марселя! А семья Ива! Какие славные люди! Когда Ив представлял Эдит, он сказал: «Моя невеста». У нее были слезы на глазах. Счастье иметь такую семью!

На следующий день Эдит сказала мне слова, которые перевернули мне душу: «Момона, вчера, когда я глядела на Ива, мне хотелось быть нетронутой девушкой». Ив хотел жениться. Он все время говорил: «Эдит, давай поженимся. Я хочу, чтобы ты была моей женой». Я считаю, что они не поженились только потому, что Ив неудачно брался за дело. Он заговаривал об этом в неподходящие моменты. Либо на людях, либо за едой, либо когда Эдит пила и ей хотелось подурачиться. А Ив становился сентиментальным, чего она на дух не выносила. Четверть часа неясных слов, букетик цветов — для Эдит было более чем достаточно. Мужчину, у которого навертывались слезы на глаза, она не воспринимала.

В Иве она любила силу, задор, молодость. Между ними не было большой разницы в возрасте. Но она уже прожила так много, а он еще так мало!

Возвращаясь на рассвете, Эдит заходила в ванную комнату, расчесывала волосы, делала разные прически, рассматривала себя в зеркало и удовлетворенно говорила: «Ну что же, не так уж плохо. Не хуже других…»

К фигуре своей она относилась без снисхождения и, оглядывая себя, философски замечала: «Да — не Венера. Никуда не денешься: было в употреблении!»

Она часто говорила о том, что ее раздражало в своей фигуре: «Грудь висит, жопа низко, а ягодиц кот наплакал. Не первой свежести. Но для мужика это еще подарок!» И ложи-

было что-то исключительное. Как и все, что она делала, она смеялась громче, чем все остальные. «Как меня Ив обожает! А я, Момона, от него без ума!»

Наверно, так оно и было. Одному ему она ни разу не изменила.

Глава 10

ЖИЗНЬ В РОЗОВОМ СВЕТЕ

Во время оккупации Марселю Блистэну пришла мысль снять фильм с Эдит. Он сказал ей об этом, и она ответила: «Великолепная задумка. Клянусь, мы сделаем такой фильм». Но тогда об этом не могло быть и речи, Блистэн скрывался. В декабре 1944 года снова возник с уже готовым сюжетом. Он очень прост и сделан будто по мерке Эдит: известная певица встречает парня, она его любит, делает из него человека, а потом уходит от него и остается одна.

Эдит прочла сценарий и рассмеялась: «Ну, Марсель, не так хорошо, как здорово! Ты предсказал будущее. Я согласна у тебя сниматься, но при условии — возьмешь Ива Монтана», Блистэн не возражал, но продюсеру это имя ничего не говорило. Его сомнения можно было понять, ведь деньги-то вкладывал он. Афиша с именами Эдит Пиаф и Ива Монтана не вызывала желания бежать в кино со всех ног.

Но когда Эдит чего-нибудь хотела, она умела взяться за дело. Пятнадцатого января 1945 года она устраивает для продюсера коктейль в клубе «Мейфер» на бульваре Сен-Мишель, где каждый вечер выступает Ив. Ив поет. Блистэн просит Эдит спеть одну из ее песен. Все было условлено заранее. Эдит заставляет себя просить. «Ну, хорошо, только одну, для тебя...». Она поет, и потрясенный финансист говорит Марселю: «Эта женщина гениальна, а у Монтана очень хорошие внешние данные. Я согласен».

Так решилась судьба фильма «Безымянная звезда». Вместе с Эдит снимались Марсель Эрран, Жюль Бери и два дебютанта: Серж Режиани и Ив Монтан.

Несколько лет спустя Ив сказал: «Я всем обязан Эдит». Он говорил истинную правду.

Хотя у Ива был аппетит людоеда, готового все проглотить, в жизни ему не хватало уверенности в себе. На кинопробах он выглядел бледно. «Не волнуйся. Ты создан для кино, у тебя врожденный талант. Ты далеко пойдешь».— Лишний раз Эдит предсказала будущее.

После Освобождения в нашей жизни снова появилась Гит, Маргерит Монно. Она полюбила Ива. «Он столь же красив, сколь талантлив»,— говорила она. Эдит это было приятно. Когда она рассказывала Гит о своих любовных увлечениях, та всегда находила их чудесными, казалось, еще немного, и она положит их на музыку.

Эдит преследовала одна мысль, но она стеснялась сказать об этом Гит. Все же она решилась: «Я едва осмеливаюсь сказать об этом именно тебе, но когда у меня рождаются слова песни, я слышу и музыку. Все приходит одновременно, понимаешь? Как ты думаешь, не попробовать ли мне сочинить крошечную мелодию?»

Нужно было быть такой тактичной, как Гит, чтобы Эдит не замкнулась в себе. Ведь она не имела никакого представления о сольфеджио! Сказать это такому композитору, как Маргерит Монно: та могла подумать, что ее разыгрывают.

— Попробуй, Эдит, я тебе помогу.

— Ты не будешь издеваться надо мной? У меня в ушах все время звучит один мотив. Можно я тебе это сыграю?

— Давай.

И Эдит вот так, с ходу, сыграла нам мелодию, которая превратилась потом в «Жизнь в розовом свете».

— Я как-то не чувствую,— сказала Гит.

— Значит, тебе не нравится.

— А слова?

— Пока нет. Мне просто не давал покоя этот мотив.

— Тебе, во всяком случае, он не подходит, ты никогда не будешь это петь. Но ты должна продолжать. Почему бы тебе не сдать экзамен и вступить в SACEM как автору мелодий?

— Меня уже «завернули» как автора слов.

Гит засмеялась.

— Это не имеет значения. Я в первый раз тоже провалилась. А до меня Кристинэ, композитор, автор «Фи-фи»... да многие другие!

Маргерит Монно провалилась! Мы были поражены. И Эдит сразу приободрилась: «Попробую еще раз».

Вероятно, песне «Жизнь в розовом свете» было суждено судьбой появиться на свет. У Эдит была приятельница, певица Марианна Мишель, приехавшая из Марселя. У нее был покровитель, владелец неплохого кабаре на Елисейских полях, и у нее все складывалось удачно. Но, как обычно бывает с начинающими, у нее не было репертуара. Эдит время от времени встречалась с ней, и та постоянно ныла:

— Не могу найти хороших песен. Чтобы заявить о себе, нужен шлягер. Эдит, вы не могли бы написать для меня песню?

— Есть одна мелодия, которая не выходит у меня из головы. Она в вашем духе. Послушайте.

Эдит напела ей мотив, который перед этим сыграла Гит.

— Потрясающе. А слова?

— Подождите. Вот если так...

И Эдит, неожиданно взяв карандаш, написала:

Когда он меня обнимает,
Когда нашептывает мне на ухо,
Для меня все вещи — в розовом свете...

Марианне не очень понравилось.

Прокол. Но если у Эдит что-то не получалось, она обязательно старалась добиться успеха. Она не мирилась с неудачей. У нас был очень милый приятель, Луиджи, талантливый человек, хороший композитор, но неудачник. Эдит обратилась к нему. Из ее музыкальной фразы он сделал «Жизнь в розовом свете», и ему не пришлось об этом жалеть. Марианна Мишель исполнила ее, и песня получила во всем мире такой колоссальный успех, как никакая другая. Ее перевели на двенадцать языков. Особенно нас смешило, что ее поют по-японски. Эдит говорила мне: «А вдруг они поют: «Моя жизнь — это розовые рыбки?»

Ее включили в свой репертуар великие американцы Бинг Кросби и Луи Армстронг. А о них нельзя сказать, что они были поклонниками французской песни. Она служила связкой и звуковым фоном в фильме «Сабрина» с Одри Хэпберн, Хэмфри Богартом и Уильямом Холденом. В свое время в течение одного года было распродано более трех миллионов пластинок, она хорошо продается и сейчас. На Бродвее ночной клуб называется «Жизнь в розовом свете». Эта мелодия была невероятно популярна в Нью-Йорке. Мы с Эдит часто слышали, как ее насвистывали и напевали на улицах. Песня имела такой успех, что Эдит рвала на себе волосы: «Какой же я была идиоткой, что не спела ее!» Она ее исполнила, но спустя два года.

Дома (для нас место, где мы жили, всегда было «домом», будь то отели или меблированные квартиры; мы не делали разницы. Эта манера говорить всегда удивляла Ива. Он-то знал, что такое дом...) сердечные дела с Ивом шли все хуже. Что касается работы, она была на подъеме.

— Ты слишком влезаешь в кино, Ив. Ты говоришь, что оно приведет тебя в Америку. Но ты можешь туда попасть и с песнями. И кроме того, ты в любом случае добьешься успеха и в том и в другом. Сольный концерт в «Этуаль» сделает тебя единственным, самым значительным исполнителем французской песни.

Она хотела довести дело до конца, закрепить его успех. Ив был ее творением. Она не смешивала чувства с работой, даже если в личном плане у них не клеилось.

Перед концертом в «Этуаль» Ив утратил свой победный вид. Он уже не хвастался. Он репетировал, пока не валился с ног и не начинал хрипеть.

Каждый раз, когда ему казалось, что он сделал удачную находку, он кричал:

— Эдит, это годится, как, по-твоему?

— Хорошо, хорошо. Не останавливайся. Прогони мне всю программу.

Под конец Ив не выдержал:

— Я уже ничего не чувствую и ничего не понимаю. Я так боюсь...

Эдит подняла на него глаза. Нужно было видеть этот взгляд. В нем было все: удовлетворение, месть... Она повернулась ко мне и сказала:

— Видишь, Момона. Так создается артист.

Его качества труженика и бойца она особенно ценила. «Он весь отдается песне,— говорила она. Он еще будет диктовать ей свои законы». И вечером она прижималась к нему. Снова наступал прилив любви, рожденный лихорадкой творчества. Надо было иметь колоссальную смелость и силу, чтобы выступить в 1945 году с сольным концертом на сцене «Этуаль»,— два часа один на один с публикой, привыкшей к программе варьете. Даже Эдит Пиаф этого еще не делала. По-моему, до Ива с сольным концертом на сцене «Этуаль» выступал только Морис Шевалье. Да, Ив был отважен! Поэтому хотя мы и верили в него, но тряслись от страха. Как Эдит его опекала, как носилась с ним! Он взлетел соколом в поднебесье. Все было ради него. Анри Конте написал для него две новые песни: «Большой город» и «Он делает все». Утром в день премьеры Ив сказал:

— Эдит, я хотел бы тебя попросить кое о чем: ты не поставишь за меня свечку в церкви?

— Дурачок, уже поставила! И сейчас еще раз сходим с Момоной.

Мы, как всегда, поднялись на Монмартр в Сакре-Кёр и поставили свечку святой Терезе из Лизье. Это уже вошло в привычку...

Вечером, стоя перед «Этуаль», Эдит все-таки сказала Иву: «Теперь ты доволен? На афише только твое имя».

Концерт окончился, и зал, битком набитый снобами и профессионалами, пришедшими посмотреть, как будет сожран (а почему бы и нет?) отважный укротитель, стоя аплодировал и ревел: «Еще! Еще!»

Когда в последний раз дали занавес, Ив, уходя со сцены обнял Эдит и сказал: «Спасибо. Я тебе обязан всем».

Глядя из окна гримерной, как расходился с премьеры «весь Париж», Эдит сказала мне: «На этот раз все кончено Больше я ему не нужна». От этих слов веяло ледяным холодом одиночества.

Да, он больше не нуждался в Эдит, но она еще раз позаботилась о его будущем. В бар «Альсина» часто заходил Марсель Карне. Он очень любил поболтать с Эдит. На концерте Ива в «Этуаль» он заговорил с Эдит:

— У Монтана прекрасные внешние данные и редкое умение держаться.

— Не забудьте его имя. Он не только певец, он великолепный драматический актер и создан для кино.

Год спустя Ив снялся в главной роли с Натали Натье. в фильме Марселя Карне «Двери ночи», и это при том, что вначале предполагалось пригласить на эти роли Жана Габена и Марлен Дитрих.

Эдит работала очень много. Лулу не давал ей оставаться в простое. Ив по-прежнему ревновал и не хотел разлучаться, но уже ничего нельзя было сделать, у каждого были свои обязательства. Песня, которая их соединила, теперь все чаще разлучала.

Под Рождество у Эдит был концерт, мы с Ивом ее ждали. Не знаю почему, но нам было невесело. Мы сидели в ожидании. Чего? Эдит, разумеется, но за ней, мы это чувствовали, следовало еще что-то другое. К тому же мы с Эдит не любили эти праздники. Чтобы их любить, нужно отмечать их с детства. А это был не наш случай. Они были не про нашу честь. Мы смотрели на чужое счастье в витринах магазинов, наполненных игрушками и сладостями, в окнах ресторанов... Мы встретили Рождество втроем, очень мило. Эдит казалась еще очень влюбленной в Ива. Все было хорошо, но тут Ив допустил бестактность. «Этот праздник засчитаем за два, потому что на Новый год я поеду в Марсель к родителям». В тот момент все как будто сошло, но на следующий день Эдит кипела: «Представляешь, Момона! С утра до вечера клянется мне в любви, а семейка для него важнее. Что бы он ни говорил, я для него всегда буду на втором месте». И в ночь под Новый год мы остались одни. После концерта Эдит мы, никому не нужные, пошли на Монмартр в «Клуб пятерых».

«Пятеро» — это были пять ребят, сдружившихся в бронетанковой дивизии генерала Леклерка. Они создали нечто вроде очень шикарного частного клуба. Каждый вечер они приглашали к себе какую-нибудь знаменитость. Несколько раз обращались к Эдит, но у нее никогда не было времени. В тот вечер она мне сказала: «Не хочу оставаться в гостинице. Пойдем сходим к ним».

Мы попали как кур в ощип. Народу было мало, и — не везет, так уж не везет — никого знакомых. Одни, без мужчины, мы не вписывались в обстановку. Все кидались конфетти и бумажными шариками; от этого становилось еще тягостней. Нам надели бумажные головные уборы: Эдит получила матросский берет, я шляпу в стиле Директории. Мы были настолько растеряны, что даже не напились. Нам для этого всегда нужно было быть на подъеме, хотеть смеяться или уж быть в глубоком горе.

Нам ничего не хотелось. Мы были опустошены. В полночь мы поцеловались. Праздник прошел. Мы вступили в Новый год.

— Послушай, Момона, некоторые верят, что как начинается год, таким он и будет. Ну и смеху у нас будет в 1946 году!

Не скажу, сбылось ли это полностью, но начало года, во всяком случае, оказалось неудачным. Не прошло и трех дней после возвращения Ива, как они снова сцепились. В последний раз...

Глава 11

«БЕЛАЯ ГОЛУБКА ПРЕДМЕСТИЙ» ПОКОРЯЕТ АМЕРИКУ

Начинались «Великие годы Пиаф».

Пьер Луазеле, известный в то время критик Французского радио, писал: *«Большая голова, мертвенно-бледное лицо, голос, как бы промытый родниковой водой...»* — «Парень спятил,— говорила Эдит.— Разве у меня большая голова!» — *«Она выходит на сцену... Простенькое платье, лоб гения, волосы, как плохо наклеенный парик куклы, руки апостола... смиренные глаза — глаза нищенки... потерянный взгляд, как бы просящий защитить от шквала оваций... Девочка, заблудившаяся в лесу... лицо нежное и встревоженное...».*

Леон-Поль Фарг писал:

«*Она поет, потому что в ней живет песня, потому что в ней живет драма, потому что голос ее полон терзаний... Когда она рассказывает нам о торжестве любви, о жестокости судьбы, об обреченности поступков, о радости света, о роковых законах сердца, она поднимается до высших вибрирующих нот, до тонов чистых и светлых, как мазки божественной кисти на мрачных полотнах Гойи, Делакруа и Форэна...*»

Шарль Трене называл ее «белой голубкой предместий».

«*Пожалуй, не очень банальные слова, а? Как считаешь, Момона?*

Ты ведь знаешь Лулу? Командую я, но он все равно делает все по-своему. Изводит меня и заговаривает зубы до тех пор, пока я не скажу «да».

Так он отправил меня одну петь в Грецию, о чем я не жалею. Мне даже захотелось изменить свою жизнь и никогда оттуда не возвращаться... Вот бы тебе когда-нибудь тоже побывать там! Эта страна не похожа ни на какую другую. Трудно объяснить... Но там ты мыслишь иначе, чем здесь.

В Афинах, когда я увидела нагромождения древних камней, увидела Акрополь — это такое место, где много колонн, устремленных в небо,— я поняла, что на земле есть не только Сакре-Кёр... Поверь, захватывает дух. Тем более что со мной был парень, прекрасный, как бог!

Это удивительная история, именно такая, какие я люблю. Уже три дня, как я выступала в Афинах и каждый вечер в своей гримерной находила букет цветов. Никакой записки, никакой визитной карточки, ничего. Я подумала: «Наверное, какой-нибудь богач, старый и уродливый, боится показаться на глаза...» А он оказался красив, как Аполлон, и почти без денег! Он появился на четвертый вечер: черные кудри, темные глаза, и горд, как владетельный принц. Звали его Такис Менелас. Он был актером.

«Это я осмелился посылать вам цветы. Мне хотелось, чтобы они заговорили с вами раньше меня. Позвольте мне показать вам мою страну».

Страна! С кем! Об этом можно было только мечтать! В тот же вечер он повел меня к подножию Акрополя при све- те луны. Мы поднялись по тропинке. Воздух был напоен го- рячими запахами. Снизу, как звуки оркестра, доносился го- родской шум. Он стал мне рассказывать, что когда-то сре- ди этих величественных колонн бродили юноши, одетые в пеплум, его предки. Мне казалось, я их вижу! И он поцеловал меня... Какая прекрасная страна — Греция! Ты не можешь себе представить, как я любила его! Две недели... Хочешь не хочешь, я не могла там больше оставаться! За несколько дней до моего отъезда он перевернул мне всю душу, он умо- лял: «Останься. Не уезжай. Никогда мне тебя больше не уви- деть. Ты моя жизнь. Останься! Мы поженимся. Моя стра- на — страна богинь, а ты — богиня, ты — любовь...»

Он меня так потряс, что я подумала: а может, в кон- це концов это и есть настоящая жизнь — забыть все ради одного человека!.. На следующий день я опомнилась, получив телеграмму от Лулу: «Турне по Америке. Бостон, Филадель- фия, Нью-Йорк. С «Компаньонами». Ноябрь 1947». Я ему по- звонила по телефону: «Ты в своем уме?.. Америку мне не по- тянуть...»

Затем — ты меня знаешь — я сказала: «Ладно, поеду, пусть увидят, им это никогда не снилось».

После того как на меня свалилась Америка и вся свя- занная с ней подготовка, Такис оказался лишним.

Как я плакала, когда уезжала! В жизни у меня не было никого прекрасней, никого лучше... Я была уверена, что боль- ше мы не увидимся. Можешь себе представить, я встрети- ла его в Нью-Йорке. Он отказался от очень хорошего кон- тракта, чтобы вернуться на родину. Он был все так же красив».

Много лет спустя, когда Эдит была тяжело больна, и газе- ты сообщили, что у нее совсем не осталось денег, Такис прислал ей золотой медальон, который она ему подарила когда-то на счастье, и написал: «Тебе он сейчас нужнее, чем мне». Это произвело на Эдит большое впечатление. Она мне сказала: «Видишь, в тот раз я, наверное, прошла мимо на- стоящей, большой любви...»

258

Вернувшись из Греции, Эдит начала готовиться к поездке в США.

Четыре месяца в Нью-Йорке — это срок! В отеле жить невозможно. За тобой такая слежка, будто ты монахиня и дала обет девственности.

У одной моей приятельницы по Парижу, Ирэн де Требер, была двухкомнатная квартирка на Парк-авеню. Она мне ее уступила. Многие приходили ко мне провести вечерок, посмеяться. И все-таки я чувствовала себя одиноко. Ночи тянулись бесконечно...

У Эдит была исключительная власть над людьми. Она заставляла их выкладываться полностью. Они сами потом не верили своим глазам! Она всегда требовала большего... и получала!

И я прошла через это, как другие. Вам хотелось ей нравиться, хотелось, чтобы она вас любила. Для этого было одно средство — давать ей что-то. Не деньги, ей на них было наплевать (она сама их давала другим). Ей было важно, просто необходимо кем-то восхищаться. Я любила поражать Эдит в большом и малом.

В 1950 году я перенесла очень серьезную операцию. Врач сказал Эдит: «Ей нужен месяц на поправку». На тринадцатый день я встала. Эдит была рада меня видеть, но гораздо важнее для нее было то, что я была не похожа на других. Она мне говорила: «Ты — солдатик, Мамона!» Это была очень большая похвала. Она гордилась мной. Я всегда делала все, что делала она. Тридцать лет я пила кофе без сахара. Я этого терпеть не могу, но Эдит пила кофе без сахара, значит, и я тоже!

Наша дружба проявлялась в большом и малом. Невозможно объяснить словами такую долгую, такую безупречную привязанность. Это даже не дружба, это какое-то очень редкое чувство. Если вы его познали, все остальное по сравнению с ним кажется тусклым, бесцветным. От Эдит я могла все принять, и у меня еще оставалось ощущение, что я перед ней в долгу.

Американцы не могли понять Эдит. Она была для них слишком необычна. Они не представляли себе, что такое существует. Ее талант они сумели оценить только после циркового блефа Фишера, который объявил: «Увидите, что вам покажут!» Но она возвращалась после концерта, и дома ее никто не ждал. Женщина была одна. Когда она устраивала приемы, к ней приходили, чтобы увидеть «звезду». Тогда ее двухкомнатная квартирка была набита битком. Но уходил последний гость, выделывая ногами зигзаги, и все кончалось. Ей оставалось валиться в постель и спать. Они подружились с Марлен.

«Я никогда не встречала женщин умнее Марлен. Умных встречала, но умнее — нет! А красива! Как в кино! Каждый раз, когда я смотрела на нее, я вспоминала фильм «Голубой ангел», знаешь, то место, где она поет в черных чулках и цилиндре. Американки — те настоящие «звезды», они так совершенны, что невозможно себе представить, что они едят, как все прочие смертные. Когда Марлен мне сказала, что любит готовить и ее любимое блюдо — мясо с овощами, я подумала, что она надо мной смеется!

Мы часто ужинали вдвоем. Вначале я следила за собой, боялась опозориться, но она мне сказала: «Будьте сами собой, Эдит. Для меня вы — Париж, более того, вы — Панам. Должна вам сказать, что вы мне напоминаете Жана Габена. За столом вы держитесь, как он, говорите, как он. От вас, такой хрупкой внешне, исходит такая же сила, как от него».

То, что она сказала о Габене, произвело на меня впечатление — нелегко найти актера и мужчину лучше него. Однажды вечером, когда я, вероятно, напомнила ей ее Габена особенно сильно, она сняла золотой с изумрудами крестик, который носила на цепочке, и надела мне на шею. «Возьмите его, Эдит, я хочу, чтобы он принес вам счастье, как принес его мне. И потом, с вами он снова увидит Париж». У меня слезы навернулись на глаза».

Эдит долго носила этот крестик, но после гибели Марселя Сердана сняла, решила, что зеленые камни приносят ей несчастье.

Дружба с Марлен наполняла жизнь Эдит, но ее сердце было пусто. Случайные встречи не оставляли следа...

«Ты не можешь себе представить, насколько для них любовь превратилась в гигиену здоровья. Они берутся за дело, «раз-два, раз-два», быстро, плохо — и на боковую. Встречаются извращенцы, для которых, раз ты француженка и парижанка, то должна выполнять любые прихоти, которые тебе неприятны; у них глаза на лоб лезут, когда ты отказываешь. Или еще — они сентиментальны. Ведут себя как будто ты их мать, а они твои дети, прибежавшие к тебе за защитой! Но в постели это к чему?

Самое смешное у меня произошло с киноактером Джоном Глендайлом, красивым, как бывают только американцы. Высокий, спортивный, элегантный, хорошо одетый, немного самовлюбленный, хотя держится свободно и просто. Но я решила: «Ничего, в постели лоск с него слетит, мысли будут заняты другим!»

Приглашаю к себе несколько человек и его. Смеемся, выпиваем, не больше. У меня ни в одном глазу. Я хотела, чтобы у меня была светлая голова. Он мне слишком нравился, чтобы рисковать все испортить.

Гости расходятся. У двери прощаемся. Джона нет. Я думаю: «У парня есть такт. Не хочет засвечиваться».

Возвращаюсь в уверенности, что он меня ждет. Заранее представляю себе его улыбку, чувствую, как его руки меня обнимают. Я была очень возбуждена — да и как иначе, такой мужик!

В гостиной никого. Иду в спальню. И что вижу? Джон Глендайл в чем мать родила курит сигарету на моей постели... Не могу выразить, что я почувствовала. А он говорит мне: «Иди ко мне, я жду!» Я схватила всю его одежду в кучу и запустила ему в морду.

Он стал лепетать: «Но... разве вы не этого хотели?» А я орала: «Убирайся к чертовой матери! Скорее. Я тебе не проститутка... Я не проститутка!..»

Он был таков. А я, Момона, всю ночь лила слезы, одна в постели...».

От подобных оскорблений Эдит в дальнейшем была застрахована. В Нью-Йорк прибыл молодой боксер Марсель Сердан. ...Эдит не верила своему счастью: отныне ее обожает мужчина, который делает все, что она хочет, не потому, что нуждается в ней или боится криков и сцен, а потому, что очень любит. Он так же знаменит, как она. У него своя публика, у нее своя. Когда они вместе и их встречают аплодисментами, это относится в равной степени к обоим. Счастье, что у них разные профессии. Никогда их имена не будут вместе на одной афише.

«Когда он полюбил меня, все остальное перестало иметь для него значение. Марсель верный и преданный человек. Маринетта, его жена, дала ему сыновей, это свято. Но любит он меня...

Она должна меня ненавидеть; я на ее месте уже давно бы устроила скандал, но она знает, что тогда его потеряет. Он об этом никогда не говорит, но думает, понимаешь?»

Эдит не знала, до какой степени я ее понимала. Я знала, что Марсель человек удивительно чистый, прямой, что он не создан для лжи и по-своему страдает, без комплексов, но страдает.

К тому же я знала свою Эдит, и мне нетрудно было многое домыслить. Свою любовь она не прятала за семью замками. Когда она любила мужчину, она показывала его всем.

«Настоящего Марселя я узнала не в постели, а на улице,— рассказала мне Эдит в тот день, когда встретила его с одним арабом, другом детства.— Он вел его за руку — тот был почти слеп. Каждое утро Марсель водил его к окулисту на процедуры. Это был несчастный боксер из Касабланки. Марсель вызвал его в Париж. Он оплатил все: проживание, переезд, лечение. Все.

Ты знаешь, как я ревнива. Я заметила, что Марсель часто уходит куда-то. Смотрит на часы и говорит мне: «Я через час вернусь, у меня деловое свидание». В конце концов я не выдержала, мне нужно было знать. Я тебе сказала, что встретила его, это неправда. Я следила за ним. Когда Марсель увидел меня на улице, я не посмела ему признаться. Он бы не понял. Он решил, что мы встретились случайно, и все мне рассказал. Даже от меня он все скрыл, но не солгал, что у него свидание. Помимо лечения он заходил к своему другу и днем, чтобы тот не чувствовал себя заброшенным. Кому, как не мне, знать, как долго тянется время в темноте!

Я заплакала от радости. Я не могла себе представить, что на свете существуют такие мужчины. Как подумаю, что есть идиоты, которые говорят: «Все боксеры — грубые животные», хочется иметь такие кулаки, как у Марселя, чтобы набить им морду».

Я тоже любила Марселя — по-другому, чем Эдит, но так же сильно. Он был моим другом.

У меня не было карманных денег. Такова была воля Эдит. Она готова была за все платить, но не давала мне ни гроша наличными. Она обращалась со мной как с ребенком: «Когда у тебя заводятся деньги, ты делаешь глупости. Со мной тебе денег не нужно. Они у тебя не держатся». В этом была вся Эдит, которая вообще не знала, куда деваются деньги. И та же Эдит, абсолютно не способная экономить, делала взносы на мое имя в сберегательную кассу.

Мне не на что было даже купить газету или сигареты, выпить в баре вина. Марсель жалел меня и подкидывал кое-что. Понемногу, но часто. Он изобрел способ: «Момона, у тебя есть сигареты?» И в зависимости от ответа, доставал бумажник.

По счастливому совпадению, в то время, когда у Сердана в Нью-Йорке должен был состояться матч, Эдит предложили контракт в «Версале» за семь тысяч долларов в неделю. Из-за тренировок Марселю пришлось уехать раньше. Эдит с радостью поехала бы с ним, но Люсьен Рупп воспротивился: «Без глупостей. Вам нельзя приезжать вместе. Газеты поднимут шум, и спортивные круги будут недовольны». Луи Барье был того же мнения: «Это вам повредит. Американцы знают, что Марсель женат, и не на вас. У вас может быть роман, над которым проливают слезы машинистки в небоскребах, но вы не должны приезжать вместе, как официальная пара».

...Поражение Марселя расстроило Эдит. Она решила: «Этот дом приносит мне несчастье! Не хочу здесь больше жить». Она была очень суеверна, вплоть до того, что изобретала собственные приметы. Так, четверг был для нее счастливый день, воскресенье — несчастный. Когда она видела стадо баранов, восклицала: «Это к деньгам! Сожмем кулаки, чтобы их удержать!» Можно подумать, что это ей помогало!

Так мы оказались в Булони*, в доме номер 5 по улице Гамбетта, в частном особняке, за который Эдит заплатила девятнадцать миллионов старых франков. Она пошла на этот расход, потому что гостиная была так велика, что могла служить для Марселя спортивным залом. Это была единственная причина, толкнувшая ее на покупку. «Он будет тренироваться дома, он больше не будет меня оставлять». Мы жили среди рабочих, ремонтировавших дом. Декоратор должен был закончить его отделку во время предстоящей поездки Эдит в Америку.

Америка полюбила Эдит. У нее был новый ангажемент в «Версаль». С октября 1949 года она должна была там выступать в течение нескольких недель. Эдит уехала одна, оставив меня с Марселем, который совершал турне по Франции с показательными матчами в пользу нуждающихся бывших боксеров. Я ездила с ним, чтобы заботиться о нем.

«Момона, я рассчитываю на тебя. Смотри за ним. Знаю, он не очень заглядывается на женщин, но все мужчины одинаковы, поэтому охраняй».

Это было нетрудно: он ни на кого не глядел. Турне закончилось, мы должны были отправляться к Эдит в Нью-Йорк. День нашего отъезда уже был назначен, билеты на пароход заказаны. Эдит, которая сама садилась в самолет, как в такси, всегда боялась, когда ее близкие летали. Но за сутки до нашего отъезда она позвонила Марселю:

— Любовь моя, умоляю, приезжай скорей, я не могу больше ждать... Лети самолетом, пароходом очень долго. Прилетай.

---

* *Булонь* — один из фешенебельных районов Парижа.

— Хорошо,— ответил Марсель.— Я буду завтра. Целую тебя и люблю.

Это были последние слова, которые Эдит от него услышала. Почему Эдит захотела, чтобы он немедленно вылетел? Я этого так и не узнала. То ли она соскучилась, то ли боялась совершить какую-нибудь глупость. Изменить ему. От нее ведь все можно было ожидать.

Я должна была купить два билета на самолет и возобновить свою просроченную визу в Соединенные Штаты. Я подала заявление о продлении, но сразу мне его не дали, и дело затянулось. Отсутствие печати на паспорте спасло мне жизнь. Мы с Марселем приложили все усилия, но достали только один билет на самолет. Я проводила его на аэродром и сказала: «До скорого».

Все было кончено.

Назавтра, когда я проснулась, во всех газетах было сообщение о гибели Сердана. Его удалось опознать, потому что он носил часы на обеих руках.

Наконец мне дали визу, и я вылетела. Эдит нуждалась во мне. Меня встречали господин и госпожа Бретон. От них я узнала, как развертывались события.

Лулу Барье был в Нью-Йорке. Он не оставлял Эдит одну. Именно он должен был встретить Марселя, поскольку Эдит не вставала так рано. Приехав в аэропорт, Лулу узнал, что самолет Париж: — Нью-Йорк разбился на Азорских островах и что имя Марселя в списке погибших.

Когда Эдит увидела Лулу одного, она закричала: «С Марселем случилось несчастье! Он погиб!» — потому что разбудить ее должен был Марсель.

Никто не имел права ее будить, кроме меня, а в мое отсутствие — только тот, кого она любила. Когда она увидела Лулу, она сразу все поняла. Барье не мог вымолвить ни слова. Он смотрел на нее, и это молчание было страшнее всяких слов.

Днем стали приходить телеграммы. Ей отовсюду звонили по телефону. Она тотчас же телеграфировала Буржа: «Напиши мне. Ты мне нужен. Эдит». И этот человек, уже не молодой и далеко не богатый, сейчас же приехал.

Мадам Бижар прислала такую сердечную телеграмму, что Эдит тут же вызвала ее к себе. Она была в таком состоянии, что ей пришлось дать допинг.

Зал «Версаля» был переполнен. Когда она вышла на сцену, в луче прожектора она показалась еще более крохотной, еще более потерянной, чем обычно. Весь зал поднялся и встретил ее аплодисментами.

Тогда она сказала: «Нет, мне ничего не нужно. Сегодня я пою в честь Марселя Сердана. Только ради него». И она выдержала до конца, бледнея с каждой песней. Она все допела.

В эту ночь Лулу спал в ее комнате. Он не решался оставить ее одну.

Утром, когда я приехала, она бросилась ко мне на шею с криком: «Момона, это моя вина, я убила его».

Как это вынести?

Глава 12

ЭДИТ ЗАНИМАЕТСЯ СПИРИТИЗМОМ

Эдит считала, что трагическая смерть Марселя на ее совести, что это ее вина. Он стал самой большой любовью в ее жизни. Единственной. Хотя, быть может, именно из-за своей гибели он и не дополнил ряд предыдущих.

Бедная Эдит была в ужасном состоянии. Она не хотела есть, устроила что-то вроде голодовки. Она действительно хотела умереть. Каждый вечер ей требовался допинг, чтобы петь. Она металась, как собака, которая потеряла своего хозяина и которая непременно хочет его найти.

В горе и отчаянии она уцепилась за мысль о столике. Не прошло и двух дней после смерти Марселя, как она сказала: «Послушай, Момона, пойди раздобудь круглый столик на трех ножках. Мы будем его вертеть. Попробуем вызвать дух Марселя. Я уверена, что он придет. Он не может не услышать меня. Иди скорее».

И я пошла. В универмаге на Лесингтон-авеню я купила маленький столик на трех ножках. Я шла домой, прижимая его к груди, и чувствовала, что он спасет меня. Еще не знала как, но была уверена.

В тот вечер после концерта в «Версале» мы вернулись домой. Шторы были плотно задернуты, мы погасили свет, сели, положили руки на столик... Мы прождали всю ночь. Эдит прерывала тишину возгласами: «Трещит, Момона, слышишь, Марсель здесь, я чувствую. Он сейчас прошел возле меня». Но ничего не происходило. Ножки стола прочно стояли на ковре, как приклеенные! Через шторы начал пробиваться свет. Наступал новый день.

— Знаешь, Эдит, они никогда не приходят при свете.

— Ты думаешь? Но ночью-то они приходят?

У нее был голос ребенка, который спрашивает, существует ли Дед Мороз не понарошке.

— Конечно, это и научно доказано.

— Это не сказки. Сегодня я чувствовала, он был с нами. Он коснулся меня. Почему он не заговорил?

— Надо повременить. Может быть, еще слишком рано, они, вероятно, не могут говорить сразу после смерти. Вечером попробуем еще раз.

Я говорила все, что приходило в голову. Она была в таком напряжении, так горячо верила, что передала мне свою веру, и я тоже стала думать: «Не может быть, чтобы он не пришел». Назавтра снова ничего. Эдит таяла на глазах. Мне оставалось локти кусать. Она совсем не ела, а пела каждый вечер. «Так не может продолжаться, она не выдержит»,— думала я. У нее уже был обморок между песнями.

Сидя одна за столиком, я думала: «Он заговорит, я должна этого добиться».

Весь день Эдит жила в страстном ожидании момента, когда сможет положить руки на столик.

Наступил вечер, и я ей сказала:

— Не волнуйся, мне кажется, сегодня он придет. Сейчас новолуние.

— Он сердится на меня, Момона, я не должна была ему звонить. Он не придет. Он бросил меня.

Тут я поняла, что дальше ехать некуда! «Она сама сойдет с ума,— подумала я,— и меня сведет. Этот проклятый столик должен застучать».

И я его легонько приподняла. Вцепившись в него, Эдит плакала от счастья. Она бормотала:

— Это ты, Марсель?.. Останься. Вернись... Марсель, любовь моя... Ты, господи, ты!

Внезапно меня озарило: какую пользу я могу извлечь из этого столика! Во-первых, заставлю Эдит есть, во-вторых,— успокоиться.

Столик приказал:

— Ешь.

Эдит не понимала, и столик повторил:

— Пойди поешь.

Эдит удивилась:

— Ты думаешь, Марсель в самом деле хочет, чтобы я поела?

— Конечно, и я бы на твоем месте поторопилась.

Эдит помчалась на кухню, открыла холодильник и начала хватать первое попавшееся, чтобы угодить Марселю.

Мне хотелось плакать, глядя на нее. Она была похожа на больную собаку, которая согласилась выпить молока.

Но это была победа!

Две недели спустя мы вернулись в Париж с мадам Бижар и столиком.

В первые месяцы после возвращения мы вели странную жизнь. Эдит была на дружеской ноге с привидениями, потусторонним миром и всей этой галиматьей. Сны ее продолжались наяву. Как и следовало ожидать, Эдит решила продать свой особняк. Ей в нем было тяжело. Хотя Марсель здесь прожил недолго, этого было достаточно. Но мы продолжали оставаться на месте. А что делать? Эдит сказала Лулу: «Избавь меня от него!» Легко сказать! Попробуй его сбагрить! Желающих не было. Она продала его три года спустя, потеряв более девяти миллионов.

Эдит не могла ни видеть, ни прикасаться к подаркам Марселя. В конце концов, она раздала их тем, кто присутствовал на знаменитом вечере с аквариумом. Она считала, что этой шуткой накликала беду. Себе не оставила ничего. Все ушло: серьги, брошь,— все драгоценности, которые Марсель ей дарил, и даже спортивные трусы, которые были на нем в день боя с Ла Мотта и на которых еще виднелись пятна его крови...

«...На, Момона! Я дарю тебе мое самое дорогое: платье, в котором я была, когда Марсель обнял меня после чемпионата мира». Я его храню до сих пор.

Единственное, что теперь занимало Эдит, это столик: каждый вечер мы сидели, вцепившись в него обеими руками. Остановить ее было невозможно. Да и мне он был нужен: я им пользовалась, чтобы мешать ей напиваться. Марсель не выносил, когда она пила. Сколько она ни упрашивала, он сердился. Поэтому, когда она «перебирала», столик молчал. Если бы мы хоть занимались им только по вечерам! Даже днем мысли Эдит были лишь о нем; она одновременно и верила и сомневалась. Она говорила об этом с Жаком Буржа, который не рискнул высказаться определенно.

— Знаешь, в мире много явлений, причины которых нам не известны!

Ничего не выяснив у Жака, Эдит кинулась ко мне:

— А ты веришь?

— Я верю во все, что вижу собственными глазами.

— Все-таки нужны были бы доказательства... Ага, придумала! Я попрошу Марселя сочинить для меня песню.

Не знаю, можно ли побледнеть изнутри, но я уверена, что у меня в этот момент все кишки побелели! Ведь это не Марсель должен был сочинить песню, а я.

— Слушай, Эдит, Марсель не умел сочинять песни.

Бросив на меня испепеляющий взгляд, Эдит ответила:

— Там, где он сейчас, умеют всё.

В тот же вечер, сидя за столиком, Эдит потребовала:

— Марсель, сочини для меня песню.

И столик ответил: «Да». С самого начала у столика на все был ответ. Столик должен был все уметь, все знать. Для Эдит по ту сторону добра и зла не было ничего невозможного. Только я-то была с этой стороны! Надо признать, что взамен Эдит слепо выполняла все, о чем просил столик. Марсель не мог желать ей плохого. Скрючившись над столиком, я придумала две первые строки:

> Я сочиню тебе голубую песню,
> Чтобы тебе приснились детские сны...

269

К счастью для меня, ножки столика говорят не быстро. За один присест не получается. Каждый раз я сочиняла одну или две строчки. Однажды вечером столик отстучал: «Всё». Мы виделись с Маргерит Монно каждый день, но у Эдит не хватило терпенья дождаться утра.

— Гит, приезжай скорее. У меня есть кое-что для тебя. Рассвет только приближался, но Маргерит, для которой не было большой разницы между днем и ночью, явилась, непричесанная, в пальто, накинутом прямо на ночную рубашку. Эдит ей сказала:

— Гит, слушай. Слушай хорошенько.

И она прочла так, как только она умела читать,— в этом уже слышалась песня — «Голубая песня».

— Это ты написала?

— Нет. Марсель.

— Когда?

— Он только что закончил, через столик.

— Не говори так. У меня мурашки побежали. Замолчи! Она отказывалась присутствовать на наших сеансах, но знала о них. Она села и прошептала:

— Здесь нужны только скрипки.

Для нее скрипки были музыкой ангелов. Маргерит их уже слышала, и Эдит тоже. От полноты чувств мое сердце готово было разорваться. Я была потрясена и уже не знала, на каком я свете! Да в конце концов какое это имело значение? Когда я увидела, как смотрели друг на друга эти женщины, у меня исчезли все угрызения совести.

Я всегда плачу, когда слышу «Голубую песню».

В течение года, регулярно каждую неделю, в церкви Отей Эдит заказывала мессу за упокой Марселя. Разумеется, присутствовали все близкие, не могло быть и речи о том, чтобы уклониться. Да у меня и мысли такой не было. Сопровождал мессу всегда хор Эдит. Однажды, как раз перед ее сольным концертом в зале Плейель, в конце мессы они запели «Голубую песню».

Потрясение — слишком слабое слово. Гит и я, мы не могли слюну проглотить, боялись разрыдаться в голос. Эдит повернулась к хору, по ее лицу катились крупные слезы. Она прошептала: «Марсель, ты слышишь, это для тебя...» После «Голубой песни» мне очень хотелось убрать столик с глаз долой. Раз я научилась крутить его, это могли сделать и другие и извлечь для себя выгоду. С Эдит это было очень соблазнительно.

В Париже мы жили не одни, как в Нью-Йорке. Особняк в Булони напоминал наше житье на улице Анатоль-де-ля-Форж в несколько улучшенном варианте. Был тот же бордель. Вымогателей хватало. Эдит приглашала на сеансы всех, кто оказывался под рукой. Когда Эдит что-то любила, она хотела, чтобы все ее «друзья» разделяли ее увлечение, чтобы они думали так же, как она.

Столик мог говорить сколько угодно, а Марсель — приходить каждую ночь. Эдит все казалось, что она у него в долгу.

«Момона, Марсель сочинил для меня песню, а я для него — ничего! Я уверена, что он ждет. Он слишком добр, чтобы просить меня об этом, но пока я ее не напишу, он не успокоится».

А мы успокоимся?

Все получилось само собой. Однажды вечером в ванной Эдит напела мне одну мелодическую фразу. Эдит часто фальшивила, но она была феноменом. Мишель Эмер говорил: «Эдит единственная, кроме Мориса Шевалье, кто может себе позволить, забравшись бог знает куда, упасть снова на ноги». И при этом у нее был очень музыкальный слух, и она знала, что понравится публике.

— Что ты скажешь об этой мелодии? У меня есть название: «Гимн Любви». Эту песню могу написать только я. Она звучит у меня в ушах, у меня от нее бьется сердце. Это ведь для Марселя. Жаль, что, кроме названия, у меня ничего нет. Не могу ничего найти...

— Послушай, Эдит, мне кое-что пришло в голову:

Если когда-нибудь жизнь оторвет тебя от меня,
Если ты умрешь, если ты будешь далеко,
Мне не важно, будешь ли ты меня любить,
Потому что я тоже умру.

Перед нами откроется вечность.
В синеве бесконечности,
В небе, больше не будет проблем.
Бог соединяет любящие сердца.

— Тебе нравится?

— Ты это сочинила вот так, сразу? Я ответила «да», но это была неправда. Эти стихи вертелись у меня в голове уже несколько дней, но я не знала, что с ними делать, и потом, у меня не было продолжения...

Эдит схватила бумагу, карандаш и — полный вперед! Так родился «Гимн Любви».

У Эдит были хорошие мысли, прекрасные образы. Уже в своих первых письмах к Жаку Буржа она писала: «...итак, до свидания, мой прирученный солнечный луч...» Но у нее не хватало терпения, ей всегда все нужно было — вынь да положь. А сочинять сюжет, куплеты ей надоедало. У меня же терпение было, и я ей помогала. Эдит многому научилась, а я ведь шла следом за ней, на буксире. То, чем мы обладали, не было настоящей культурой, но мы уже не были невеждами. Когда удавалось хотя бы вчерне закончить песню, Эдит звонила Гит в любое время дня и ночи: «Алло, Гит? Это я, Эдит. Я сейчас к тебе еду».

Гит, так же как и мы, не имела представления о времени. Она ни разу не сказала «нет». Мы наспех одевались, и, так как идеи обычно осеняли Эдит в тот момент, когда она накручивала волосы, она повязывала платок на голову, и мы отправлялись. Едва ввалившись, Эдит прочитывала Гит свою заготовку. Та слушала, уже положив руки на клавиши. И тут же из-под них начинала литься мелодия, на которую текст ложился, как перчатка. Это было тайной, известной ей одной. На следующий вечер, после того как была написана музыка к «Гимну Любви», Эдит, склонившись над столиком, сказала Марселю: «Я написала для тебя песню, и ты первый, кто ее услышит». И она ее спела. Можно верить или не верить, но равнодушным оставаться было нельзя.

Потом она сказала: «Я готовлю концерт в зале Плейель. И чтобы все в этом концерте исходило от тебя, я хочу, чтобы ты сказал мне, в каком порядке расположить мои песни». Только профессионал может понять, какая это ответственность. Успех программы, а тем более сольного концерта, во многом зависит от того, в каком порядке песни следуют одна за другой; они должны оттенять, поддерживать друг друга. Особенно трудно найти места для новых, еще не исполнявшихся вещей.

Никогда я этим не занималась. Я перестала спать. Днем я составляла и переставляла свой список. А вечером вносила в него изменения в зависимости от реакции Эдит.

«Это не так плохо, Марсель, ты умница... Ты думаешь, так будет хорошо?.. Боюсь, ты ошибаешься. Я бы сделала, скорее, так... Ты говоришь «да»? Видишь, я была права!»

Кроме порядка песен Марсель должен был ей указать места, где давать ложный занавес и как поставить освещение. В тот вечер, в январе 1950 года — я никогда не потею,— я была мокрой как мышь. Сольный концерт в зале Плейель! Впервые песни улиц в храме классической музыки! Что это было: смелость или наглость?

Вот уже два дня, как Лулу нам говорил: «Девочки, у меня не осталось ни одного откидного места!»

Цветы и телеграммы непрерывным потоком доставлялись в гримерную Эдит. У меня кончилась вся мелочь, которой я запаслась, чтобы платить разносчикам.

— Эдит, у меня больше ничего нет.

— Ну так давай бумажные деньги.

Я стала их раздавать, как билеты на метро...

Перед выходом Эдит на сцену я ушла из кулис. Я хотела присутствовать при подъеме занавеса. Зал был переполнен. Он дышал единым горячим дыханием. Гул голосов походил на шум моря, глубокий и величественный.

Огни погасли, и воцарилась тишина. Поднялся занавес из красного бархата. За ним был второй, цвета опавших листьев. Его повесили, чтобы уменьшить сцену, которая была слишком велика для Эдит, боялись, что ее не будет слышно. Голос ее был таким сильным, что сразу, словно большой орган, заполнил огромный зал. Эдит запела «Песню в три такта». Она стояла не двигаясь, слегка раздвинув ноги, крепко уперев их в пол, сцепив руки за спиной, вся превратившись в голос.

Когда все ушли, Эдит посмотрела на меня: «Такого триумфа у меня еще никогда не было, а Марселя со мной нет! И слова любви мне никто не скажет, кроме столика...»

Тут уж я не выдержала и зарыдала так, что не могла остановиться.

Песня была жизнью Эдит. Она давала ей все, но делала ее более одинокой, чем может быть одинок любой другой человек. Это одиночество людей ее породы, одиночество великих. Оно душит мертвой хваткой, наносит удар под дых: такое одиночество наступает после аплодисментов.

«Момона, публика — горячая черная яма. Она втягивает тебя в свои объятия, открывает свое сердце и поглощает тебя целиком. Ты переполняешься ее любовью, а она — твоей. Она желает тебя — ты отдаешься, ты поешь, ты кричишь, ты вопишь от восторга.

Потом в гаснущем свете зала ты слышишь шум уходящих шагов. Ты, еще распаленная, идешь в свою гримерную. Они еще твои... Ты уже больше не содрогаешься от восторга, но тебе хорошо. А потом улицы, мрак... сердцу становится холодно... ты одна... Зрители, ждущие у служебного выхода, уже не те, кто был только что в зале, они стали другими. Их руки требуют. Они больше не ласкают, они хватают. Их глаза оценивают, судят: «Смотрите-ка, а она не так хороша, как казалось со сцены!» Их улыбки как звериный оскал... Артисты и публика не должны встречаться. После того как занавес падает, актер должен исчезнуть, как по мановению волшебной палочки!»

То, что она говорила, я уже чувствовала. Публика ее ждала, приветствовала. А когда наше такси заворачивало за угол, Эдит брала меня за руку со словами: «Ну вот, Момона, опять нам коротать вечер одним...»

Мы возвращались и ужинали вдвоем. Так было не всегда. Но после смерти Марселя люди стали избегать дом в Булони, потому что у Пиаф больше не веселились!

За последний трюк, который выкинул столик, ответственность лежала не на мне.

Он сообщил:

— 28 февраля: новость.

— Хорошая?— спрашивает Эдит.

— Да.

Больше в этот вечер мы ничего не узнали. Назавтра столик повторил:

— 28 февраля — сюрприз.

— Марсель, ты это уже сказал.

— 28 февраля.

— Я поняла, а дальше?

Эдит вцепилась в стол, грозила, умоляла, но он был из дерева.

Что-то должно было произойти четыре месяца спустя после смерти Марселя, день в день! Кто и зачем использовал эту дату? Кто крутил столик?

Позднее я узнала, что это была мадам Бижар. И она поступила правильно.

В ночь с 27-го на 28-е я не сомкнула глаз. Я хотела узнать новость первой и защитить Эдит. В восемь часов утра раздался звонок в дверь.

Принесли телеграмму. Как всегда, вскрыла ее я. Эдит боялась телеграмм, никогда их не вскрывала — за исключением тех, что получала после премьер.

«Приезжайте. Жду вас. Маринетта».

Значит, вот что должно было произойти 28 февраля! Уже давно Эдит хотела встретиться с Маринеттой, познакомиться с сыновьями Сердана. Она была уверена, что это неосуществимо, и вот сегодня жена Марселя сама ее зовет! Я ни секунды не стала ждать, разбудила ее и прочла телеграмму. Я даже не знала, достаточно ли она проснулась. Это были волшебные слова. Эдит вскочила. Мы похватали в охапку пальто и зубные щетки, и вот уже сидим в самолете, летящем в Касабланку...

Маринетта приняла нас очень хорошо. Они расплакались, расцеловались. Тот, кого они прежде не могли поделить, теперь объединял их. Не прошло и суток, как мальчики Марсель, Рене и Поль звали Эдит «тетя Зизи».

Мы привезли с собой обратно в Булонь Маринетту, ее сестру Элет и троих мальчишек. Места у нас хватало. Они пробыли в Париже некоторое время. На посторонний взгляд, это, может быть, и выглядело несколько необычно, но я не так уж была удивлена. Я привыкла. Эдит никогда ничего не делала, как все. Она поступала по велению сердца. Оно приказывало, она слушалась. Всю жизнь Эдит стремилась за ним угнаться. Ей хотелось, чтобы Маринетта была самой красивой. Она ей заказала у Жака Фата очень элегантное платье, подарила к нему песцовую накидку с капюшоном и была в восторге.

«Посмотри, Момона, какая она красивая!»

Это было правдой. Но это был тот редкий случай, когда Эдит проявляла расположение к женщине.

«Момона, как Марсель должен быть доволен! Я спрошу у него вечером...».

Маринетта не осмелилась присутствовать на наших сеансах, и Эдит предпочла ее не приглашать. Она хотела сохранить Марселя для себя.

Мы таскали с собой повсюду этот несчастный столик в течение трех лет. Он весь расшатался оттого, что стучал ножками. Его сто раз склеивали, ему сшили чехол. Первое, что мы брали с собой, отправляясь в путь, был этот столик. В театре он ждал Эдит в гримерной. Иногда она его притаскивала за кулисы, особенно в дни премьер. Он стал чем-то вроде талисмана. Когда Эдит стучала по дереву, она стучала по крышке столика.

Эдит с детства верила в чудеса. И была права. До самого конца ее жизнь была не чем иным, как чудом. У нее была душа ребенка. Она любила красивые истории. Когда ей их рассказывали, она широко открывала глаза, складывала руки на коленях и слушала как зачарованная. Потом говорила: «Не может быть, так не бывает, но как это прекрасно!» Примерно так было и со столиком. Приятно было разговаривать с Марселем каждый вечер, задавать ему вопросы. В конце концов она в это верила и не верила, но не могла без этого обойтись.

В течение трех лет почти каждый вечер, вернее каждый раз, когда я была возле нее, Эдит засыпала только после того, как слышала все те ласковые слова, которые ей говорил Марсель, когда они оставались наедине, и которые знала я одна. И для нее это было чудом!

Но в один прекрасный день столик замолчал. Марсель окончательно оказался по ту сторону... Он ей сказал: «Сегодня вечером — конец. Может быть, когда-нибудь позднее...»

Никогда сердце Эдит так не нуждалось в любви. Но кто в нем мог занять место Марселя?

Глава 13

В БУЛОНИ НИКТО НЕ ЗАДЕРЖИВАЕТСЯ

Булонь — символ всего временного. У нас не было ничего прочного, ничего стоящего. Не знаю почему, но мужчины, которые нам встречались в то время, все были женаты. Может быть, уже наступил такой возраст. Некоторые из них привлекали Эдит только своим талантом (у нее на это было чутье), как Шарль Азнавур или Робер Ламурё.

Робер относился к числу тех, кого Эдит называла «метеорами». Они проносились в ее небе, вспыхивали, падали, от них не оставалось ничего, кроме холодного камня, и о них больше не вспоминали. Так пролетел и Робер Ламурё. Это было чисто профессиональное знакомство. Он притащился однажды: симпатичная физиономия, высокий рост, тощая фигура и слишком длинные ноги. На нем был пиджак в еще более кричащую клетку, чем тот, в котором выступал Ив Монтан в «Мулен-Руже». А я когда-то думала, что ярче, чем тот «вырви глаз», не бывает!

Как и многие другие, он пришел предложить песни. Все начинали с этого. Чтобы увидеть Эдит, не нужно было рекомендаций, достаточно было сказать, что вы принесли песню!

Он сразу понравился Эдит: «У него есть талант. Он сделает карьеру. Я помогу ему выйти в люди!» Что она и сделала несколько месяцев спустя.

Робер не желал лучшего, как перейти от профессиональных отношений к другим, более интимным. Мне бы это понравилось, он был славный парень. И потом, его улыбка до ушей была такая веселая и смешная, что хотелось бежать с ним на танцы, на карусели, туда, где праздник и шум! Он был создан для этого.

Эдит была совершенно в его вкусе. Если этого не произошло, то не потому, что он слишком деликатно за ней ухаживал. Он решительно бросился в атаку, и у него было море обаяния, но Эдит интересовал лишь его талант. На остальное у нее не было аппетита — окончательно и бесповоротно!

То же самое произошло и с Шарлем Азнавуром. У них всегда были только профессиональные отношения при всем том, что оба флиртовали направо и налево.

Однажды кто-то сказал Эдит: «Я набрел на очень забавное местечко — «Маленький клуб» на улице Понтье. Ребята там прекрасно импровизируют. Поют, играют на рояле. Вообще, очень симпатично». «Пошли»,— сказала Эдит. Если ей чего-нибудь хотелось, она была легка на подъем.

Действительно, обстановка оказалась очень приятной, можно сказать, семейной. Там были Франсис Бланш, тонкий, как струна, с которым мы быстро подружились и который позднее написал для Эдит чудесную песню «Пленник Башни»; Роже и Жан-Мари Тибо (Роже Пьер и Жан-Мари Тибо — известные французские комические актеры, часто выступавшие в дуэте); Дарри Коул, великолепно игравший на рояле, и трудность заключалась не в том, чтобы усадить его за инструмент, а в том, чтобы вытащить из-за него, дуэт Рош и Азнавур.

— Как они тебе?— спросила меня Эдит.

— Так себе.

— Ты не права. Маленький, с кривым носом,— личность. У него все задатки.

Не успела она с ним поговорить и десяти минут, как без всякого стеснения заявила:

— Слушай, с твоим носом нельзя лезть на сцену. Его нужно сменить.

— Что это вам — колесо от машины? У меня нет запаски.

— Поедем со мной в Америку, я тебе там сделаю другой!

Поездка предстояла примерно через полгода. Шарль не поверил своим ушам. Я тоже, несмотря на то, что это мы уже «проходили». Она с ним только что познакомилась и уже го-

278

ворила о поездке в Америку! «Надо к нему приглядеться,— сказала я себе,— наверное, в нем что-то есть». На первый взгляд он не подходил по мерке к мужчинам, которые нравились Эдит, и глаза у него были не голубые. Тогда что же?.. Я это узнала тут же.

— Слушай, вот ты пишешь песни. Та, что ты пел, «Париж в мае», действительно твоя? У тебя талант.

Вот оно что! Она унюхала, что он может писать для нее. Насчет его дуэта она тоже сразу поставила все точки над «i».

— Пустой номер. Дуэты давно вышли из моды. Твой друг Пьер Рош не плох, но ты из-за него проигрываешь. Теряешь индивидуальность, хоть он и недостаточно силен, чтобы подавить тебя полностью. Так вы далеко не уедете.

Шарль огорчился, он очень любил Пьера и всегда был верным в дружбе.

— Вы должны расстаться.

— Не могу. Может быть, позднее... Он, наверное, уедет в Канаду. Когда вернется, будет видно!

Не прошло и недели, как Шарль уже обосновался в Булони на диванчике, где было бы тесно и тринадцатилетнему мальчишке. Устраивая его, Эдит сказала: «Тебе, как и мне, много места не надо».

Так был задан тон их отношениям. Как началось, так и пошло. Шарль подначивал «тетушку Зизи», она ему ничего не спускала. У него был режим «особого благоприятствования», как у меня. Я была сестренка на все руки, а он был мужчина на все руки. Все определилось очень быстро. Не успел он осознать, что живет у Эдит, как уже водил машину, носил чемоданы, сопровождал ее. С утра до поздней ночи только и слышалось: «Шарль, сделай это... Шарль, сделай то... Шарль, ты позвонил?.. Шарль, ты написал песню?..»

«Мне пришли в голову две-три новых мысли, Эдит». От подобного ответа Эдит, которой только нужен был повод, сразу взрывалась: «Ты уже счет потерял, сколько песен ты начал, а до конца не довел ни, одной! Не умеешь — не пиши! Смотри, если увижу, что пишешь,— глаз не спущу, пока не закончишь».

Логика Эдит!

Чтобы она его не терзала, Шарль старался не попадаться ей на глаза. Он писал, забившись куда-нибудь в уголок.

Так как он никогда не был собой доволен, то повсюду броса.
клочки бумаги, которые я подбирала. Я до сих пор их храню
Шарль тем не менее писал для Эдит песни и вкладывал в ни
всю свою душу и талант. Но ничего не получалось. С песня
ми, как и с мужчинами, Эдит должна была испытать внезап
ность восхищения. Она пела лишь несколько песен Шарля
«Идет дождь», «Однажды», «Дитя», «Голубее твоих глаз».

Как-то вечером Шарль дал ей песню «Я ненавижу вос
кресенья». У Эдит был один из черных дней. «Это для меня
Ты что, думаешь, я буду петь это г...?» Далее последовал из
бранный отрывок из ее репертуара, прославившего ее о
Менильмонтана до Пигаль.

— Значит, вы ее не берете,— спокойно заключил Шарль.
Я могу делать с ней что хочу?

— Можешь засунуть ее себе в...

Шарль потихоньку отнес песню Жюльет Греко, котора
тут же включила ее в свой репертуар.

Узнав об этом, Эдит стала метать громы и молнии:

— Шарль, подойти-ка на минутку. Значит, ты теперь от
даешь мои песни Греко?

— Но Эдит, вы же сказали, что она вам не нужна!

— Я? Я тебе это сказала? Ты меня за дуру держишь? Раз
ве ты мне сказал, что отдашь ее Греко?

— Нет.

— Значит, ты считаешь, что меня можно обойти? Меня
Я тебе прочищу уши...

Нет, логика Эдит валила с ног...

В работе с Эдит Шарль начал не с той ноги. Он все вре
мя говорил ей «да». В этом была ошибка. Ей нельзя было в
всем поддакивать. Нужно было лавировать, мириться с
фантазиями, но уметь противостоять ей, когда речь шла
работе. Кричать она кричала, но уважала.

Нужно было уметь схитрить, чтобы не быть проглоче
ным. Но на это Шарль не был способен. Он был слишко
честен, слишком чист. Он испытывал к ней такое чувств
восхищения, что, как бы она его ни тиранила, он только г
ворил: «Эдит самая великая, она на все имеет право!»

Как морковкой размахивают перед носом осла, так Эдит говорила ему все время о поездке в Америку: «Тебе будет полезно поехать туда. В шоу-бизнесе они понимают больше всех!» Шарль поднимал брови, у него округлялись глаза, и с видом «собаки, которой видится жаркое», он слушал рассказы Эдит о ее поездках за океан, о ее выступлениях...

За ее спиной он меня спрашивал:

— Ты думаешь, она меня возьмет?

Как я могла ручаться?

Если бы Шарль стал «господином Пиаф», все бы изменилось.

Все его песни в мгновение ока стали бы гениальными. Ему бы устраивали сцены, но не тиранили, а если и тиранили, то по-другому! Я очень хотела, чтобы это произошло! С ним я была бы спокойна. И я подумала: может быть, их нужно друг к другу подтолкнуть?..

Однажды вечером, когда Эдит немного выпила и Шарль тоже, мы с друзьями решили раздеть Азнавура и положить его в постель к Эдит. Пока ребята возились с ним, я «обряжала невесту».

— Причешись поаккуратней... надушись... Надень красивую ночную рубашку, ту, ажурную...

— Чего ты сегодня так вертишься вокруг меня?

— Хочу, чтобы ты была красивой!

— Интересно, ради кого?

— На всякий случай...

— Ты думаешь, что ко мне спустится принц через каминную трубу?

Вхожу с ней в спальню. Никого! Постель пуста. Не выгорело! Шарль на это не пошел. Я думаю, он слишком любил Эдит. И главное, был слишком честен.

К счастью для всех нас, постели Эдит долго пустовать не пришлось.

Эдит выступала в «Баккара». Как-то вечером к ней в артистическую явился высокий крепкий парень, мускулы играли у него под кожей, и на совершенно немыслимой смеси из французского, английского и американского сленга объяснил ей, что написал ей английский вариант «Гимна Любви». Это было неглупо; Эдит дорожила этой песней. У парня была симпатичная рожа, вся в крапинках. В детстве он перенес оспу, но теперь рябое лицо подчеркивало его мужественность. Приятная улыбка, открытый взгляд. Я сразу смекнула: «У этого парня есть шанс!» Загвоздка была в том, что из десяти слов, которые он произносил, мы с трудом понимали три.

Когда он ушел, Эдит расхохоталась от всего сердца. Уже много месяцев я не слышала, чтобы она так смеялась, тем смехом, который Анри Конте так хорошо описал в одной из своих статей: «Вдруг раздается громоподобный, великолепный, чистейший смех. Этот смех взрывается, разбрызгивается, заливает радостью все вокруг. Эдит Пиаф подходит ко мне, цепляется за меня и смеется, смеется так, что ей не хватает дыхания, кажется, она вот-вот задохнется, упадет тут же, на месте. Я вижу совсем близко ее удивительное лицо, выражение которого все время меняется. Вижу глаза, глубокие, как море, необъятный лоб, слышу этот потрясающий смех, который овладевает всем ее существом и звенит счастьем оттого, что, вырываясь наружу, проходит между ее зубами, острыми, как у маленького зверька...»

До чего же хорошо было услышать этот смех! Мы выходили из мрака. Я готова была расцеловать этого парня.

Через минуту мы о нем забыли. Днем позвонили в дверь. «Шарль, пойди открой»,— крикнула Эдит.

Шарль появился в сопровождении американца, приходившего с «Гимном Любви». Понадобилось некоторое время, чтобы разобраться, что это и есть Эдди Константин. Из-за своего акцента он побоялся, что его не поймут по телефону, и попросил, чтобы вместо него позвонил приятель.

Так в жизнь Эдит вломился Эдди Константин. Под внешностью гангстера скрывалось очень чувствительное сердце. Он интуитивно угадал, как нужно ухаживать за Эдит.

— Момона, знаешь, этот парень умеет быть очень нежным. Он мне сказал, что у него ко мне страсть-дружба... Правда, мило?

— И ты сумела его понять?

— Стараюсь... Знаешь, «Гимн Любви», песни — это все уловки, чтобы встретиться со мной. Чем он, по-твоему, не похож на других?

Ничего особенного я в нем не находила. Но Эдит любила, чтобы я обнаруживала у ее мужчин исключительные качества, которых не было ни у кого. Клетки моего серого вещества закопошились, как муравьи в муравейнике. Я хотела, чтобы возле нее наконец был мужчина. Это было необходимо. Внешне этот парень ей подходил, в отношении же всего остального приходилось идти на риск! Поэтому я за словом не постояла: «У этого парня, Эдит, есть душа...»

Души у нас еще не было! Она осталась довольна. Во всяком случае, у него было то, в чем так нуждалась Эдит: две руки, которые могли ее крепко обнять. Переход «власти из рук в руки» происходил просто. Мужчина, как турецкий паша, возлежал на постели, а Эдит говорила горничной или уборщице, в зависимости от того, какую прислугу мы в то время имели: «Я вам представляю вашего нового патрона».

Для этого нужно было, чтобы он продержался хотя бы две недели. О том, что это не проходной эпизод, легко определялось по медальону, чаще всего со святой Терезой из Лизье, болтавшемуся у него на шее. Если он не был католиком, имел право лишь на знак зодиака. На ночном столике валялись запонки, часы и зажигалка от Картье. Брошенные на стуле шмотки были хорошего качества, но таких цветов, что на них невозможно было смотреть, не то что носить! Галстуки, как говорится, «в тон»! И покупались дюжинами...

Эдит одевала своих мужчин по своему вкусу. Их собственный ее не интересовал. Она выбирала фасоны костюмов, ткани, цвет. И была уверена, что в ее одежде они прекрасны. Иногда так и получалось, но чаще выходило нечто ужасное. Все же курток немыслимых расцветок у них бывало всего одна или две, а все остальное она им заказывала голубого цвета. Это был ее любимый цвет для мужчин.

Шарль Азнавур рассказывал: «Всегда легко было узнать того, кого Эдит любила в данный момент. Если они вместе куда-нибудь шли, на нем всегда был голубой костюм. Однажды она пригласила к себе нескольких «бывших». Чтобы доставить ей удовольствие, все пришли в голубом! Их было восемь! Выглядели как любительская команда! Эдит, не страдавшая отсутствием юмора, наклонилась ко мне и сказала: «Однако! Особенно я себе голову не ломала!»

А обувь! Туфли им полагались очень красивые, всегда из крокодиловой кожи. Только носить их было невозможно, потому что у Эдит было твердое мнение: «Большие лапы — куриные мозги!» Выстояли только Сердан и Монтан, все остальные носили обувь хоть из крокодила, но на размер меньше! Своих мужиков она помучила.

Да, она была деспотична, невозможна, в жизни трудна, но только по мелочам. По большому счету они вертели ею как хотели! Она покупала себе право на мечту, в чем иногда отдавала себе отчет.

«Момона, знаешь, что больше всего обидно? Они любят не меня, не дочь папаши Гассиона. Если бы они ее встретили, головы бы не повернули! Они влюблены не в меня, а в мое имя! И в то, что я могу сделать для них!»

А пока что у нас был новый патрон. Весь дом ходил ходуном, царило безумное веселье. Как я была рада! У них с Эдит не было таких отношений, как с Ивом или с Конте, но он был приятным человеком. Он был приветлив, и от него не нужно было ждать подножек. По-своему он был даже честен. В первый раз, когда он остался ночевать, он меня растрогал. Я вошла в ванную и увидела, что он стирает нейлоновую рубашку... Она у него была единственной. К счастью, положение скоро изменилось. В нашем хозяйстве рубашки закупались дюжинами.

У Эдди была симпатичная внешность, но кроме того, что он работал под гангстера, особого интереса из себя не представлял. Он верил в Париж, но Париж еще не поверил в него.

По происхождению австриец, Эдди родился в Лос-Анджелесе в октябре 1915 года, в семье оперного певца. Его отец, дед, двоюродный брат, племянник — все пели. Ему не пришлось ломать голову при выборе профессии. Но его мечтой была серьезная музыка. У него был бас, и он блестяще закончил Консерваторию в Вене, даже получил премию.

Лопаясь от гордости, он вернулся в свою Калифорнию. Но там, видимо, если в чем и был недостаток, так не в басах, и ему сказали: «Подожди маленько! Чтобы у нас петь, одного желания мало. Займи-ка очередь». Видимо, у этой очереди был длинный хвост, так как только после того, как он научился продавать газеты, доставлять на дом молоко, стеречь машины на стоянке, ему удалось спеть на радио семнадцать раз в день текст, полный поэзии — о пачке сигарет. Он справился, и ему подкинули еще газированные напитки, жвачку, похоронные принадлежности. В том же жанре он обслуживал в эфире избирательную кампанию Рузвельта. А заодно и избирательную кампанию Дьюи — его соперника! В рекламном тексте не развернешься. Все равно как в точном времени по телефону. Бесконечные повторы, никаких неожиданностей. А мальчику Эдди их хотелось! И вот он расстается со своей женой Элен и своей дочкой Таней и приезжает в Париж попытать счастья! Он считал, что после войны американцев в Париже любят. Что он американец, у него было на роже написано.

Он сунулся вначале на радио Пари-Интер, потом Люсьенна Буайе помогла ему устроиться в «Клуб де л'Опера». Он выступал недолго у Лео Маржан и у Сузи Солидор. Уж лучше, чем анонимно воспевать прелести жевательной резинки! По крайней мере, он выходил на эстраду собственной персоной. Но деньги на него дождем не сыпались!

Как и для многих других, его шансом стала Эдит. У нее было поразительное чутье. Там, где еще никто ничего не замечал, она нюхом чуяла талант. Я просто руками разводила. Она судила не по внешнему вида, а смотрела в корень. Она точно предвидела, кем станут через пять-шесть лет обратившиеся к ней люди; и именно на это нацеливалась, когда начинала заниматься ими.

Ей всегда нравились мужчины, которые умели брать быка за рога. Константин — это, конечно, не Ив Монтан, но он тоже рвался в бой. С ним Эдит начала тоже с французского языка. Это было необходимо со всех точек зрения — какие уж тут беседы? Эдит терпеть не могла повторять два раза одно и то же! Ее полагалось понимать сразу, и чаще — с полуслова!

Хоть и на тарабарском языке, но Эдди все же удалось рассказать Эдит о своей жизни. Он от нее ничего не скрыл. Она знала, что он женат, но расстался с женой Элен и что обожает свою дочь Таню. Окончательный разрыв с женой не вызывал сомнений — он никогда о ней не думал. Эдит мне говорила: «Я рада, что он ушел от жены раньше, чем встретил меня. По крайней мере, меня не будут обвинять в том, что я разбила семью! Он свободен, это уже хорошо! И вообще в Америке разводятся легко».

Вот так мужчины и обводили ее вокруг пальца. Она верила всем их россказням, заглатывала как ликер для дам: приятно, сладко и голову кружит.

Однажды к ней пришел молодой певец по имени Леклерк для прослушивания. Константин тоже присутствовал. Это были сплошные любовные серенады. Он обрушил на нас потоки любви. Мы плыли по ним всеми стилями: кролем, по-собачьи, баттерфляем — на все вкусы! Вдруг посреди песни Константин встает и выбегает со слезами на глазах. Эдит бросает все и сломя голову несется за ним, в полной уверенности, что Эдди выскочил как безумный, потому что наконец понял, как она его любит. Доказательство: он чуть не плакал!

— Догоняю его, Момона, и спрашиваю: «Что с тобой, любимый?» И представляешь, слышу в ответ: «Я вспомнил про Элен!»

Когда она вернулась, на ней лица не было: «В одно мгновенье, двумя словами! Но это мгновенье, Момона, надо было пережить!»

На ее долю выпал не один такой удар... Сколько ей причиняли боли...

За это она заставляла расплачиваться других, в частности, тем, что заставляла подчиняться собственным странностям. Например, мне она запретила есть масло. «Масло есть нельзя, потому что, когда оно касается неба, оно размягчает мозговую жилу, и человек теряет интеллект!» Она, разумеется, не верила в эту чушь, но это ее забавляло. Ей нравилось, чтобы ей повиновались. Меня она не провела. Она сама не любила масла — вот в чем была зарыта собака! Она требовала, чтобы другие любили или не любили то же, что и она.

В ресторане она хватала меню и заказывала для всех. Иногда она этим пользовалась, чтобы отомстить. Через несколько дней после того, как душещипательные песни о любви вызвали слезы по бывшей супруге на глазах Эдди, мы большой компанией отправились в ресторан.

Эдит заказала десять порций ветчины с петрушкой. Это было ее новое гастрономическое открытие, и каждый вечер, хочешь не хочешь, все жевали одно и то же.

Константин попросил себе сосисок. Поскольку все смеялись, никто не обратил на это внимания. Когда Эдит увидела, что Эдди собирается спокойно навернуть что-то другое, вместо ветчины, она завопила: «Нужно иметь куриные мозги, чтобы жрать сосиски!» И отняла у него тарелку. «Вот, попробуйте»,— сказала она, обращаясь к другим. Каждый взял кусочек, съел и сказал: «Очень невкусно». Когда тарелка вернулась к Константину, она была пуста... И больше ничего он не получил. Теперь в Булони нам больше не нужно было привозить танцовщиц из «Лидо» — народу толклось, как на ярмарке. Развлечений хватало. У каждого был свой сольный номер. Эдит одновременно готовила свои четвертые гастроли в Америке и двухмесячное турне по Франции.

Пьер Рош не вернулся из Канады, и она решила до поездки в США взять с собой Шарля: «Я хочу посмотреть, как ты выглядишь один на сцене. Тебе это будет полезно». Излишне говорить, что Константин тоже вошел в состав команды. В нашем доме в Булони работа кипела, как на заводе. Эдит, Константин и Азнавур — когда ему давали возможность — репетировали без передышки. Кроме того, здесь толкались музыканты, приятели: Лео Ферре со своей женой Мадлен, Гит, Робер Ламурё, забегавший мимоходом поухаживать за Эдит,— он не оставлял ее совсем в покое и был прав. И всякие незнакомые люди, которых я в жизни в глаза не видела и которые все говорили одно и то же: «Мадам Пиаф меня знает. Я ее друг». Я смеялась, потому что Эдит мне говорила: «Гони его в шею!»

В любой час ночи я варила кофе, жарила фриты, подавала вино, делала бутерброды. Все это было бы даже весело, совсем хорошо, если бы не мои собственные трудности. К несчастью, скоро они станут видны невооруженным глазом. Я была беременна. Мне еще повезло, что Эдит до сих пор ничего не заметила!

Это не было случайностью, я хотела ребенка, но не смела ей признаться. Однажды утром я решилась:

— Эдит, у меня скоро будет ребенок.

Я ждала гнева, но получилось хуже.

— Момона, это неправда! Ты не могла такое сделать!

Если бы у меня была настоящая мать, она произнесла бы именно эти слова. Эдит считала, что я обманула ее доверие. А что, если я буду любить ребенка больше, чем ее?

Эдди по-мужски, терпеливо, не торопясь, разложил ей все по полочкам. Он нашел нужные слова. Две минуты назад она и слышать не хотела об ожидаемом ребенке, три минуты спустя она готова была разорвать меня за то, что я еще не родила. Все переменилось. Я всегда признательна Константину за то, что он сделал для меня в тот день. Ведь в конце концов его это не касалось!

«Твой ребенок, Момона, все равно что мой. Поэтому никаких глупостей, слышишь! Нужно быть очень осторожной. Красота и сила ребенка закладывается в животе матери. Чтобы он был красивым, ты не должна смотреть на то, что уродливо. И я сама буду следить за тем, как ты питаешься».

Она не ослабляла слежки ни на минуту. Когда мы были в кино, она брала меня за руку. И если решала, что зрелище недостаточно красиво, вредно для маленького, она мне ее сжимала. «Момона, не смотри, я тебе запрещаю!»

Все остальное было в том же духе.

Все вокруг знали: Момона беременна и следует считать, что это хорошо.

Во времена Анри Конте Эдит устроила нам спектакль со своим желанием родить ребенка. Притворялась она и когда утверждала, что надо оценивать мужчину с точки зрения, хороший ли он бугай-производитель или нет! Но в этом была доля истины. Ей было горько оттого, что ее доченька умерла в нищете, а теперь, когда у нее полно денег, она не может иметь ребенка.

Она не упустила такого прекрасного повода, чтобы обратиться к столику и спросить у него, кто у меня будет: девочка или мальчик? И отважный столик ответил: «Мальчик. И нужно назвать его Марселем!»

Ввиду моего состояния Эдит навязала Шарлю еще одну обязанность: опекать меня.

За несколько дней до моих родов Эдит забеспокоилась: «Нельзя, чтобы это произошло в мое отсутствие. Если ты уверена в сроках, это должно случиться скоро. Причем роды могут начаться неожиданно. Я скажу Шарлю, чтобы всегда носил твой чемоданчик!» Теперь он должен был таскать не только меня, но и мои вещи!

Однажды в семь часов утра мы всей компанией весело вывалились из кабаре, как вдруг я остановилась как вкопанная.

— Все. Началось.

— Пошли,— скомандовала Эдит.

В жизни еще никто так не прибывал в родильный дом. Как будто ввалилась свадьба с пьяными гуляками... Эдит величественно заявила сестре: «Мы — члены семьи». Уверена, что бедняжка никогда не видела подобного семейства!

Я управилась быстро. В десять часов утра (через три часа) я родила крупного мальчика, которого назвали Марселем; крестной матерью была, разумеется, Эдит. Чертов столик не ошибся!

Я родила вовремя, Эдит уезжала в турне с Эдди и Азнавуром. Она хотела, чтобы я поехала с ней, но это было невозможно, я должна была заниматься ребенком. Каждый раз, когда я могла, я приезжала к ним на три дня.

...Эдди Константин свою благодарность выразил в книге воспоминаний «Этот человек не опасен». Он пишет:

«Эдит Пиаф научила меня, как и нескольких других, всему, что касается того, как должен держаться певец на сцене. Она помогла мне поверить в себя, а я совсем в себя не верил. Внушила желание бороться, а у меня совсем не было этого желания. Напротив, я плыл по течению. Чтобы я стал кем-то, она убедила меня, что я уже кто-то. У нее был дар выявлять, усиливать чужую индивидуальность. Она не уставала повторять: «Ты из того теста, Эдди, из которого выпекают «звезды»! «Когда я слышал эти слова от нее, «звезды» первой величины, по моим жилам пробегал электрический ток».

Но Константин так и не узнал, что, желая придать ему уверенности в себе, Эдит еще и платила. Когда Митти взял Константина, он положил ему две тысячи франков. А Эдди считал, что получает пять. Разницу доплачивала Эдит. Она делала то же во время турне и гала-концертов. В этой тайной помощи тому, в кого она верила, была вся Эдит!

Глава 14

НАЧАЛО «ЧЕРНОЙ» СЕРИИ

Когда Лулу привел к нам Андре Пусса, он мне понравился. Славный прощелыга, типа Бельмондо, с честным, крепким рукопожатием. Приветливая улыбка, и с первых слов ясно, что парижанин. На самом деле это был плотный, непрозрачный человек из цемента, в которого забыли вложить сердце, в прошлом известный велосипедный гонщик. В этой профессии ноги изнашиваются, увы, быстрее, чем все остальное. Теперь ему хотелось познакомиться с миром артистов. С Эдит он попал в самую точку. Лучше партнерши трудно придумать! Андре пришел в «АВС» на «Маленькую Лили». Эдит вгляделась в него и расхохоталась:

— Да ведь я вас знаю!

— Знаете, мы встречались в Нью-Йорке. Это было... в 1948 году. Я был чемпионом в велогонке на Мэдисон Скуэр Гарден. Я приходил слушать вас в «Версаль». «Глотнуть парижского воздуха!» Как было здорово вас услышать! А какой у вас был успех! Я гордился, что американцы так принимают нашу девчонку! Я заорал: «Аккордеониста!» Вы засмеялись и сказали: «В зале есть француз!»

— Верно, а потом с Лулу и вашим приятелем мы пошли во французский ресторан...

Начало было положено, поскольку они ударились в «воспоминания детства»... С Шарлем мы обсудили шансы Андре и решили, что он не тянет! После этой встречи Пусс исчез, Эдит о нем не вспоминала. Как всегда, когда она была на распутье, через ее жизнь проходило много случайных людей... Мы с Шарлем не чаяли, когда остановится этот вальс нежных чувств. Эдит изматывалась до последней степени и изматывала нас всех, пытавшихся не отставать от нее. Она отдавалась всему со страстью, как дервиши, которые в своем безумии кружатся, пока не падают без сил. Она жила каждый день так, будто завтра должна была умереть. Даже в малом, в простых удовольствиях она стремилась насладиться до конца, исчерпать все до предела. Она объедалась блюдами, которые ей нравились, на остальное было наплевать... Нас уже с души воротило, а она испытывала такое же наслаждение, как будто проглатывала первый кусок.

Маргерит Монно научила ее любить серьезную музыку, классическую. Однажды случайно Эдит услышала по радио Девятую симфонию Бетховена. Гит была при этом. Эдит посмотрела на нас с яростью.

— Гит, почему ты не дала мне это послушать раньше?.. Шарль, а ты знал, что есть такая музыка?

— Да.

Шарлю влетело больше всех.

— Так, значит, ты считал, что это не про меня? Ступай и сейчас же купи пластинку!

Она смотрела на нас так, будто мы ее предали. Все чувствовали себя виноватыми, даже я, которая совсем в музыке не разбиралась.

Была одна книга, которая ее особенно потрясла, сложнейшая штука про «относительность»! Нужно было очень любить, чтобы читать про атомы и нейтроны. Посложнее «Мадам Бовари». Но Эдит это нравилось. «Видишь, Момона, эту галиматью понимать трудно. Когда ты читаешь, то сознаешь, что на своем земном шарике ты полное ничтожество. Но одновременно ты ощущаешь, что, чем ты меньше и ничтожней, тем ты значительней и величественней. Ты — целый мир, понимаешь?»

Так могло длиться днями и ночами. К счастью для нас, она читала мало. У нее быстро уставали глаза, да и работа отнимала много времени. Я имею в виду не только репетиции, она работала постоянно: на улице, в ресторане, на людях, повсюду она смотрела, слушала; все будило ее воображение и рождало новые идеи.

Она не ходила в музеи, но Жаку Буржа все же удалось познакомить ее с некоторыми картинами, и она делилась со всеми своим восторгом: «Коро, Рембрандт — до чего же были талантливые люди...»

Эдит обожала кино. Когда ей нравился какой-нибудь фильм, она закупала целый ряд и брала с собой всех своих друзей. Мы с Шарлем знали почем фунт лиха! Все уже давно попрятались кто куда, а нас она продолжала таскать с собой.

Я чувствовала, что Шарль долго у нас не продержится. Он оставался с Эдит только из чувства преданной дружбы. Его дела шли все лучше, медленно, но верно. Каждый вечер он выступал в клубе «Карольс», платили ему немного — две тысячи франков за вечер, но у него был уверенный успех. Тем не менее Эдит продолжала давать ему свои советы: «Шарль, ты робеешь перед публикой, а ведь ты не трусливого десятка. Много воды еще утечет, пока ты себе купишь «Роллс-Ройс»...»

Пусть так, но пока она была очень довольна, что у него появились сбережения. Однажды к нам явился слесарь, чтобы отключить газ, в доме не было ни гроша. Мы вывернули все карманы — пусто. Горничной надоело нас выручать, мадам без того была ей много должна! К концу каждого месяца Эдит обязательно занимала у нее! И тут наш Шарль взбежал через две ступеньки в свою комнатку на третий этаж, где он к тому времени обосновался, и вернулся гордый, как папа римский, неся три бумажки по тысяче франков.

Эдит оценила этот жест. Со времен Сердана ни один мужчина не раскрывал ради нее своего бумажника. Для нее важно было то, что это шло от сердца. На деньги как таковые ей было наплевать. Подумаешь, газ, электричество! Отключайте, ну и что? Переедем в отель «Кларидж»!

В эту историю трудно поверить, особенно если знать, что в то время гонорары Эдит доходили до трехсот-четырехсот тысяч франков за выступление. Она оставалась такой, даже когда ей платили миллион двести пятьдесят тысяч франков за концерт.

Как-то однажды друзья сказали Эдит: «Вам следовало бы купить ферму под Парижем: это приятно, приносит доходы, и вы могли бы ездить туда на уик-энды».

«Пойми, Момона, мы же задыхаемся в Париже. Деревенский воздух мне был бы полезен».

И Эдит купила ферму за пятнадцать миллионов в Алье, возле Дрё. Обставить и оборудовать ее стоило еще добрых десять кусков. За пять лет она съездила туда три раза. И продала ее за шесть миллионов.

Прошло около месяца, Пусс не появлялся. Я думала: «Ничего не вышло», как вдруг в ванной комнате Эдит меня спрашивает:

— Момона, как ты находишь Пусса?

Мне не пришлось ломать голову, ответ сам слетел с языка:

— Это настоящий мужчина!

— Не правда ли?— спросила меня Эдит, светясь от счастья, готовая снова, в который раз, вступить на крестный путь любви.— Я приглашу его на уик-энд.

Прием с уик-эндом был новым, она его еще никогда не применяла. В остальном события развивались как обычно. Обратно Пусс вместе с Эдит приехал в Булонь и остался там на год. Затянувшийся конец недели!

Сам он говорил смеясь: «Вот так все в жизни случается! Я подумал: «Проведу ночь с Пиаф — наверно, будет забавно! К чему меня это обязывает?!» Но сердце решило за меня. С любовью шутки плохи!»

Я сразу полюбила Пусса. Он был очень честным человеком, говорил и действовал всегда так, как было лучше для Эдит, а не для самого себя. Как и Лулу, он не хотел, чтобы она сорила деньгами, даже упрекал ее за подарки, которые она ему делала:

Из всех ссор, при которых я присутствовала, самые дикие происходили тогда.

Например, мы вдвоем с Эдит уходили днем на какое-нибудь свидание. Возвращались в веселом настроении. Он встречал нас мрачнее тучи. Он кричал: «Я не хочу, чтобы меня считали за дурака!» Ему нельзя было заговорить зубы, как закомплексованному интеллигенту, он был человек простой и прямой и видел только одно — Эдит ему изменяла. Он мог прийти в неописуемую ярость и среди ночи вдруг выбросить в окно все, что ему было подарено.

Мы вместе с кем-нибудь из друзей спускались вниз и при свете автомобильных фар отыскивали часы, драгоценности, одежду: он не мелочился — в окно летело все, что попадало под руку. После этого они, успокоенные, мирно ложились в постель. А я на четвереньках ползала по булыжной мостовой. Эдит вся состояла из контрастов, и они ошеломляли Андре. Ему было трудно за ней угнаться. Однажды мы принесли домой штук пятьдесят красных воздушных шариков, на которых было написано: «Андре — обувщик, умеющий хорошо обувать».

Для Шарля плохие времена миновали, его звезда должна была действительно вскоре взойти. Тем не менее пока что он таскал чемоданы и водил машину.

Эдит уехала, я осталась в Булони.

Пусс хотел быть с ней наедине, а я ничего не имела против короткой передышки и спокойно ждала их возвращения. Мы с Эдит разговаривали по телефону по нескольку раз на дню. 24 июля она позвонила мне раньше чем обычно и под конец сказала:

— Момона, знаешь, я тебе сейчас расскажу анекдот: еще немного, и я позвонила бы тебе с того света. Сегодня утром я дремала в машине, Шарль был за рулем, и вдруг на повороте в Серизье машину занесло и мы врезались в дерево! Ну, что ты скажешь? Правда, забавно?..

Я задохнулась от ужаса, иначе бы, конечно, рассмеялась.

— Не беспокойся, Момона, я же тебе говорю, что я жива и здорова, все в порядке. Даже ни одного синяка. Жаль, ты нас тогда не видела! Мы лежали на земле и не смели посмотреть друг на друга: каждый из нас боялся, что другого придется собирать по частям!.. Но машина! Под деревом — груда металлолома... Ну а за мной, ты же знаешь, смотрит сестричка из Лизье. Со мной ничего не может случиться.

Я не была в этом уверена, и у меня был просто шок, Эдит впервые попала в автомобильную катастрофу. Теперь при каждом телефонном звонке я вздрагивала. Позвонив три недели спустя, она странным, далеким голосом произнесла:

— Момона, представь себе, мне выстроили маленький, хорошенький домик на руке... Из гипса... Нет, нет, не беспокойся, все в порядке. Но я возвращаюсь. Нельзя же выступать в таком виде...

У нее была особая манера рассказывать о несчастных случаях. Никогда она не сообщала своим близким плохих известий без подготовки, никогда не жаловалась. Она всегда говорила: «Это пустяки, все хорошо».

«За рулем был Андре, и он не ранен. Это случилось возле Тараскона. Мы с Шарлем так крепко спали на заднем сиденье, что ничего не заметили! Машину занесло на вираже. Ну, до завтра».

Господи, до чего же я волновалась, ожидая ее! Но я бы волновалась гораздо сильнее, если бы предчувствовала, что эти две катастрофы, последовавшие одна за другой, означали для Эдит конец везения.

Когда Эдит доставили в машине «скорой помощи» и я увидела бледное, осунувшееся лицо, лихорадочно блестевшие глаза, я поняла, что она мне сказала неправду. У нее была сломана не только рука, но и два ребра, что мешало ей дышать. «Я должна лечь в больницу, Момона, поедем со мной».

Эдит ужасно страдала. Она, которая могла раньше выносить любую боль, часами стонала, не умолкая. Единственными светлыми моментами дня были периоды, наступавшие после укола. «Теперь мне лучше, Момона. Хорошо, что делают эти уколы. Я бы не выдержала!»

Я, как идиотка, радовалась, когда после инъекции боль отступала. Если бы я знала! Эдит привыкла к наркотикам. Она об этом не говорила, она была уверена, что как только ей станет легче, она без них обойдется. Но я начала беспокоиться:

— Слушай, Эдит, потерпи немного. Тебе же только недавно делали укол... Ты можешь втянуться.

— Мне очень больно, Момона. Ты что, с ума сошла? Я — и наркотики! Не бойся за меня! Я ведь помню, как отдала концы моя мать. Сколько я делала глупостей, сколько раз я тебе клялась, что не буду пить, но марафет, игла — этого никогда не будет!

Не прошло в больнице и двух дней, как она мне сказала:
— Момона, от их баланды меня тошнит. Пусть мне Чанг готовит.

И я каждый день приносила ей еду. Она не разрешала это делать никому другому.

Как-то вечером она мне позвонила и сказала:
— Когда понесешь еду, захвати с собой книги.

В вестибюле больницы меня ждал Пусс.

— Послушай, Симона, так дальше продолжаться не может. Возле Эдит должен быть я, а не ты.

Он стал мне растолковывать, что я должна жить своей жизнью и дать возможность Эдит жить своей. Он говорил все это очень искренне, и я подумала, что действительно ему надо побыть с Эдит одному, без меня. Это был его шанс. То, что он говорил, я уже слышала от Ассо и от многих других. Жить с двумя женщинами действительно не сладко. Я понимала, что некоторые этого не выдерживают.

— Хорошо. Я отнесу ей книги и попрощаюсь.

— Нет, не ходи. Если ты станешь с ней прощаться, она тебя не отпустит. Дай мне остаться с ней одному и помочь ей. Если ты ее любишь, ты должна уйти сейчас.

«Ну что же, может, он и прав»,— подумала я и, отдав ему книги, ушла. Самое неприятное во всем этом было то, что почти каждый раз они хотели, чтобы я уходила сама. И это выглядело так, словно я сматываюсь потихоньку, подло предаю Эдит. Я знала: пройдет время, и я снова ее увижу. Не в первый раз нас разлучал мужчина. И всегда она говорила мне: «Возвращайся».

Хоть мне и пришлось убраться, как говорится, подобру-поздорову, но было бы лучше, если бы бедный Пусс меня не прогонял. Он недолго продержался после моего ухода, всего несколько недель...

Эдит вернулась в Булонь и, поскольку рассталась с Андре, позвала меня: «Возвращайся». Знакомые слова! Но я была не одна, у меня была своя жизнь, ребенок. Я по-прежнему любила Эдит, но теперь мне приходилось задумываться. Эдит была невероятно требовательна, возле нее нужно было быть двадцать четыре часа в сутки, она не отпускала от себя ни на секунду. Она очень плохо восприняла то, что я ей сказала, наговорила мне кучу обидных слов, хотя в конце концов согласилась с тем, что я не могу быть при ней все время, поняла, что мне нужно иногда давать передышку, что мне нужна свобода.

Эдит не выносила одиночества. Когда вокруг царила тишина, ее охватывал страх. Она буквально сходила с ума. «Момона, поверь мне, по ночам я слышу, как в этом чертовом доме одна за другой уходят минуты, от их адского грохота у меня раскалывается сердце!» И тогда она шла на улицу, заходила в любой бар, чтобы быть среди людей, и пила.

В эту ночь я осталась с ней. Я говорила ей о песнях, о ее работе, даже не зная, слушает ли она меня. Потом заговорила и она, начала строить планы, и я поняла, что все прошло.

Перед тем как заснуть, она сказала мне, как ребенок:

«Прости меня, Момона, ты знаешь... я понарошку...» Но именно эти слова убедили меня в том, что все было на самом деле. В чем причина? Если бы я знала, что причина называлась морфием, я бы осталась с ней. Но еще раньше Эдит мне сказала: «Ты видишь, я прекратила уколы. У меня ничего не болит, и наркотики мне больше не нужны».

Я была настолько глупа, что поверила.

Глава 15

В ОМУТЕ НАРКОМАНИИ

Для Эдит концерты в «Карнеги Холл» были не просто успехом, это был полный триумф.

— Момона, наконец-то я выскочила из дерьма. Мои приятели-американцы хорошо на меня действуют. Они ничего из себя не строят, не ломают комедию. Если они кого любят, так прямо об этом говорят. Тебе признаюсь: когда я туда ехала, дрожала мелкой дрожью, а теперь набралась мужества, я прежняя. Буду готовиться к концерту в «Олимпии».

— Будь осторожна, Эдит, не форсируй. А вдруг не хватит сил?

— Не морочь голову! Надоело это от всех слушать! Знаешь, что генерал Эйзенхауэр ответил врагам, которые просили его поберечь силы? «Better live than vegetate»*. Мне нужно наверстать упущенное!

Даже с приближением премьер Эдит не меняла образа жизни. Только плюс ко всему она еще и работала! Концертная программа для «Олимпии» была для Эдит очень важ-

---

* «Лучше жить, чем прозябать» (англ.).

на — почти два года она не пела в Париже! Брюно Кокатрикс, и без того недоверчивый и осторожный, наслушавшись злых сплетен, пригласил ее лишь на месяц. Вообще говоря, это было совсем не плохо: месячные контракты он заключал со «звездами», остальные выступали по две недели.

В вечер генеральной мы все были как на горячих угольях. Если Эдит пройдет в «Олимпии» плохо, вся ее дальнейшая карьера окажется под вопросом. До Парижа дошли слухи о гастролях с Пилсом, о выступлениях с Супер-Цирком: «Знаете, с Пиаф все кончено. Она срывает контракты».— «Хорошо бы, разбила себе морду!» Хищники в зале оскалили клыки, но после пятой песни заблеяли как ягнята. В тот вечер Эдит впервые спела «Француженку Мари», «Даму», «Человека на мотоцикле», «Ты знаешь», «Любовники на один день», «Браво, клоун!».

Никто никогда не обращал внимания на то, как она причесана, во что одета, точно ли поет или фальшивит. Это не имело никакого значения. Более того, если она ошибалась или останавливалась, публике это нравилось. Это было доказательством искренности и правды, совершающегося на глазах творчества, а не штампа, вам не продавали позавчерашние котлеты. Все рождалось в ней и исходило от нее: и любовь и страдание. Наркотики, будь они прокляты, чуть-чуть не убившие ее, как бы очистили ее изнутри, обнажили нервы, и она пела о любви с такой силой, как никто и никогда до нее.

Занавес невозможно было закрыть — ее вызывали двадцать два раза, и она спела на бис больше десяти песен. У меня пересохло в горле и болели от аплодисментов руки. Брюно расторг следующие контракты и дважды, трижды продлевал ее выступления. Она пела в «Олимпии» двенадцать недель.

Каждый вечер зал был переполнен. Спекулянты перепродавали даже откидные места! Сборы достигли рекордных цифр: три миллиона (старых) франков в день. Еще три миллиона было выручено за продажу пластинок: за четыре месяца их продали триста тысяч, а диск концерта в «Олимпии» только за две недели разошелся в количестве двадцати тысяч штук. За год фирма звукозаписи перевела на ее счет тридцать миллионов старых франков. Ее гонорар за вечер составлял один миллион двести пятьдесят тысяч франков. Люди, конечно, говорили: «Вот уж у кого денег куры не клюют! Сколько же она себе отложит на черный день!» Ничего она опять не отложила... За деньги Эдит платила собственной жизнью.

Когда она начала выступать в «Олимпии», врачи ее предупреждали: «Каждый раз, когда вы поете, вы сокращаете свою жизнь на несколько минут!..» Они хотели ее напугать. «Мне плевать! Если я не буду петь, сдохну еще скорее!» Поэтому она имела право ради своего удовольствия сорить деньгами. Сбережений как не было раньше, так не было и теперь.

В своей книге «Мой путь и мои песни» Морис Шевалье предупреждал Эдит: *Пиаф — маленький чемпион в весе пера. Она болезненно расточительна. Она не бережет ни денег, ни сил. Наблюдая с нежностью и тревогой за ее клокочущей гениальностью, я предвижу, что ее стремления увлекут ее в пропасть, подстерегающую с обочин дороги. Она хочет все успеть, все объять... И обнимает все, не признавая законов осторожности, предписанных профессией кумира...*

«Ну и что он выиграет,— сказала Эдит, прочитав эти строки,— если после смерти у него останутся деньги на золотой гроб? С меня лично хватит деревянного костюма, в который одевают нищих бродяг. И потом, я хочу умереть молодой. Какая гадость — старость, какая мерзость — болезни...».

В течение долгих месяцев наркотики заменяли Эдит все. Схваченная за горло их мертвой хваткой, она не могла думать ни о чем другом. Теперь все изменилось. Ей снова хотелось любви, но в душе была пустота, на которой не расцвести чувству, нужному ей, чтобы жить, Я была уверена, что без любви она может пуститься во все тяжкие.

Каждый вечер была «Олимпия», но между моментом, когда она покидала сцену, и моментом, когда снова выходила на нее, проходило много времени, слишком много. И Эдит пила. Но не так, как мы когда-то пили, ради веселья и озорства; она пила, чтобы забыться, свалиться как подкошенная и наконец уснуть! Она решила, что пиво менее вредно, чем вино... и в стельку набиралась пивом.

Клод не знал, что для нее алкоголь так же опасен, как морфий. А Эдит внушила ему, что разыгрывает нас, и он прятал для нее бутылки пива в спальне, в ванной, где только мог... Она превратила его в своего сообщника. Лулу и несколько верных друзей пытались бороться с пьянством. Но эту борьбу можно было вести, лишь живя вместе с ней. Достаточно было отпустить ее одну в туалет, как все усилия шли насмарку!

Лулу пытался ее урезонить, она либо посылала его к черту, либо клялась, что с пьянством покончено, она дает слово и завязывает навсегда. Она настолько была пропитана алкоголем, что ей достаточно было трех стаканов пива, чтобы быть в стельку пьяной. А Клод, невинный младенец, говорил: «Честное слово, она много не пьет, я за ней слежу!»

Эдит предстояло отправиться в одиннадцатимесячное турне по Соединенным Штатам, самое важное, самое длительное за всю ее карьеру. Ей там платили очень много. На первом месте в мире по гонорарам стоял Бинг Кросби, на втором Фрэнк Синатра, а за ними она. Лулу снова, уже в который раз, приходил в отчаяние.

Когда Лулу объявил охоту на бутылки, когда каждый закуток был досконально обыскан: под двуспальной кроватью, в аптечке, в гардеробе, в комоде, в туалете, в рояле — всюду, где можно спрятать бутылку, включая мусорный ящик,— Эдит, видя, что выпить нечего, впадала в дикую ярость и крушила все вокруг или в ночной рубашке и шлепанцах, накинув только пальто, убегала в ночную тьму, чтобы приземлиться за первой попавшейся стойкой бара.

Утром раздавался телефонный звонок, и снимавшая трубку Элен, жена шофера, слышала голос неизвестного бармена: «Приезжайте за своей мадам, за Эдит Пиаф. Уже шесть часов, и мы закрываемся, а она не хочет уходить и орет: «Я твоя!» Нам пора спать. Захватите, кстати, чековую книжку, за ней порядочно записано».

Шофер с женой, Марк Бонель и Клод, как группа захвата, отправлялись доставлять на дом хозяйку, которая, в зависимости от настроения, пыталась иногда прихватить с собой то игральный аппарат, то электрический бильярд, то оконные занавески.

В теперешних запоях Эдит не было ничего веселого. Как-то вечером, незадолго до отъезда в Америку, она решила репетировать, начала петь и вдруг остановилась на полуслове.

— Я забыла в ванной одну вещь.

— Я вам принесу, Эдит,— сказал Клод.

— Нет, пойдем вместе.

После пребывания в больнице Эдит не выносила одиночества ни на минуту. Ее надо было сопровождать повсюду, и особенно в туалет, причем ей было не важно, кто в данный момент был рядом, мужчина или женщина,— она оставляла дверь приоткрытой и была спокойна.

Вскоре она вернулась. Глаза ее блестели. Она запела, но тут же стала хохотать:

— Я не могу... Слова толкаются у меня в горле, хотят выскочить все одновременно. Не толкайтесь!.. Они меня не слушают! Во рту их слишком много... пойду выплюну...

Она снова ушла. Вернулась бледная, с запавшими ноздрями, каплями пота на лбу.

— Эдит, тебе плохо?

— Плохо. Снова мешают говорить. Сейчас приду...

Через несколько секунд раздался ее вопль и звон разбитого стекла.

Все бросились к ней. Клод — первый. Она стояла в своей комнате на кровати и с криком швыряла в угол пустые и полные бутылки с пивом, где они разбивались о стену. Это был приступ белой горячки. «Пауки, мыши,— кричала она,— убейте их, они лезут сюда! Их лапы... их лапы царапают меня...». Эдит срывала с себя одежду, раздирала ногтями лицо, руки и кричала, кричала.

«Это невозможно было вынести,— рассказывал потом Клод.— Симона, Симона! Она талантливая, она великая, как же с ней может быть такое?!» У него на глазах были слезы. Ночью приехала «скорая», и ее увезли. С ней едва могли справиться двое мужчин. Эдит ужасно мучилась. Снова ее заперли в клинике. Через месяц она оттуда вышла, обессиленная, но выздоровевшая.

У нее оставалось только десять дней, чтобы подготовить программу для Америки, но тем не менее она уехала в полной форме.

Одиннадцать месяцев — долгий срок: из Нью-Йорка в Голливуд, из Лас-Вегаса в Чикаго, из Рио в Буэнос-Айрес... Особенно, если не пить ничего, кроме молока и фруктового сока! Эдит вымоталась до предела, но вернулась счастливая.

...Не успела Маргерит усесться за рояль, как Эдит протянула ей какой-то текст.

— Вот прочти. Это «Зал ожидания» Мишеля Ривгоша. У него талант лезет из ушей. Я его пригласила.

Маргерит еще не дочитала текст, как Эдит уже говорила:

— Прослушай эту пластинку. Я откопала эту вещь в Южной Америке, когда мы были в Перу. Ее пела испанка.

— О, Эдит, как это прекрасно!— восклицала Гит,— поставь еще раз...

— Но мне нужны слова. Кто их напишет?

Их написал Мишель Ривгош, и песня стала называться «Толпа».

> Толпа нас уносит,
> Влечет за собой,
> Кружит, привлекает друг к другу,
> И мы уже — единое целое.

Мишель был последней находкой Эдит. Изящный, с маленькими усиками, брови как нарисованные, волосы в лирическом беспорядке — типаж рокового соблазнителя-аргентинца из немых фильмов. Очень приятный, умный, необыкновенно талантливый человек, немного отстающий от ритма событий. Он написал «Толпу», но жизнь на бульваре Ланн — это вихрь. Великая Пиаф вернулась. Она готовит свою «Олимпию-58», которая станет одной из лучших ее программ.

Сольный концерт в «Олимпии» был подготовлен за несколько недель. Весь дом был в радостном оживлении. Мы, ее старые спутники, снова обрели свою прежнюю Эдит. Атмосфера почти такая, как в момент появления нового мужчины. И он в самом деле появляется: это Феликс Мартэн.

Перед выступлением в «Олимпии» Эдит решила обкатать свою программу в провинции. Как обычно, Лулу все организовал. Хорошо зная хозяйку, он ее предупредил:

— В вашей программе выступает новичок: некто Феликс Мартэн.

— Я тебе доверяю,— ответила Эдит.

В первый вечер гастролей в Туре Эдит, как обычно, перед выступлением тряслась от страха — неподходящий момент для визита вежливости. Сидя перед зеркалом, она гримировалась (что тоже всегда ее раздражало), когда в дверь постучали. Вошел довольно красивый молодой человек, метр восемьдесят семь роста, независимого вида.

— Добрый вечер, Эдит. Я Феликс Мартэн.

Может, Эдит и не всосала хороших манер с молоком матери, но этот тип, по-видимому, не понимал, что она — «Эдит Пиаф», и представился так, будто он был сыном Господа Бога... «Знаете, я Иисус, сын Бога-отца...». Это ей не понравилось. Только она собралась поставить его на место, как он добавил — оказывается, он не кончил:

— Очень рад, что буду работать с вами, большое спасибо.

— Не за что...

Может быть, ему и недоставало хороших манер, но способности у него были.

Эдит приходит его слушать один раз, другой, третий. На сцене он циник, но она задумывается: а не скрывается ли за этим нежное сердце? Некоторое время спустя Эдит мне звонит:

— Момона, свершилось, я обручилась с любовью.

И все началось по новой...

Вернувшись из турне, перед выступлением в «Олимпии» Эдит еще сумела сняться в «Любовниках завтрашнего дня». «Понимаешь, Момона, если я не снимусь сейчас, потом на фильм у меня уже не будет времени».

А у нас не было времени перевести дух. Эдит снова была прежней — Эдит грандиозных периодов. Чтобы встретиться с ней, мне приходилось обегать несколько мест. Например, она мне звонит: «Приезжай!» Приезжаю домой — она на студии. Мчусь туда. «Мадам Пиаф заезжала на минутку, она поехала в «Олимпию». Но когда она зовет, являться нужно немедленно, поэтому мне, разумеется, попадает: «Интересно, где тебя носило? Если тебя зовут сегодня, это значит сегодня, а не завтра!»

По окончании съемок Марсель Блистэн устроил коктейль. Франсис Бланш с философским видом, сидя в уголке, посасывал трубку, но ему было скучно. Он ждал свою сообщницу — Эдит. Она вошла, заразительно смеясь.

— Франсис, послушай. Гит мне сегодня рассказала поразительную вещь, это вам полезно знать. Оказывается, злиться нельзя, это вредно для здоровья! Именно поэтому на свете столько больных. Нет, нет, не смейся... Когда ты ревнуешь, или сердишься, или дуешься, ты посылаешь заряд адреналина в надпочечники и у тебя начинают болеть почки. Так вот, я кончаю с этим, больше не буду злиться!

Она не успевает закончить фразу, как замечает одну из своих лучших подруг... Эдит открывает рот. Франсис смотрит на нее, Эдит сгибается пополам, кладет руки на поясницу и восклицает:

— Аи, мои почки!

Весь вечер она играла в эту игру. Никогда мы так не смеялись. Если за спину хваталась не она, то хватался Франсис.

Такой Эдит всегда бывала раньше.

Ночи на бульваре Ланн становятся все короче. Темп репетиций убыстряется. Все куда-то бегут, суетятся. Клод старается всюду поспеть. Эдит кричит, шутит. Эта музыка всем нам хорошо знакома!

Плюс ко всему — Мартэн. Мне о нем просто нечего сказать, прошел как сквозняк в доме, не продержался и четырех месяцев. Самый короткий срок из всех, получивших голубой костюм!

Эдит полна идей. Давно уже она не была в такой форме. Хочется верить, что это воскрешение, что так будет продолжаться годы. Но это солнце Аустерлица; никогда больше оно не взойдет.

Пока же мы счастливы, полны надежд. Да и как не обманываться! Все внушает нам веру.

Спустя четыре дня согласно установившемуся протоколу, Эдит представила на бульваре Ланн нового «хозяина» — Жоржа Мустаки. Он получил большой джентльменский набор: костюмы, часы и все прочее. Для него, первого патрона после Эдди Константина, не было ничего слишком дорогого. Зажигалка была не золотая, а платиновая — пустячок стоимостью в четыреста тысяч франков. На третий день Мустаки, богема, потерял ее. На следующий день Эдит купила ему такую же другую.

Эдит уверена, что в лице Жоржа нашла достойного партнера. Он весел, любит, чтобы вечер длился до утра. В еде не привередлив. Готов дружить со всеми. Он привык жить как бог на душу положит, и беспорядочность Эдит ему не мешает. Он никому не читает проповедей: для него благое дело — это жить день за днем, час за часом так, как хочется. И уж, конечно, не ему сдерживать Эдит и говорить ей: «Ложись в постель... Спи... Хватит пить... Не трави себя лекарствами, ни чтобы спать, ни чтобы работать...»

С ним Эдит в который раз начинает новую жизнь. А новую жизнь что беречь? Зачем над ней трястись, как над старой, изношенной? Жги ее с двух концов!

Для нее Жорж пишет одну из своих лучших песен «Милорд».

А ну, сюда, Милорд!
Садитесь за мой стол!
На улице так холодно,
А здесь уютно.
Дайте мне поухаживать за вами, Милорд.
Устраивайтесь поудобнее,
Перекладывайте ваше горе на мое сердце,
А ваши ноги кладите на стул.
Я вас знаю, Милорд,
А вы меня никогда не видели,
Я портовая девка,
Уличная тень.
Так идите сюда, Милорд...

Жорж берет ее не только талантом. С ним к Эдит возвращается вкус к скандалам. У него не всегда хватает выдержки. На гастролях Эдит нередко приходится накладывать грим, как штукатурку: ночные следы — не обязательно следы любви! Но ничего, ей это всегда нравилось. Когда она мне звонит, у нее счастливый голос: «Мы сегодня ночью с Жоржем сцепились! Чего только не наговорили... Я его обожаю!» Для Эдит это никогда не было плохим признаком. То, что она спускала с мужика три шкуры, означало лишь, что она крепко держится за него; а если он выходил из себя и всыпал ей по первое число, также значило, что она ему дорога.

Доказательство от противного — самое верное! Она делает Жоржа своим гитаристом и решает взять его в Нью-Йорк. Ее девятая поездка в Америку должна начаться 18 сентября 1959 года. Лулу устроил ей контракт на четыре сезона в «Уолдорф Асторию». Она проведет там только один. На этом она простится с Соединенными Штатами и никогда туда больше не вернется.

Чтобы сменить обстановку после возвращения из турне и отдохнуть немного, Эдит сняла загородный дом в Конде-сюр-Вегр, в департаменте Сена-и-Уаза. «Понимаешь, Момона, перед отъездом в Нью-Йорк я должна немножко запастись кислородом. Это всем будет полезно».

Полезней было бы, если бы она отказалась от дыни в портвейне и клубники в вине, ее последних кулинарных рецептов, которые следовало бы, скорее, назвать портвейном с дыней и вином с клубникой...

После смерти Марселя Эдит много внимания уделяла его троим сыновьям. Любимцем ее был Марсель, вероятно, потому, что он был похож на отца и хотел стать боксером. Она пригласила его провести месяц в деревне, куда переехал весь табор. Сама Эдит, которая не умела сидеть на одном месте, все время торчала в Париже.

Однажды она позвонила мне утром: «Я смываюсь в деревню на несколько дней. Приезжай. Позвони Шарлю, если он в городе, он тебя захватит; я его давно не видела. Ты же познакомишься с Жоржем поближе и скажешь мне, как он тебе нравится. В субботу я возвращаюсь в Париж и ты вернешься с нами; Марсель летит в Касабланку, я отвезу его в Орли». Я должна была согласиться, но почему-то отказалась. Может быть, это еще раз спасло мне жизнь.

Седьмого сентября Эдит в третий раз попадает в автомобильную катастрофу. За рулем ее «D.S.-19» был Мустаки, она сидела рядом, сзади Марсель Сердан и одна молодая девушка. Шел дождь. Жорж слишком поздно заметил разворачивавшийся грузовик. Он намертво затормозил, и машина полетела в кювет. Все бросились к Эдит, помогли ей выйти. Лицо ее исцарапано, по нему стекают ручейки крови, похожие на красную вуалетку. Оглушенный Сердан, спотыкаясь, сам выбирается из машины, он тоже в крови, Жорж, который совсем не пострадал, кричит: «Это Эдит Пиаф! Ей нужно немедленно помочь!»

Вокруг них водители дальних рейсов. Для них Эдит — не просто Эдит Пиаф, знаменитость, для них она женщина, каких они любят.

Они поднимают ее, вытирают кровь своими большими грубыми руками. Несмотря на контузию, Эдит им улыбается, успокаивает их.

— Кажется, у меня ничего не сломано. А что с моей головой?

— Большой порез, мадам Пиаф. Голова, знаете, это либо все, либо ничего. Крови много, но это пройдет. Пока не приедет «скорая», вы не двигайтесь. Вот выпейте лучше стаканчик вина, это вас поддержит.

Когда Эдит увезли, один из них сказал другому:

— Посмотри-ка на свой свитер, он весь в крови, нужно его замыть.

— Ты что! Это же кровь Эдит Пиаф! Все равно как автограф! На обратном пути заеду в больницу узнать о ее здоровье.

Когда в больнице его спросили: «Как передать, кто справлялся?» — он ответил: «Скажите, шоферы Божьей Милости».

В Рамбуйе Эдит немедленно положили на операционный стол. Хирург зашил ей рану в десять сантиметров на лбу, рассеченную верхнюю губу и разорванные на правой руке два сухожилия. Лицо было покрыто ссадинами. В итоге все оказалось не так уж страшно, и я должна была бы считать, что ей повезло. Но как ни старалась, не могла себя в этом убедить.

«Момона, ты знаешь, где это со мной случилось? В местечке, которое называется «У Божьей Милости»... Ты теперь видишь, судьба моя хранит. Посмотри на машину, станешь того же мнения!

Впервые в жизни Эдит чувствует себя бесконечно усталой. А ведь она любит эту публику, эту страну, здесь ей все благоприятствует. С Жоржем у них происходят бесконечные сцены, но теперь они уже не развлекают Эдит, а огорчают. Она боится, что снова ошиблась в выборе. В течение нескольких дней она ничего не ест. Она пьет, алкоголь обжигает ее, начинаются боли, сгибающие ее пополам. И вот 20 февраля на сцене «Уолдорф Астории» у Эдит все завертелось перед глазами... потом наступил мрак... Она упала. Ее унесли за кулисы, началась ужасающая кровавая рвота. В «скорой помощи», которая ее везла в «Пресбитериэн Хоспиталь», Эдит потеряла сознание. Сирена выла, прокладывая ей путь в городе, который она после Парижа любила больше остальных.

Врачи поставили диагноз: прободение язвы желудка с внутренним кровотечением. Положение очень серьезное. Когда она приходит в себя, ее начинают готовить к операции, делают переливание крови. Эдит смотрит на чужую кровь, которая вливается в ее вены, она зовет Жоржа. Его приводят. Из палаты он выходит в ярости. У дверей ждут музыканты Эдит.

— Это серьезно?

— Готовятся к операции,— отвечает Мустаки.

В палате Эдит плачет. Позднее она мне скажет:

«Я попросила его: «Поцелуй меня... Скажи, что ты меня еще немного любишь...» Он мне ответил: «Потом, Эдит, видно будет!»

Времени терять нельзя, впервые в ее жизни смерть стоит на пороге. Четыре часа остается Эдит на операционном столе. Трижды ей делают переливание крови.

К ней в Нью-Йорк вылетел Лулу. Он мне звонил оттуда, сообщал новости:

— Не беспокойся, она спасена. Но на этот раз было очень горячо. Позвони ей дня через четыре, пять, ей будет приятно.

— Она хоть не одна?

— Нет, нет, с ней я.

— А ее тип?

— Не волнуйся, все в порядке.

У Лулу всегда все в порядке!

Американцы не могут опомниться: они всегда считали Эдит самой здоровой маленькой женщиной в мире. Нью-Йорк охвачен беспокойством, газеты публикуют бюллетени о состоянии ее здоровья, люди желают ей выздоровления. В больницу непрерывно поступают телеграммы. Коридор перед ее дверью заставлен цветами...

Никогда еще Эдит не была так одинока. Когда я ей позвонила, я нашла ее менее подавленной, чем ожидала. Поскольку она мне ничего не говорила, я ее все-таки спросила: «Жорж с тобой?» Она взорвалась: «Момона, никогда не говори мне об этом человеке! Я хочу вычеркнуть его из моей жизни. Когда я проснулась после наркоза, его не было. Он уехал в Майами, во Флориду. Я почувствовала себя такой брошенной, как в больнице Тенон, когда у меня родилась девочка. У него хватило подлости позвонить мне и сказать, что в Майами солнце. Он прекрасно знал, что я не такая дура, чтобы думать, что в Майами живут одни монашки! Я ничего не смогла ему ответить. Все, кто был вокруг меня, забеспокоились. Сестры мне говорили: «Мисс Эдит, вы не должны плакать, это плохо для настроения». Настроение! Можешь себе представить, что оно было ниже нуля! Но ты не волнуйся. С сегодняшнего утра я чувствую себя лучше: какой-то человек, я его не знаю, прислал мне огромный букет фиалок! Мне сразу стало лучше. Он американец. Зовут его Дуглас Дэвис».

Глава 16

«НЕТ, Я НЕ ЖАЛЕЮ НИ О ЧЕМ»

Когда Лулу пришел к Эдит в больницу, она сидела, уютно устроившись в подушках, причесанная, подкрашенная. Он смотрел на нее, как на привидение, как на выходца с того света.

— Что ты так вытаращился? Думал, со мной все кончено?

Она расхохоталась, готовая обругать его, разорвать на куски — словом, готовая снова жить. Лулу от радости не мог сказать двух слов.

— Вам лучше! Господи, не может быть, вам лучше!.. Как же я рад, Эдит!

Дугласу Дэвису было двадцать три года, это был мягкий и чистый американский юноша, высокий и красивый. Но самым главным было то, что, когда он вошел в палату «мисс Эдит», он продолжал видеть ее такой, какой видел на сцене. Чары театра не развеялись. Он не замечал осунувшегося, уже изможденного лица, худых рук, огромного лба, поредевших волос, нездоровой кожи: он видел только смотревшие на него фиалковые глаза и улыбавшиеся ему губы.

Он пробормотал:

— Мисс Эдит, вы very marvelous... Thank you very much!*

Эдит была на седьмом небе. Жизнь снова стала прекрасной. Сама любовь приняла облик этого юноши с ослепительной улыбкой. Все начиналось сначала!

Ей купили спицы и шерсть, и она немедленно связала ему один из тех немыслимых свитеров, которые были ее коронным блюдом. После Марселя Сердана она их никому не вязала. Эдит вернулась к этому занятию в Нью-Йорке! Нет, она не ошибается — эти приметы не лгут! К ней пришла большая любовь...

Находившийся в Штатах Жак Пиле навестил ее и нашел такой сияющей, что, не колеблясь, воскликнул:

— Невероятно! Ты влюблена! Знаешь, сейчас ты прекрасна!

— Жак, я была уже так далеко, что вернуть меня к жизни могла только любовь.

Каждый день Дуглас приходил заниматься с Эдит французским языком. Этот период был для нее восхитительным временем. Она чувствовала и вела себя как невеста — имела право быть наивной, верить в чудеса, строить планы, причем никто не говорил ей: «Не морочь голову!» — не называл ее сумасшедшей. Она могла говорить и делать что угодно,

---

* «...Вы замечательны... Я вам очень благодарен!» (англ.).

Дуглас от всего приходил в восторг. Никогда он не встречал такой женщины! Что верно, то верно!

Эдит уверена: черная полоса ее жизни, фильм ужасов окончился... Но нет, терпению ее было суждено еще одно испытание. 25 марта, когда она уже выздоравливала и готовилась под руку с Дугги покинуть больницу, произошел рецидив. Но теперь она не одна, Дуглас идет за каталкой, когда Эдит во второй раз увозят на операцию. Она такая легонькая (тридцать пять кило), такая маленькая, что один больной, видевший, как Дуглас провожал Эдит на операцию, спросил у него: «Как себя чувствует ваша дочь?» Нет, Дугги, «ее американская мечта», не покинул ее. Когда она пришла в себя, он был рядом. Два месяца спустя, опираясь на руки Дугласа и Лулу, она в дверях больницы вдохнула полной грудью свежий воздух.

«Когда я попала сюда, была зима... а сейчас весна. — Она взглянула на Дугги. — Я счастлива, в моем сердце тоже весна...».

В ее номере в отеле «Уолдорф Астория» обстановка, однако, далеко не радостная. Несмотря на выздоровление хозяйки, музыканты выглядят подавленными. В ее более чем трехмесячное отсутствие они вынуждены были зарабатывать себе на хлеб чем придется. Им пришлось нелегко. В Соединенных Штатах в музыкантах нет недостатка, своих девать некуда! Ребятам часто приходилось класть зубы на полку.

Увидев их лица, Эдит расхохоталась.

— Ну и ну! Кажется, пьеса, которую вы приготовили к моему возвращению, не веселая оперетта!

— Эдит, больница стоила больше трех миллионов. Нужно расплатиться за отель, купить билеты на обратную дорогу, а у нас нет ни гроша!

Эдит на все было наплевать, когда речь шла о себе самой, но не тогда, когда дело касалось тех, кто с ней работал. Она едва стояла на ногах, но не колебалась ни секунды.

— Не вешать нос! Лулу, объяви, что в течение недели я буду петь в «Уолдорф Астории».

Никогда еще она не была более хрупкой, а исполнение — более патетичным. Однако на этот раз в ее голосе звучало не только отчаяние любви, но и ее торжество. Дугги в зале не сводил с нее глаз.

Эдит не ошиблась. Во всем, что касалось ее профессии, она всегда принимала верное решение. В США ценят мужество. Пресса была восторженной: «Мисс Мужество...», «Храбрая маленькая француженка», «В этой маленькой женщине — львиная сила...», «Никогда еще она так не пела...», «Ее голос по-прежнему чарует...» и т. д.

В течение недели это маленькое черное пламя, пожирающее самое себя, пылало в «Уолдорф Астории». Эдит выстояла. Она не только заработала сумму, которая ей была необходима, у нее еще остались деньги на всякие безумства.

На самое рискованное денег не понадобилось. Она сказала Дугласу: «Поедем со мной!» Вывезти этот продукт «Made in USA» было роковой ошибкой, он был предназначен для внутреннего потребления. Во Франции он мог испортиться, потерять вид и аромат.

21 июня 1960 года, когда она спускалась по трапу самолета в Орли, вся пресса была в сборе. Эдит очень гордилась своим американским «медвежонком» и представила его публике. Дуглас не отходил от нее, был счастлив, но чувствовалось, что он сбоку припека, что он не врубается. Он еще не знал, что значит быть «господином Пиаф», но скоро это ему предстояло!

Завсегдатаи бульвара Ланн смотрели на Дугласа как на пустое место. У него не было хозяйской хватки. Он был жертвой, святым Даниилом, попавшим в ров со львами. Все знали, что титул «патрон» ничего не значит. Командует все равно не он, а она. Поэтому им наплевать на любого, а тем более на мальчишку, свалившегося из Америки! Давно всем ясно, что любовники приходят и уходят, а они остаются. Его дружески похлопали по плечу, стали называть Дугги и вернулись к своим делам. Даже в пустыне он был бы менее одинок!..

Мне Дуглас очень понравился. От него хорошо пахло мылом, он казался чистым не только снаружи, но и внутри. Он радовался тому, что приехал в Париж. Для него это был своего рода рай, полный художников, выставок, музеев... Он сможет здесь работать. Такой он представлял себе жизнь с Эдит.

Первое столкновение произошло в день приезда.

— Дугги, darling , вот наша комната.

Он посмотрел на постель, как будто увидел на ней морскую змею.

— Ты не понимаешь? Это наша спальня.

— I am sorry, Эдит. Это невозможно... Я не привык. В Америке у каждого своя постель.

Эдит захлопнула дверь. Она покраснела от гнева. Ни один мужчина не говорил ей ничего подобного. В ее жизни он не первый американец. И до него никто не осмелился возражать!

«Момона, представляешь, как он мне вмазал! Ведь если я завожу мужчину, то для того, чтобы он всегда был под рукой! Я не собираюсь бегать за ним по всей квартире! Еще не хватало звонить ему, как прислуге! Все желание пройдет, пока его отыщешь!

А Дуглас был не из той породы, что свертывается калачиком у ног хозяйки. Он считал, что мужчина не должен быть круглые сутки приклеен к своей жене.

В его стране мужчины живут своей жизнью. Они работают, а возвращаясь домой, приносят женщине цветы и сердце. И тогда все о'кей!

Назавтра мальчик взял свой этюдник под мышку и весело собрался в поход. Но знаменитый голос пригвоздил его к месту:

— Дугги, куда это ты?

— Пойду порисую. Посмотрю Париж, зайду в Лувр...

— Ты с ума сошел? Пожалей свои ноги. Ты не знаешь Парижа. Хочешь куда-нибудь пойти — в твоем распоряжении шофер и машина. А сейчас ты мне нужен, останься, любовь моя...

Он уступил с доброй улыбкой, подумав, что в первый день действительно следует остаться с ней, что он пойдет бродить по Парижу завтра.

Он не знал, что любить «мисс Пиаф» — значит жить на привязи. Этот славный юноша, начиненный добрыми американскими принципами: уважением к женщине и к свободе — был не способен противостоять Эдит. Кроме того, по-

313

плть, что, «если тебе выпало счастье быть избранным ею, ты не должен стремиться ни к чему иному...».

Один-единственный раз она позволила ему открыть этюдник, чтобы написать ее портрет. Эдит им очень гордилась.

«Красиво, а, Момона? Вот такой он меня видит!»

Это была не Пиаф — эстрадная певица, а образ Пиаф, который простой народ носил в своем сердце.

Я сразу поняла, что их отношения будут недолгими, что грязь испачкает голубую мечту этого мальчика. Вся обстановка бульвара Ланн с людьми, кишевшими вокруг Эдит, как паразиты, присосавшиеся к ее больному телу, могла его только оскорблять. Слишком все это было ему чуждо.

Мой тридцатилетний опыт подсказывал, что эта любовь пошла не с той ноги, да и не шла, а ковыляла.

Эдит на этот раз не выручило ни мужество, ни воля к жизни — она была очень больна. Для подготовки летнего турне оставалось меньше недели. Она с головой ушла в работу, не дав себе ни секунды передышки. Но без допингов, наркотиков и алкоголя ей трудно было выдерживать такие нагрузки. Американские врачи прописали ей, может быть, и хорошую, но очень жесткую диету: молоко, бифштексы... да вроде и все...

«Сдохну я от этого жокейского режима. С него не запоешь». Ей взбрела в голову новая мысль! «Скажи, Момона, ты что-нибудь слышала об инъекциях зародышевых клеток? Говорят, врачи делают чудеса... Римский папа и Аденауэр прошли такой курс лечения в Швейцарии. А не рискнуть ли мне?» Естественно, она рискнула. Но если бы для успеха лечения было достаточно одной веры!..

День отъезда приближался. Разумеется, она везла с собой Дугги и, чтобы доставить ему удовольствие — он не любил водить французские машины,— купила большой автомобиль марки «Шевроле». С ними поехал Мишель Ривгош.

Вечером накануне отъезда Эдит была в великолепной форме, такой, в какой она била рекорды. Лулу мне говорил: «Я смотрю на нее, И хочется ущипнуть себя: уж не привиделось ли мне в кошмарном сне все, что было в Нью-Йорке?»

В полночь Эдит отказалась ложиться спать. Она решила, что отоспится на следующий день в машине.

На рассвете Эдит села в машину и отправилась в турне. Дуглас уже несколько часов сидел за рулем большой американской машины. Эдит приоткрыла глаза и взглянула на него. Она увидела чистый профиль, округлость щеки, слегка вздернутый нос, забавный маленький темный локон, нежные губы и красивые руки художника. Она снова закрыла глаза. Сколько времени продержится этот? Она не хочет знать. Перед отъездом она мне сказала: «Свое счастье я теперь покупаю на ходу, как салат или лимон к обеду. Бегу, плачу, уношу. Прихожу домой, салат оказывается недозрелым, от лимона — резь в желудке. Ну и что? Пока я их держала в руках, несла домой, я в них верила!»

На секунду Дуглас заснул за рулем: огромная новая машина вынесла нас на обочину и врезалась в бочки с гудроном. За ними в машине Эдит ехали шофер Робер с женой Элен. Когда они подъехали к месту происшествия, то увидели Дугласа, плакавшего навзрыд, как ребенок, возле лежавшей в обмороке Эдит. Мишель Ривгош никак не мог прийти в себя: из рассеченного лба обильно лилась кровь.

Эдит очень быстро пришла в сознание. Она обвела взглядом всех по очереди и, будто подводя итог, сказала: «Не везет мне, а? Ну, поехали!»

Итог действительно был невеселым: сломаны три ребра, все тело в синяках и ссадинах... Как после хорошей драки!

Диалог с врачом можно было предвидеть заранее:

— Доктор, сегодня вечером я пою в Дивонне.

— Мадам, это безумие! У вас сломаны ребра. При каждом вздохе вы будете кричать от боли.

— Доктор, я буду петь. Введите мне морфий.

Ее старый враг, наркотик, снова впускает в нее свои когти! При каждом несчастном случае острая боль заставляла Эдит прибегать к нему, иначе она не могла петь. Убивающий спаситель!

— Я буду петь. Хватит с меня несчастных случаев, болезней, больниц! Я сыта ими по горло! Либо я пою, либо подыхаю. Вызывайте моего врача из Парижа, пусть он сопровождает меня во время турне...

Больничный врач, выполняя свой долг, настаивает:

— Мадам, вы играете своей жизнью.

— Ну и черт с ней. Нужно же чем-то играть, мне больше нечем!

Ей накладывают гипс. Она требует морфия. Как же иначе петь? На этот раз наркотики не ради наркотиков, а ради контракта.

Так началось это безумное турне. Стояла жара. Гипсовая повязка превратилась в настоящую пытку. Вдыхая воздух, наполняя ими легкие, она испытывала невыносимую боль. Чтобы иметь возможность петь, она сняла гипс и заменила его плотным бинтом.

На этот раз она окажется сильнее морфия, он не подчинит ее себе. Врач делает ей один укол перед самым выходом на сцену. После десятой песни она на секунду забегает за кулисы, и ей делают вторую инъекцию. Днем она держится, но понемногу снова начинает пить.

В Каннах она остается на несколько дней. На пляже все, кто жарится на солнце, спешат насладиться зрелищем четы Пиаф — Дэвис. Он прекрасно сложен, мускулист, в плавках, девушки не сводят с него глаз. Она — это Эдит Пиаф, поэтому ей прощают (ей всегда все прощали) бесформенную курточку, простую блузку, головной платок, некрасивую фигуру. У нее худые ноги и толстые колени. Ей на все наплевать, она всем бросает вызов: с ней под руку красивый парень двадцати трех лет... Но никто не знает, что под блузкой у нее проклятая повязка, стягивающая, не дающая дышать. Солнце жжет невыносимо. Ничего, она остается возле Дугги. Она его не бросит. Эдит терпеть не может солнца, кишащих людьми пляжей, но сопровождает Дугги, думая, что купанье доставит ему удовольствие. По крайней мере, она уверена, что делает для него все, что возможно.

Дугги же хочется иного... Неподалеку от Канн живет Пикассо и много других художников... Вся современная живопись бурлит здесь на нескольких квадратных километрах. В США он об этом мог только мечтать. Теперь он во Франции, но не увидит ничего, к чему стремился... Ничего, кроме этой маленькой женщины, которая однажды в обманчивом свете прожекторов пронзила его юное сердце: она пела о правде жизни, которую он не знал и которая перевернула ему душу... Он не знал, что мир, который привлек его, жесток, жизнь в нем трудна, законы безжалостны...

Эдит боролась с болезнью всеми возможными средствами. Ей сказали, что при ревматизме очень помогает чеснок: она постоянно его ела. Дугги чуть не тошнило. Чтобы снять боли, она снова стала применять кортизон — и от него отекала. Для поднятия духа — алкоголь. Все вместе — медленное самоубийство.

Дуглас не поспевал за ней, он выдыхался. Эта женщина, державшаяся только на уколах, выходившая из себя по любому пустяку, требовавшая постоянного присутствия, высосала все его силы... И не у него одного! Вокруг нее все еле держались на ногах! Даже самые сильные, закаленные были на пределе. А Эдит напоминала заведенный механизм, пружина которого еще не перестала раскручиваться. Она продолжала в том же темпе, рискуя лопнуть в любую минуту.

В Бордо, предпоследнем городе турне перед Бьярицем, ночью между Эдит и Дугласом произошла сцена. Они бросили друг другу в лицо несколько горьких истин, похожих на помои. Эдит, напичканная снотворными, уснула. Дуглас воспользовался этим и помчался на вокзал, как заяц, за которым гонится собака. Остаток ночи он провел в зале ожидания второго класса, как бродяга, с узелком под мышкой, небритый и нечесаный.

Когда Эдит очнулась от тяжелого сна, Дугги рядом не оказалось. И тогда Великая Пиаф, как безумная, растрепанная, в накинутом на ночную рубашку пальто, вскочила в такси.

— Скорей на вокзал!

— К какому поезду?

— Не знаю. Скорей!

— Я вас спрашиваю, потому что вряд ли успеете к парижскому. Считайте, поезд ушел.

Таксист попал в точку!

«Пойми меня, Момона, мне нельзя было его упускать. Ни в коем случае, это был мой последний шанс. Я металась как сумасшедшая по вокзалу, полному отдыхающих, мне было все равно, что на меня смотрят. Мне надо было его догнать во что бы то ни стало. В дверях контролер остановил меня. «Ваш билет!» Я сказала: «К черту!» — и прорвалась. Я выбежала на перрон. И как в плохом фильме, передо мной поезд тронулся с места... Представляю, какой у меня был жалкий и несчастный вид. Одна на этом проклятом вокзале... Все было так глупо, что я и плакала и смеялась одновременно, как настоящая сумасшедшая...».

Да, гастроли заканчивались не на веселой ноте...

«Но, Момона, он меня не забыл. Он мне позвонил в Париж и сказал, что вернется ко мне. Пообещал...».

Я подумала, что обреченным всегда дают много обещаний...

«Момона, этого я любила, а он меня покинул! Как у меня болит сердце!»

Но сердце у нее болело только в переносном смысле, физически это был самый здоровый орган ее тела. Врачи всегда говорили: «У нее сердце атлета! Оно бьется медленнее, чем у нормальных людей. Все в ее теле сдаст, а сердце еще будет держаться!»

У нее ужасно болели руки, суставы начинали деформироваться. В периоды обострений она не могла ни причесываться, ни держать стакан, приходилось резать ей мясо на тарелке.

В таком состоянии она уехала в Стокгольм, где должна была выступать в «Бернсби», самом крупном шведском мюзик-холле. Перед пятью тысячами зрителей, пропев слова «У меня от тебя кружится голова», она повернулась как бы вокруг своей оси и мягкой черной тряпочкой осела на пол у микрофона. Публика зааплодировала, думая, что это актерская игра. Опустили занавес, и Эдит унесли.

Тогда в первый раз в жизни ее охватил суеверный ужас.

— Не хочу подыхать в Швеции, хочу вернуться!

— Самолета нет!

— Достаньте! Я тут загнусь!

Она оплатила спецрейс — ДС-4, 80 мест. Страх обошелся ей в полтора миллиона франков... Момент был неподходящий; она зарабатывала меньше, чем тратила.

Несчастья преследовали ее. 22 сентября ее кладут в американский госпиталь в Нейи и срочно оперируют по поводу панкреатита. Когда я спросила знакомого врача, что это такое, он ответил, что, если время для операции упущено, смерть наступает через двадцать четыре или сорок восемь часов и что даже в случае успешной операции выживают три человека из десяти. К Эдит никого не пускали. В который раз она боролась один на один со смертью в слишком чистой и слишком пустой больничной палате.

Я знала, что скрывалось за разными названиями болезней. Когда Эдит оперировали в Нью-Йорке, уже тогда обнаружили рак, уже тогда установили, что он неизлечим. Если бы она вела себя разумно, то продлила бы жизнь на несколько лет, но все равно была обречена.

С тех пор жизнь ее состояла из передышек между пребываниями в больницах. И тем не менее вершины своего творчества ей суждено было достигнуть год спустя. По выходе из больницы она должна была записать «Милорда». Мы все умоляли ее отказаться. Но она все же сделала эту запись. В одиннадцать часов она выписалась, в два уже репетировала. Она простояла перед микрофоном восемь часов, говоря звукооператорам: «Не останавливайтесь, если я прервусь, снова начать не смогу». Лулу не выдержал:

— Эдит, хватит! Кончайте!

— Не мешай мне петь. У меня больше ничего не осталось в жизни!..

Эти слова мы слышали теперь постоянно. Стоило нам ей возразить, как она произносила эту фразу, и мы умолкали. На этот раз — как, впрочем, и во многие другие разы — она снова заходит слишком далеко. Лулу использует ситуацию. Он укутывает ее, как ребенка, сажает в свою машину и возит в Ритбурн, в свой загородный дом. «Эдит, вы отсюда не уедете, пока не поправитесь».

Ей все равно, что он говорит. У нее одно желание: заснуть, забыться… Около нее никого нет, кроме медицинской сестры и Клода Фигюса.

К Клоду она настолько привыкла, что даже не замечает. Но для него она всегда остается самой Великой. Он настолько ее боготворит, что готов сносить все. Лишь бы она возвращалась домой, лишь бы она его не прогоняла, он уже счастлив.

Представляя его, она часто говорила: «Мой секретарь». Это ничего не означало. С тех пор как она его «впустила в дом», он был чаще всего мальчиком на побегушках. Но на этот раз счастье ему улыбнулось. Рядом с Эдит нет никого, кто мог бы сказать ей те слова любви, которые ей так нужно услышать. И вот в один прекрасный вечер, когда ей лучше, Клод выложил ей все, что у него на сердце, все, что у него скопилось за тринадцать лет... Эдит слушает. Это его звездный час. Кто мог бы устоять перед такой любовью, таким самопожертвованием? Эдит обнимает его. И Клод по праву получает медальон.

На этом для него джентльменский набор исчерпывается. Да его это и не волнует. Его счастье длилось, пока Эдит выздоравливала.

В течение почти целого года она заново учится петь. Искореженная деформирующим артритом, она не может даже ходить. Каждый день приходит костоправ Вимбер. Он терпеливо массирует ее, выправляет позвоночник, разминает по одному сведенные болезнью мускулы и нервы. Сердце щемило, когда я смотрела, с какой покорностью Эдит слушала этого человека, учившего ее ходить, как ребенка. «Правую ногу вперед. Так. Теперь левую. Еще три шага, Эдит. На сегодня достаточно». Впоследствии он сопровождал Эдит во всех ее поездках: она больше не могла обходиться без его помощи.

Эдит назначила мне свидание в Булонском лесу. Ей хотелось погулять. Как только я ее увидела, я заметила какую-то перемену. Конечно, на нее не следовало смотреть, сравнивая с той, какой она была еще два года назад,— сердце кровью обливалось, но в ней появилась какая-то мягкость, что-то счастливое, что-то живое в глазах.

— А ты ведь влюблена!

— Неужели уже заметно? Сама-то я еще не очень уверена.

— Все же расскажи! Потом посмотрим, на всю это жизнь или нет!

— Знаешь, мне сейчас много не нужно. Все меня раздражает. А было так: мне позвонил Мишель Вокер: «Я посылаю тебе одного парня. Его зовут Шарль Дюмон. Послушай, по-

жалуйста, песню, которую он написал для тебя на мои слова. О них я говорить воздержусь, но музыка потрясающая...»
Я ему отвечаю: «Ладно» — и назначаю встречу, но без особого интереса. Мало того, в день, когда он должен был прийти, я вообще о нем забыла. Раздались два робких звонка в дверь. Меня сразу охватило раздражение. Вошел Клод: «Это Шарль Дюмон, Эдит, ты ему назначила встречу».— «Пошел он к ...»

Не успела я договорить, как он вошел. Совсем не в моем вкусе: высокий, в теле, одет, как чиновник. Не смеет поднять на меня глаза и смотрит на свои ботинки. Если бы он продавал пылесосы, вряд ли бы за год уговорил одного покупателя!

Начало не предвещало ничего хорошего.

Эдит бросила сухо:

— Садитесь за рояль, раз вы принесли мне песню.

Несчастный Шарль Дюмон! Крупные капли пота выступили на его лице, но он не осмеливался вытирать их, и они стекали за воротник.

Эдит уколола:

— Дать вам мой платок?

— Нет, у меня есть свой... спасибо...

Наконец он решился сыграть «Нет, я не жалею ни о чем!»

> Нет! Ничего...
> Нет, я не жалею ни о чем!
> Ни о добре, которое мне сделали,
> Ни о зле, которое причинили.
> Мне все равно!
> Нет! Ничего...
> Нет, я не жалею ни о чем.
> Все оплачено, выметено, забыто.
> Мне плевать на прошлое!
> Из моих воспоминаний
> Я разожгла костер...
> Мои горести, мои удовольствия
> Мне больше не нужны!
> Потому что моя жизнь, потому что мои радости
> Сегодня
> Начинаются с тобой!

1 «Воробышек» на балу удачи

Мгновенно все изменилось. Эдит поражена как молнией.

— Потрясающе! Невероятно! Вы волшебник! Это же я! То, что я чувствую, то, что думаю! Более того, это мое завещание...

— Вам нравится?— бормочет Дюмон, не в силах собраться с мыслями.

— Поразительная песня! Это будет мой самый большой триумф! Я уже хочу стоять на сцене и петь ее!

И тут же спела. Дюмон был потрясен.

Шарль Дюмон все еще не может прийти в себя. По лицу Эдит он видит, что его шансы растут на глазах. От счастья он теряет дар речи.

— Приходите завтра, будем работать.

«Вот уже неделя, Момона, как он приходит, как служащий на работу. В четырнадцать тридцать, минута в минуту, он уже за роялем, и мы начинаем вкалывать. Он мне нравится, потому что это мужчина. Он сильный. Мне хочется опереться на его руку... Он не упадет, он все выдержит. У него есть одна черта, которая меня трогает: он обожает свою мать. Этот здоровый детина — робкий и мягкий человек. В нем много сердечной доброты».

Она замолкает и смотрит на меня.

«Я знаю, о чем ты думаешь. У Дугги она тоже была. Но он был мальчик. Ему не хватало не доброты, а ощущения реальности. Он меня видел в голубом и розовом, в цветах «американской детской»... Наполовину сестрой, наполовину матерью... Для женщины в его выдуманном мире места не оставалось...».

Меня всегда поражала трезвость суждений Эдит. Все было предельно ясно, было выявлено все существенное, все было точно, как в аптеке, не требовало поправок и дополнений.

«Знаешь, Момона, ведь Дугги мне снова звонил. У него была выставка в Америке. Он сказал, что вернется, когда немного «подрастет»! Но я не в том возрасте, чтобы возиться с мальчиками. Уже не молода и еще не стара. Его я действительно любила, только он жил в стерильном мире, в то время как мой кишел микробами. Чтобы выжить в нем, в детстве ему не сделали прививок!»

В тот день мы много разговаривали. Эдит очень хорошо себя чувствовала.

Как я и ожидала, Шарль Дюмон, в отличие от других, занял в жизни Эдит особое место. Терпеливый, мягкий и ласковый, он не командовал ею, но и не подчинялся. Он был с ней на одной ноге. Это было ново для нее и очень полезно. Клод Фигюс снова отодвинулся в тень. Мне было обидно видеть его преданность, его любовь, в которой Эдит не нуждалась. Чувство ревности ему было незнакомо. Эдит выглядела лучше, большего он не желал. Когда ей взбрело в голову, она начала заниматься с ним. Он неплохо играл на гитаре, и Эдит решила, что он может стать певцом. Когда она с ним работала, казалось, Клод держит в руках ключ от рая — настолько он был на седьмом небе от счастья. Шарль Дюмон не жил на бульваре Ланн. Это было плохо для Эдит, она была очень одинока.

Для нее Шарль написал около тридцати песен, некоторые из них стали впоследствии ее классикой: «Слова любви», «Прекрасная история любви» (текст написала Эдит), «Незнакомый город», «Любовники», «Господи»:

> Господи, Господи, Господи,
> Оставь мне его, еще немного,
> Моего любимого...
> На день, на два, на неделю
> Оставь его мне, еще немного
> Оставь мне...

Морально она чувствовала себя лучше. Физически по-настоящему еще не окрепла. По окончании гастролей она должна была выступать в «Олимпии». Я была в панике. Эдит не пела почти год. Она очень тревожилась. Ужас, гораздо более сильный, чем обычный актерский страх перед сценой, перехватывал ей горло, сводил руки и ноги. Я как в воду глядела: эти гастроли получили название «турне-самоубийство».

В первый день в Реймсе, когда она вышла на сцену, публика устроила ей нескончаемую овацию. Музыканты несколько раз начинали первую песню, но каждый раз аплодисменты и возгласы возобновлялись. Наконец Эдит запела, но у нее так пересохло в горле, что посреди песни она остановилась. За кулисами всех бросило в дрожь. Катастрофа?.. Но нет, она продолжала. Когда она исполнила «Нет, я не жалею ни о чем», ее три раза вызывали на бис. Это был триумф!

Но она рассчитывала на те силы, которых у нее больше не было. На следующий день от усталости она пела почти механически, и публика это почувствовала: зал был холоден. И аплодировал тоже машинально.

Перед Эдит длинная череда городов, обвивающих ее, как змея, и готовых задушить. Она должна выдержать. И она накачивается допингами. У нее хватает сил отказываться от морфия, который ей предлагают на этот раз, чтобы помочь. Она стискивает зубы и цедит: «Я продержусь до конца». Но директора концертных залов знают, чем рискуют: она может свалиться на сцене. И впервые за всю карьеру Эдит города Нанси, Метц, Тионвиль аннулируют контракты.

В Мобеже чуть не произошла катастрофа. Пришлось дать занавес и объявить волнующейся публике: «Мадам Пиаф почувствовала себя плохо, но это не опасно. Мы просим вас потерпеть несколько минут». Кто-то крикнул: «В больницу! В Дом инвалидов!» Эдит услышала и выпрямилась: «Колите, я выхожу!» Снова морфий одержал верх.

Музыканты, рабочие сцены взбунтовались: «Нет, мы не будем в этом участвовать. Помогать ей петь — значит помогать ей убивать себя!» — «Если вы не хотите, я буду петь без вас». Она раздвигает занавес.

Тогда все занимают свои места.

Она выходит на сцену и выдерживает до конца. Но какой ценой!

Пение превратилось для нее в пытку. Каждый сантиметр тела причинял нестерпимую боль, от которой хотелось кричать. Она продержалась до последнего города, им был Дрё. Репортеры следовали за ней по пятам в ожидании срыва. Они знали, что он неизбежен. Питаться мертвечиной — их ремесло. И Эдит знала, чего они ждут. У нее хватило сил крикнуть им: «Еще не сегодня!»

Когда занавес поднялся, маленькая черная фигурка, с отекшим от антибиотиков лицом, была похожа на карнавальную марионетку с головой Эдит Пиаф. Трагический гротеск. Умирающая женщина, но одержимая певица.

Лулу, Шарль Дюмон, музыканты — все умоляли ее не петь. Директор предложил отменить концерт, Эдит, проглотив горсть таблеток-стимуляторов (лошадиную дозу), кричит: «Если вы это сделаете, я выпью пачку снотворного!» Потом стала их упрашивать: «Разрешите мне... Позвольте мне петь...» Чтобы не упасть, она прислонилась к роялю. По спине течет холодный пот. Она поет и кричит потрясенным зрителям: «Я люблю вас, вы моя жизнь...» Это настолько искренне, что публика устраивает ей овацию. Ей кричат, как боксеру: «Давай, Эдит... Ну давай же!.. Держись!..»

Все понимают: происходит чудовищный бой — маленькая обессиленная женщина борется с болезнью. Она хочет отдать публике свою жизнь до последнего, и публика это знает. За кулисами у всех на глазах слезы. Но исход борьбы предрешен. Эдит не выдерживает. На восьмой песне она падает в нокаут. Падает и остается лежать.

Зрители расходились молча. Никто не потребовал возврата денег. Все уносили с собой горе и боль за женщину, стремившуюся исчерпать себя до конца, отдав им самое дорогое, что у нее было: свои песни и свою жизнь. В черном лимузине Лулу и Шарль Дюмон сидят с двух сторон Эдит. Закутанное в норковую шубу крошечное тело бьется в лихорадке. Ее везут в клинику в Медоне.

Через шестнадцать дней перед ней должен подняться занавес «Олимпии». Лулу Барье и Брюно Кокатрикс собираются отменить концерты. Врачи говорят: «Она не сможет петь». Но прежде чем погрузиться в лечебный сон, который должен наконец дать ей покой, возможность отдохнуть, отключиться, Эдит запрещает Лулу отменять «Олимпию».

Врач протестует:

— Мадам, для вас выступление на сцене равносильно самоубийству!

Эдит пристально смотрит на него:

— Такое самоубийство мне нравится. Оно в моем жанре.

Через шесть дней ее переводят из больницы в Медоне в клинику Амбруаза-Паре в Нейи. Ей лучше. Главное, в чем она нуждается,— это отдых и покой. Рождество она проводит в клинике. 29 декабря выписывается и начинает репетировать в «Олимпии». Эдит Пиаф создает программу «Олимпия-61», вершину своего мастерства. Так как времени для репетиций не хватает, премьера назначается на первые числа января 1961 года.

Эдит победила все: болезнь, алкоголь, наркотики, «все забыто, сметено». Она очистилась в муках. Она осталась и навсегда останется самой Великой. И это при том, что, исполняя «Старину Люсьена», сбивается, останавливается, засмеявшись, говорит: «Не сердитесь!..» — и начинает снова. В тот вечер Эдит впервые исполнила одну из самых тяжелых песен своего репертуара — «Белые халаты» Маргерит Монно и Мишеля Ривгоша.

Когда она умолкла, несколько секунд стояла мертвая тишина, а потом весь Париж взорвался громом аплодисментов. Ничего подобного никогда не было. На сцену к ногам Эдит летели букеты цветов. Я сидела в глубине зала, но бросилась в туалет, чтобы не сдерживать рыданий.

О ней пишут: «Она опрокидывает все представления...», «Она — Пиаф, иначе говоря, феномен, до сих пор неизвестный...» У критиков не хватает слов достаточной красоты и силы, и тогда, говоря о ней, они начинают употреблять выражения, до сих пор применявшиеся только к оперным примадоннам, только к таким великим, как Мария Каллас.

Тринадцатого апреля Эдит заканчивает концерты в «Олимпии» и снова едет в турне. Только теперь у нее больше не будет нормальной жизни: она зашла слишком далеко.

Она выступает в Брюсселе и еще нескольких городах, но 25 мая ее кладут в американский госпиталь в Нейи и делают операцию по поводу спаек в кишечнике. Ее спасают и на этот раз. Лулу увозит ее к себе в Риннбург на поправку. На следующий день после приезда, 9 июня, сильнейшая боль сгибает ее пополам. Эдит возвращается в американский госпиталь, где ее снова оперируют: кишечная непроходимость. И она снова выскакивает.

В течение нескольких месяцев Эдит живет как бы замедленной жизнью. Шарль Дюмон все время с ней. Может быть, именно эта прочная привязанность и помогала ей снова и снова выплывать на поверхность.

Но тот, кто вскоре появится на пороге, сметет все. Эдит предстояло пережить последнюю и самую прекрасную в ее жизни любовь.

Позднее она мне признается: «Я много раз встречала любовь, Момона, но любила по-настоящему только Марселя Сердана. И всю свою жизнь ждала только Тео Сарапо...»

Глава 17

«ВОТ ЗАЧЕМ НУЖНА ЛЮБОВЬ!»

За несколько месяцев до того как выйти замуж за Тео, Эдит мне сказала: «Рассказ о Тео мне хочется начать словами: «Жил-был однажды...» И она права. Это была не повесть, а сказка. Сказка о самой прекрасной и самой чистой любви. Когда Эдит хотела, она очень ясно читала и в себе самой и в других.

«Понимаешь, Момона, мы с Марселем очень любили друг друга, но я знаю, если бы он не умер, он бы меня бросил. Не потому, что мало любил, а потому, что был глубоко честен! У него была жена и трое сыновей, он вернулся бы к ним. Если бы я не встретила Тео, что-то в моей жизни не состоялось бы».

Тео пришлось тяжелее всех. Эдит сорок семь лет, она вся изрезана, но знаменита. Тео — двадцать семь, он неизвестен, но прекрасен, как солнце Греции. Говорили, что он беден. Это неправда. Его родители — обеспеченные люди. Эдит же, которую считали богатой, совершенно разорена. В это невозможно поверить, особенно если учесть, что Лулу Барье заключил для нее контрактов на общую сумму полтора миллиарда франков! После смерти Эдит оставила мужу сорок пять миллионов долга! Чтобы зарабатывать на жизнь, ему пришлось уехать петь за границу; во Франции на все его заработки накладывался арест так же, как и на десять миллионов авторских, которые SACEM еще до сих пор ежегодно собирает с произведений Эдит.

Деньги и любовь редко уживаются вместе. Лишь приняв как неоспоримую данность это исключение, можно перейти к истории Эдит и Тео, начав ее — как она того хотела — со слов: «Жил-был однажды...» Для Эдит зима 1962 года была тяжелой. Холод леденил не только ее тело, но и душу. Дни тянулись бесконечно.

«Я не живу. Мне запрещено все: есть, что я люблю, пить, ходить, петь... Плакать нельзя, падает тонус. Я имею право только смеяться, а этого как раз и не хочется. Нельзя смеяться и любить по заказу. И вот я жду. Чего? Не знаю».

Шарль Дюмон, Лулу и Гит строят планы, как помочь ей жить, но они из месяца в месяц откладываются. Вокруг нее пусто и тихо. У Пиаф больше не веселятся, у нее нет денег, и ходить к ней стало тяжелой повинностью. Не все способны на благотворительность! Самыми верными оказались ее мужчины. Ив ей звонил, Пиле, Анри Конте заходили проведать, заскакивал Азнавур, но у него всегда было очень мало времени. Не забывал ее и Реймон Ассо, только в нем сохранилось слишком много желчи. Он звонил, чтобы критиковать, бранить. Реймон — единственный, кто не простил Эдит за то, что она оставила его. Константин был очень нежен.

В один из вечеров, когда она более или менее хорошо себя чувствовала, Клод Фигюс привел приятеля, высокого парня, одетого во все черное, с темными волосами и такими же глазами,— Теофаниса Ламбукаса. Он сел на ковер в углу — красивое, породистое животное, большая черная гончая — и не проронил за весь вечер ни одного слова.

«Момона, как он меня раздражал! Правда, не люблю молчунов! Если человеку скучно, может убираться на все четыре стороны! Я работала с Клодом, мы готовили к записи его песни «Когда любовь кончается» и «Голубое платье». Он же, Тео, молча слушал...».

Он сидел так тихо, что Эдит позабыла о нем. Но он ее не забыл. Пиаф не забывали, даже если видели мельком. В феврале 1962 года Эдит попала в клинику Амбруаза-Паре в Нейи с двусторонней бронхопневмонией. Ее где-то продул сквозняк, искавший легкую добычу.

«В больнице, Момона, я теперь чувствую себя как дома! Я знаю, как там себя ведут, как разговаривают, а главное, как там смертельно скучают. Разумеется, я обрадовалась, когда мне сказали, что меня пришел навестить некий Теофанис Ламбукас. Больше всего мне понравилось то, что с этим человеком я не была знакома раньше, но я ошиблась, это был тот самый товарищ Клода, промолчавший весь вечер в углу. Он принес мне не цветы, а куколку... чем и подкупил меня! Значит, он обдумывал подарок! Я ему сказала: «Знаете, я уже вышла из этого возраста!»

Он улыбнулся. Только он так умеет улыбаться. Тебя сразу озаряет луч света! Хочется стать красивой, еще более красивой, чем возможно, хочется улыбаться, как он, даже веселее... Он похож на большого черного кота... При взгляде на него возникает желание делать все еще лучше, чем это делает он. А ведь какой я была маленькой и беспомощной на больничной койке...

«Знаете, Эдит,— вы позволите называть вас Эдит?— эта кукла особенная. Она с моей родины, из Греции».

Они поболтали приветливо и непринужденно о простых вещах. Потом Тео пообещал: «Я приду завтра».

На следующий день он пришел с цветами. И снова сказал: «До завтра». Каждый раз он ей что-нибудь приносил. Это были недорогие подарки, но они всегда имели смысл. Чувствовалось, что он их выбирал. И Эдит, растратившая целые состояния, чтобы угодить людям, училась понимать, что ценно только внимание.

Неожиданно у Эдит появилась вторая причина стремиться к жизни: желание создать певца. В ней снова заговорил творец.

«Твое имя — Теофанис Ламбукас — не годится для сцены. Простой народ никогда его не запомнит. Для французов оно звучит по-иностранному, они будут думать, что ты поешь по-гречески. «Тео» — это хорошо. Тео, а как дальше? (И тут она рассмеялась своим прежним смехом...) «Сарапо»! Вот так дальше. Тебя будут звать Тео Сарапо, и это имя дам тебе я. Тео Сарапо! Я люблю тебя, Тео! («Сарапо» — «Я люблю тебя» — немногие греческие слова, которые Эдит выучила когда-то в Афинах с Такисом Менеласом. Она его не забыла.)

Эдит никогда особенно не занималась своими туалетами. Она сделала над собой усилие ради Марселя Сердана.

Потом она раздала те платья, которые он любил: она не могла их ни носить, ни выбросить. У нее был приступ «портновской горячки» в период подготовки поездки в Америку, но он быстро прошел. Обычно она носила, как в дни нашей молодости, свитер и юбку, изредка брюки. Платья она носила по пятнадцать лет. А теперь уже много месяцев не снимала старый голубой халат, на который не позарилась бы последняя нищенка.

Спокойно и мягко Тео сказал ей: «Вы должны хорошо одеваться. Вам очень пойдут брюки». Со свойственными ему нежностью и деликатностью он понял, что она не хочет показывать свое тело, свои ноги. И для него она снова стала следить за собой.

Впервые в жизни Эдит не трубила на всех перекрестках: «Я его люблю! Он меня любит!» Она хранила тайну в глубине сердца. Но это бросалось в глаза, она светилась изнутри. Она так сияла, что вы переставали замечать, во что она превратилась.

Да, они любили друг друга необыкновенной любовью, той, о которой пишут в романах, о которой говорят: такого не бывает, это слишком прекрасно, чтобы могло быть на самом деле. Он не замечал, что руки Эдит скрючены, что она выглядит столетней старухой. Вместе они поехали в Бьярриц, в город, где три года назад Эдит пережила душевную травму после разрыва со слишком юным Дугласом Дэвисом. В отеле, где она остановилась, ее не обступили призраки прошлого. Никогда они больше не предстанут перед ней. Тео смог их разогнать. Эдит никогда не любила солнце, воду, жизнь при свете дня. Но Тео не пришлось настаивать. Она надела купальный костюм и загорала на пляже, как все. Она не побоялась обнажать свое тело, как его обнажали другие женщины, и Тео никого не видел, кроме нее. Ей не приходилось ему говорить: «Не уходи... Возвращайся поскорей!» Он никогда не оставлял ее.

«Момона, когда я смотрела на него, на сына солнца, прекраснейшего из всех, я говорила себе, что я эгоистка, что не способна любить его, что не имею права держать его на привязи, что это не может продолжаться, что я уже в который раз схожу с ума. И впервые в жизни мне захотелось быть

расчетливой, экономной, не разбрасываться теми мину...
часами, неделями, которые он мне подарит. Они возвращ...
ются в Париж, и Лулу заводит разговор о контрактах.

3 июня 1962 года Дуглас Дэвис садится в Орли на самолет. Через несколько минут после взлета самолет разбивается... От Эдит прячут газеты, выводят из строя радиоприемники, телевизор. Кто осмелится сообщить ей о катастрофе? Никто.

«Что это у вас такой похоронный вид?»

Язык не поворачивается ни у кого, но бывают смерти, которые нельзя скрыть. Эдит узнает. Она кричит: «Нет, нет! Неправда! Этого не может быть! Он погиб, как Марсель!..» Страшный удар выбивает ее из колеи. Целыми днями она в состоянии помрачения. По-видимому, только желание взять с Тео клятву, что он никогда не будет летать самолетом, возвращает ее к жизни.

Эдит снова в постели. Помогает ей встать на ноги Мишель Эмер. У нее нет денег. Как и раньше, она звонит ему:

— Ты догадываешься, зачем я звоню?

Он догадывается.

— Пожалуйста, устрой мне аванс. Болезни достаются даром, а чтобы вырваться из их когтей, надо платить.

— Не беспокойся, я тебе помогу.

Он делает невозможное и добивается от ОПМВ* и Общества авторов довольно круглой суммы. Когда он сообщает Эдит эту радостную новость, она у него спрашивает:

— А как насчет песни?

И на следующий день он приносит Эдит «Зачем нужна любовь?»

> Зачем нужна любовь?
> Любовь необъяснима.
> Это что-то такое,
> Что приходит неизвестно откуда
> И вдруг охватывает вас.
> Зачем нужна любовь?

---

* ОПМВ — Общество по управлению правом механического воспроизведения работ авторов, композиторов и издателей.

Она нужна также и для того, чтобы выходить замуж. 26 июля Тео спросил Эдит:

— Хочешь быть моей женой?

Он не принял торжественного вида, он сказал ей об этом просто и очень мягко, как будто боялся ее испугать.

— О! Тео, это невозможно!

— Почему?

— У меня была очень сложная жизнь... Мое прошлое тянется за мной, как тяжелый груз... Я намного старше тебя...

— Для меня ты родилась в тот день, когда я тебя увидел.

— А твои родители? Разве они мечтали о такой жене для своего сына?

— Мы их увидим завтра. Они ждут нас к обеду.

— Это невозможно, я очень боюсь!

Эдит не спала всю ночь.

«Момона, только Ив представил меня своим родителям. Но тогда речи не было о замужестве. Помнишь, в какой восторг мы приходили, читая в наших дешевых книжках: «Он представил ее своим родителям...» Как это было прекрасно! Это был серьезный шаг, преддверие свадьбы! Я не заслужила такого счастья. Это слишком...».

Все эти мысли не давали ей покоя. Она снова и снова возвращалась к ним, лежа в постели, в то время как в противоположном конце квартиры Тео мирно спал. Теперь Эдит спит одна, она больна. Она, которая так любила спать вместе и считала оскорблением, если мужчина не хотел делить с ней постель, больше этого не выносит.

Горит ночник. Эдит бодрствует, она почти спокойна. Она любит голубые стены своей спальни, они успокаивают ее. Она начинает потихоньку перебирать в памяти свою жизнь, но сегодня призраки прошлого не упрекают ее. Они смотрят на нее с улыбкой прощения...

При свете ночника она видит свои руки, лежащие поверх одеяла. Впервые она смотрит на них, думая о том, что ей предстоит завтра. Неужели это те руки, с которых Саша Гитри заказал слепок, чтобы хранить его в своем кабинете рядом с руками Жана Кокто?.. Руки, о которых столько писали...

Поэты говорили: цветы, птицы... их называли крылатыми, взлетающими, летящими... Неужели это они, скрюченные култышки со вспухшими суставами, вздувшимися венами. Она не может разогнуть пальцев даже для самых простых движений: чтобы пить, чтобы есть. Ей нужны другие руки, живые!.. Она думает: «Я сама виновата в том, во что превратила свои руки! Я должна была предвидеть сегодняшний день!»

Как будто маленький воробышек может что-то предусмотреть! Крупные, слишком соленые слезы обжигают ей кожу. Вот оно, приданое, которое она приносит своему прекрасному и юному жениху. Нет, невозможно, она не имеет права. Как она будет выглядеть завтра рядом с ним за семейным столом?.. Жалкая калека!

Это одна из самых тяжелых ночей в жизни Эдит. Но сказать «нет» она тоже не в состоянии...

«Господи, оставь мне его еще, хоть ненадолго».

Утром, когда входит Тео, она молчит. Она красится, он причесывает ее. Она надевает шелковое голубое платье. В ответственные моменты личной жизни она всегда одевалась в голубое, считая, что ей этот цвет приносит счастье. В тот день Эдит не опаздывает. Вместе с Тео она садится в свой белый «Мерседес» и едет навстречу судьбе. У нее больше нет сил бороться, пусть все идет, как идет, там будет видно... Она, кстати, всегда все заранее предчувствовала, всегда за все расплачивалась... и даже авансом! Так что же?..

Она дрожит в старенькой норковой шубке. Ее правая рука лежит в руке Тео, а другая сжимает верный талисман — заячью лапку. И это тоже Эдит: одна рука в руке человека, полного жизни, а в другой — фетиш; на ней манто из норки — но мех давно вытерся...

В парижском предместье Фретт сегодня рано закрыли парикмахерскую. В выходных костюмах папа, мама и сестры Тео, Кристина и Кати, сидят в гостиной и ждут Эдит Пиаф, невесту единственного сына и брата.

Нет, ни с кем другим это было бы невозможно, но с Эдит все становится возможным, когда на ее лице нет ничего, кроме глаз заблудившегося ребенка.

Все друг другу понравились с первого взгляда, расцеловались. Хозяева находят Эдит простой, она их — симпатичными.

Обед, который казался ей кошмаром, проходит хорошо. Как будто невзначай, за разговором, Тео разрезает мясо в тарелке Эдит, вкладывает ей в руку вилку. За десертом всем весело. Эдит открывает для себя, какое это счастье, когда вокруг стола, под лампой, собирается настоящая семья. У нее теперь будет свекор, свекровь. Потом она скажет смеясь: «У меня все не как у других, впервые в жизни у меня — свекровь! Впервые в жизни я называю другую женщину — «мамой». У нее также есть две золовки.

Второй раз Эдит празднует официальное обручение в Сен-Жан-Кап-Ферра, куда приезжает отдохнуть перед премьерой «Олимпия-62». Родителей нет, присутствует только Лулу. Свадьба назначена на 9 октября.

На бульваре Ланн все закружилось в творческом вихре, с той разницей, что Эдит кружится теперь не так быстро, как прежде. Все силы она отдает Тео, отрабатывает с ним голос, интонации, жесты. Ставит на нем свой гриф, как знаменитый модельер на созданном платье. Эдит хочет, чтобы в нем тоже все было совершенно.

Последний гала-концерт был самым многолюдным. 25 сентября 1962 года, за два дня до премьеры в «Олимпии», она пела с высоты Эйфелевой башни по случаю премьеры фильма «Самый длинный день».

В саду Дворца Шайо состоялся обед, на котором присутствовали Эйзенхауэр, Черчилль, Монтгомери, Маунтбаттен, Бредли, шах и шахиня Ирана, король Марокко, принц и принцесса Льежские, Дон Хуан Испанский, София Греческая, принц Ренье Монакский, София Лорен, Ава Гарднер, Робер Вагнер, Пауль Анка, Одри Хэпбёрн, Мел Феррер, Курд Юргенс, Ричард Бартон и еще более 2700 зрителей, которые платили от 30 до 350 франков (новых) за место. Для них Эдит Пиаф — тень ее была спроецирована на огромный экран и стала гигантской — спела «Нет, я не жалею ни о чем», «Толпу» «Милорда», «Ты не слышишь», «Право любить», «Унеси меня» и «Зачем нужна любовь?» с Тео Сарапо.

На мне в тот вечер не было вечернего платья, я не покупала свой билет на вес золота, но я никогда не забуду этой ночи. Из окна своей кухни я видела Эйфелеву башню — для нас с Эдит кухня всегда была любимым местом,— я распахнула окно в это небо, в эту ночь, непохожую на другие, и я слушала, как над Парижем рокочет голос Эдит.

Это было настолько прекрасно, что внушало трепет, как все великое, как все, выходящее за обычные рамки. Сентябрь. Премьера «Олимпия-62». Как всегда, здесь снобы, профессионалы и все остальные. Они вострят когти, зубы и языки. Они пришли посмотреть, как Эдит — без страховки под куполом цирка — покажет им свою последнюю находку и своего будущего мужа Тео Сарапо.

Когда она выходит на сцену, зал взрывается криками: «Браво, браво!.. Эдит! Эдит!» И вдруг общий «гип, гип, гип ура, Эдит!» поднимается, все сметает и затихает у ее ног. Публика, которую она так любит, так уважает, еще до того как Эдит успевает что-либо сделать, кричит ей о своей любви. Целых полторы минуты Эдит не может начать петь. Потом одним движением маленькой руки успокаивает зрителей, укрощает их страсть. Оркестр начинает вступление к первой песне, и в зале становится тихо, как в церкви. Люди впитывают сердцем каждое слово, каждый жест. В течение всего концерта, после каждой песни возобновляются овации. Так зрители выражают ей свою благодарность.

И снова происходит «чудо Пиаф». Когда вместе с Тео Сарапо она поет «Зачем нужна любовь?», публика благословляет их брак триумфальной овацией.

Снова Эдит побеждает.

Чудо и то, что на сцене Эдит удается разжать пальцы и прижать руки ладонями к своему черному платью — ее постоянный жест, тот, который она нашла когда-то у Лепле, потому что ей было очень страшно и она не знала, куда деть руки.

Вечером, покидая «Олимпию» и прижимаясь к Тео в белом «Мерседесе», Эдит чувствует себя счастливой. «Видишь, Тео, мы их победили».

4 октября, ночью, у Эдит начинаются страшные боли в запястьях рук, щиколотках и ногах. Она кусает простыню, но ничего не говорит Тео. Она обращается к своему врачу и умоляет его: «Доктор, 9 октября я выхожу замуж, мне нужно до этого дня продержаться!»

За два дня кортизон снимает приступ. Но этим не кончается! Эдит схватывает простуду. Температура поднимается до 40°. Она не может дышать, и все-таки она поет! И 9 октября Эдит, как она решила, выходит замуж за Тео в мэрии шестнадцатого округа, самого фешенебельного района Парижа.

«Меня разбирал смех, когда я слушала разглагольствования мэра... Я, девчонка из Бельвиля-Менильмонтана, регистрировалась в этой мэрии, в зале, где снобы из шестнадцатого присаживаются на край стула! Только потому, что я снимаю квартиру на бульваре Ланн! Но все же когда Тео сказал «да» и я ему ответила, мое сердце зашлось от радости... Как я была счастлива!»

Во второй раз в своей жизни Эдит слышала звон колоколов, вдыхала запах ладана. Венчание состоялось в православной церкви, к которой принадлежал ее муж, среди блеска золота и песнопений. Ее «да» прозвучало еще громче, чем в Нью-Йорке. Она была счастлива, как никогда прежде.

«Я подумала, что можно умереть от счастья. Я от него задыхалась. Оно билось у меня в крови, кружилось перед глазами...».

Вот когда нужно было бы остановить время. Когда она выходила из церкви под руку с мужем... Жизнь не часто делала подарки Эдит, но, как она мне сказала: «Момона, жизнь предъявит мне к оплате огромный счет. Но сколько бы это ни стоило, я предпочитаю оплатить теперь. Там, наверху, у меня не будет долгов, я буду чиста душой».

В тот же вечер она поет со своим мужем в «Олимпии». Успех невероятный! Публика вызывает Тео. Она хочет видеть и знать, будет ли наконец счастлива Эдит. Потом они возвращаются домой, где ее ждет сюрприз. Тео обставил комнаты, стоявшие пустыми. Стало уютно, тепло, исчез временный дух жилья. Тео счастлив: «Видишь, ты входишь в новый дом! Не в твой, а в наш!»

Этот человек дал ей счастье, которое казалось невозможным. Что касается меня, то я всегда считала его чистым, порядочным и думаю, что он любил Эдит так, как ее никто не любил. Он от нее ничего не ждал, кроме горя и долгов. Перед свадьбой врачи ему все рассказали, он знал, что Эдит обречена. Он знал правду и все-таки женился. Это было высшим доказательством любви, его чувство к ней было гораздо выше физического влечения. До самого конца благодаря ему Эдит верила, что остается женщиной, желанной и любимой,— в то время как на самом деле едва выносила бесконечные муки. Он сумел до последнего ее вздоха дарить ей то, ради чего она жила: любовь.

В конце января 1963 года Эдит показалось, что она вошла в форму. И маленькая черная искореженная тень с несоразмерно большой головой стала жить так же напряженно, как раньше. Очертя голову тратила она последние силы. Только благодаря воле ей удавалось держать голову над водой. Все вокруг были в ужасе. Мы знали, что одна-единственная, чуть более сильная волна может накрыть ее и мы будем свидетелями ее гибели и ничего не сможем сделать, чтобы спасти. Этот месяц она живет, как жила всегда, с полной отдачей. Она одновременно готовит концерт для «Старой Бельгии» в Брюсселе, свое выступление в «Бобино» и турне по Западной Германии. Она уверена в победе.

Мишель Эмер и Рене Рузо написали для нее прекрасную песню — «Я столько видела, столько видела...».

Я слишком верила, слишком верила, слишком верила
Всему тому, что мне вешали на уши
                            на разных углах и перекрестках,
Мне столько раз говорили, я столько раз слышала
Слова: «Я тебя обожаю!» и «На всю жизнь!»
Все это ради чего? Все это ради кого?
Я решила, что все уже в жизни видела,
Все сделала, все сказала, все слышала,
Что сказала себе: «Больше не поймаюсь!»
                                    И тогда он пришел!

Тексты, которые для нее теперь пишут, звучат как завещание. Молодые, в возрасте между двадцатью и двадцатью пятью годами, Фрэнсис Лей, Мишель Вандом и Флоранс Веран одновременно создают для нее три песни: «Люди», «Человек из Берлина», «Марго — Нежное сердце».

«Понимаешь, Момона, пока молодые любят тебя и пишут для тебя, никакие болезни ничего не изменят!»

18 марта 1963 года в оперном театре в Лилле Эдит в последний раз в жизни поет на сцене...

Несмотря на рецидив, снова вызвавший тревогу у близких, она хочет записать дома на пленку «Человека из Берлина», чтобы отослать ее в Германию для перевода. На гастролях она собирается петь ее по-немецки. Все окружающие против. Чтобы петь, Эдит нужны силы, а их у нее больше нет. На этот раз резервы исчерпаны. Но она посылает всех к чертям, никто не может ей помешать. 7 апреля со своим аккомпаниатором Ноэлем Коммаре и Фрэнсисом Лейем она поет «Человека из Берлина».

Через пять лет после смерти Эдит из этой записи была сделана пластинка: это душераздирающий документ. От Великой Пиаф осталась только аура. Голоса почти нет, на каждом слове ей не хватает дыхания, она ловит ртом воздух. Это и не пение и не речь, это приходит откуда-то издалека и переворачивает душу... никто другой никогда не смог бы этого сделать.

Десятого апреля у Эдит начинается отек легкого. Ее кладут в клинику Амбруаза-Паре в Нейи. Пять дней длится кома; когда она выходит из нее, то впадает в приступ безумия, продолжающийся пятнадцать дней, в течение которых Тео не отходит от нее. Он живет в палате Эдит, которая его не узнает; он стирает пот с ее лба, разводит сведенные судорогой пальцы, которыми она стискивает воображаемый микрофон. В безумии Эдит кажется, что она на сцене, и она поет день и ночь, как другие кричат. Потом она приходит в себя и первое, что она говорит Тео: «Ты такого не заслужил!»

И на этот раз Эдит выходит из больницы. Тео увозит ее для реабилитации на Лазурный берег. Как будто чувствуя, что она обратно больше не вернется, Эдит не хочет покидать бульвар Ланн.

С 1951 по 1963 год Эдит пережила четыре автомобильные катастрофы, одну попытку самоубийства, четыре курса дезинтоксикации, один курс лечения сном, три гепатические комы, один приступ безумия, два приступа белой горячки, семь операций, две бронхопневмонии и один отек легкого.

Уже около двух лет я живу не в Париже, а в Бошане, в департаменте Уазы. Все меня отделяет от Эдит. Наши жизни идут параллельно, как рельсы. Я тоже часто лежу по больницам, была оперирована, чуть не умерла. Я вешу немногим более, чем Эдит, тридцать семь кило. Мы движемся нога в ногу, но встречаемся не часто. К счастью, есть телефон!

В июне — снова гепатическая кома, ей делают несколько переливаний крови. В июле второй рецидив и 20 августа — третий. В Каннах в клинике «Меридьен» врачи считают ее безнадежной. В течение недели ее убаюкивает колыбельная смерти. Эдит вот-вот уснет навсегда.

Днем и ночью Тео не отходит от Эдит. С первой встречи он с ней не расставался. Ничто не вызывает у него брезгливости, ничто не отдаляет от нее. Он ухаживает за ней, как за матерью, ребенком, женой. Забрав Эдит из клиники, Тео устраивает ее в Пласкасье, над Грассом.

И вот в сентябре эта умирающая, которая почти не ходит — ее катают в кресле на колесиках,— снова и снова слушает «Человека из Берлина»; она решает продолжать над ней работу.

Несчастную Эдит даже нельзя назвать карикатурой на ту, какой она была: в ней тридцать три кило, лицо вздуто, это рыба-луна. От «Малютки Пиаф» остался лишь взгляд фиалковых глаз.

Интеллектуально, морально она ни в чем не изменилась. Остался прежним и характер: такой же трудный, как всегда. Она отказывается вести себя разумно; не соблюдает диеты, времени сна. Каждый вечер хочет смотреть новый фильм. Так как она не может уже ходить в кино, Тео еще на бульваре Ланн купил кинопроектор. Он привез его с собой, и каждый вечер показывает ей фильмы в Пласкасье. Ее смех, знаменитый «смех Пиаф», продолжает звучать по-прежнему: в нем не появилось ни капли горечи.

Я переношу страшный удар. К счастью, это известие не дошло до Эдит, его от нее скрыли. 5 сентября 1963 года я прочла в газете о смерти Клода Фигюса. Ему было двадцать девять лет...

Наш маленький Клод, как верный слуга, первым распахнул двери смерти перед своей хозяйкой, перед той, которую любил всю жизнь. Газетные фразы пронзают мое сердце:

«Он покончил с собой. В отеле, в его комнате, подле кровати нашли два тюбика снотворного. Несколько раз Клод говорил о своем намерении покончить счеты с жизнью, не принесшей ему ничего, кроме душевных разочарований...»

Бедный мальчик! А ведь это случилось накануне выхода в свет его первой пластинки. И там была запись его собственной песни «Юбочки».

«В субботу вечером он сорвал с шеи медальон, который всегда носил, и отдал его друзьям, воскликнув: «Больше он мне не понадобится...».

Это был медальон, который подарила ему Эдит, когда он сделался, как он говорил смеясь, «полупатроном». Он был не из того теста, чтобы стать для нее чем-то большим, но на какой-то момент это сделало его счастливым... Он верил! Рядом с этой заметкой была помещена другая под заголовком: «В своем убежище в Пласкасье Эдит Пиаф еще не знает о трагической кончине своего бывшего секретаря».

Сколько времени сумеет она еще продержаться? Она строит планы об «Олимпии», о Германии, о Соединенных Штатах...

Глава 18

«ТЕПЕРЬ Я МОГУ УМЕРЕТЬ, Я ПРОЖИЛА ДВЕ ЖИЗНИ»

Этот день я никогда не забуду. Была среда. Пасмурно. Грязно. Париж казался плохо вымытым. Настроение у меня было убийственное. Болело все, даже кожа, казалось, мне в ней тесно. Об Эдит доходили тревож... «Она не может подойти к телефону»... «Она ...ть труб-ку»... «Больших изменений нет»... «С...жнее»...

Было 9 октября 1963 года, годов...
Я подумала: «Позвоню-ка я, это досте...бы с Тео.
Она ценила такие знаки внимани...ельствие».
трубку берет Эдит. Какая удача! Я ...ак уж...Ласкасье,
ветит кто-нибудь другой, что в пер...мент н...знала ее.
Наш разговор был недолгим, но я б...к взволно...а, что
не обратила на это внимания. Мен...разило позднее.

Она мне сказала:

— Момона, приезжай!

Я ответила:

— Хорошо, приеду в понедель...
Ей это не понравилось. Она ...ла, чтобы все происходило немедленно. Она всегда г...ила: «В этой говенной
жизни я слишком много ждала, ...ому у меня кончилось
терпение». Голос у нее был чист..., но невыразительным.
В нем не было «красок Пиаф».

— В понедельник, Момона, ...но... Ты не можешь по-
стараться приехать поскорее? У...ойся как-нибудь...
Я положила трубку. У меня б...л словно туман в голове и
такое ощущение, будто я чего-то не уловила, что обязательно должна была бы понять, так обычно бывает с сыщиками
в детективных романах, когда они уверены, что открыли нечто важное, но это ускользает от их понимания. И вдруг я
поняла: Эдит меня звала! Нужно было немедленно ехать к
ней, не теряя ни секунды...
Я позвонила в транспортное агентство. У меня не было
ни гроша в кармане, но это ни ей, ни мне никогда не было
помехой. Я прошла «школу Пиаф», так за чем же дело?! Я заказала билет до Ниццы и обратно, заняла тридцать тысяч
франков у бакалейщицы с моей улицы, которая не задумываясь мне их одолжила, и отправилась в Орли в чем была,
без багажа, с одной лишь сумочкой в руках.
На аэродроме в Ницце было холодно, дул ледяной ве-
тер, ничто не напоминало Лазурного берега. В аэропорту
посреди металла и стекла я начала дрожать. Мне казалось,

что меня посад...ник. Настроение становилось
все хуже и хуж...го не было. Я прилетела с последним рейсо...оновых ламп попадавшиеся изредка люди по...сковые фигуры из музея Гревэн.
От этого так...мороз по коже.
Я села в...компании «Эр-Франс». Нас было
всего пять...Шоферу, наверное, все осточерте-
ло: он так...вал, буд...ел превратить свой автобус в ра-
кету. Я подумала: «Вы...на орбиту».

Тео был наве...ут. Он спустился ко мне. Увидев
его в проеме двери, я ...нулась ему совершенно непро-
извольно. А прошло ...жного часов, как я не улыбалась.
С ним в комнату при...о дуновение иного воздуха, воздуха Эдит; я его по...вовала, узнала. Было очевидно: он
добр, он любит Эди...ы не были знакомы. Я не была на их
свадьбе, так как в ту ...болела. Я видела его в «Олимпии»
и в «Бобино». И пото...дит мне столько о нем говорила...
Она мне сказала: «Эт...я люблю, Момона. Он будет последним, но останется ...вым!» Тео был весь в черном, на
нем был свитер с высоки...воротником. На белой стене его
силуэт вырисовывался, ка...фотография. У него были красивые, выразительные руки, такие, какие нравились Эдит, на
шее медальон, на запястье цепочка, на пальце обручальное
кольцо.

«Вы Симона? Вы ее сестра?» — И он мне улыбнулся те-
плой, нежной, немного робкой улыбкой. Это нас сразу сблизило. Даже если бы Эдит мне не рассказывала о нем, я бы
поняла, почему и как она его любила. Его повадки большого изящного черного кота, его руки, улыбка — все не только
было во вкусе Эдит, но свидетельствовало о доброте, чест-
ности, искренности.

— Боюсь, вы не сможете увидеть теперь Эдит. Она го-
товится ко сну.

Позади него появилась женщина в белом. Это была ме-
дицинская сестра Симона Маргантэн. Непримечательная,
ровная, она держалась немного суховато, но я знала, что
Эдит ее любила, эта женщина была ей очень преданна и пре-

красно за ней ухаживала. Во время ее последней гепати́-
ской комы она очень помогла врачам. Она пользовалась
же полным доверием Тео. Она сказала:

— Эдит сегодня чувствовала себя значительно лучше,
настоящее воскрешение, но сейчас ей необходим отдых. Не
думаю, что вы сможете ее увидеть, я собираюсь сделать ей
инъекцию. Приходите завтра.

Я ее понимала, она охраняла свою больную. Эдит трудно
было уложить спать. Начиналась всегда настоящая коррида.
Но я приехала повидать Эдит, и я ее увижу. Я была как щеп-
ка, но мне показалось, что я заполнила всю комнату. Ах, она
хочет, чтобы я ушла! Как, пешком?

Очень мягко я заметила:

— Может быть, вам не известно, что сегодня утром Эдит
позвала меня. Она сказала мне: «Приезжай, Момона!»

Тогда Тео произнес:

— Если Эдит хотела вас видеть, Симона, я пойду скажу
ей, что вы здесь.

Тео вернулся радостный.

— Пойдемте скорее, она вас ждет.

Все удивились, хотя удивляться было нечему. Все было
нормально, как должно было быть. Я не помню, как выглядела лестница, но на дверь я посмотрела и запомнила руку
Тео, когда он взялся за ручку двери: он не поворачивал ее...
хотел мне что-то сказать. Очень тихо он спросил:

— Вы, кажется, не видели ее несколько месяцев?

— В последний раз незадолго до вашей свадьбы. Я была
больна. Мы перезванивались.

— Она очень изменилась, Симона. Не покажите ей этого.

Когда он толкнул дверь, я поняла. У нее почти не осталось волос. На слишком круглом лице не было ничего, кроме огромных глаз и рта, который казался разбитым...

Я улыбнулась. Точнее, постаралась улыбнуться, как делала всегда в течение нашей жизни; в ответ на эту улыбку
Эдит мне всегда говорила: «Ты стойкий солдатик».

— О, моя Момона, как я рада! Я ждала тебя только в понедельник!

Я не моргнула глазом.

— Выяснилось, что в понедельник у меня другие дела, вот я и приехала раньше.

— Ты хорошо сделала.

Тео вышел. Он еще и тактичен! Этот парень обладал всеми достоинствами!

...«Не больше десяти минут»,— сказала сестра. Они уже давно прошли. В комнату вошел Тео. Он посмотрел на Эдит, потом на меня. Я обрадовалась, увидев, как озарилось его лицо.

— Я уже давно не видел Эдит такой...

Он смотрел на нас, пытаясь понять наши отношения.

— Можно мне остаться с вами?

— Конечно,— ответила Эдит. Ты никогда не будешь лишним. А если начнешь надоедать, мы перейдем в ванную! Правда, Момона?

Эдит продолжала смеяться.

— Тебе не понять... Момона, объясни ему. Расскажи ему нашу жизнь.

Как верная собака он вытянулся на полу возле ее кровати. Так он и останется навсегда в моей памяти: преданный пес с глазами, полными любви, которые отказывались видеть очевидное, то, что я поняла сразу: наступал конец... Занавес опускался. Эдит настолько приучила его к чудесам, что он перестал воспринимать реальность. Эдит могла не спать эту ночь, если это ей доставляло удовольствие, ничто больше не имело значения...

И мы с головокружительной быстротой начали вновь проживать забытое прошлое. Воспоминания детства, юности — мы выкладывали все перед Тео без стеснения, до того ли нам было! Перебивая друг друга, мы нагромождали все в кучу. Сами для себя отбирали нужное, Тео не мог за нами поспеть. Минувшее воскресло, все кружилось и кипело, как во время гулянья на Пигаль.

Она говорила: «А помнишь наших морячков, наших котов, легионера, Луи-Малыша, папу Лепле?..»

«А помнишь?..» Все наши фразы начинались так. Только в эту ночь Эдит была предельно искренна. Она не стеснялась говорить: «В тот день я тебя обманула...» или «Я не должна была этого делать...» Она видела все так ясно, что мне становилось страшно.

Мысли летели, как в вихре кружилось наше прошлое и настоящее, и перед моим неотрывным взглядом вместо лица больной женщины для меня одной и, быть может, еще для Тео возникло лицо Великой Пиаф, каким оно было на вершине славы.

Ей хотелось говорить, она порозовела, сна не было ни в одном глазу.

— Такую ночь, дети мои, забыть нельзя! Я буду помнить о ней и в раю!

Слушая нас, Тео открывал для себя незнакомую ему до сих пор Эдит. Меня порадовало, что она говорила только о своем детстве, юности и о настоящем времени. В эту ночь Эдит связывала начало и конец своей жизни прочно, навсегда... Ей хотелось объяснить Тео, какой была ее молодость, прожитая со мной. Он тем временем протирал ей одеколоном лицо, причесывал ее, обмывал руки. Ему уже не удавалось разогнуть ее скрюченных пальцев.

При одном воспоминании о том, как эти руки жили в ее песнях, в свете прожекторов, слезы наворачивались на глаза. Ее основная, привычная поза — руки, прижатые к бедрам, почти к животу, выделяющиеся на черном платье: казалось, они одновременно ласкают и просят прощения. Этот жест, повторенный тысячи раз, она теперь пыталась повторить на простыне. Ее руки искали свое место. Она позволяла Тео ухаживать за собой и понемногу снова превращалась в больную. Она смотрела на него, и в ее глазах читалась радость, которую он ей приносил.

— Правда, он чудо, Момона?

О да! Это так и было, и на этот раз я не притворялась. Эдит хотелось поговорить о своей профессии, о работе, но я чувствовала, что она отдаляется.

— Знаешь, теперь уже все. Я решила лечиться всерьез. Я ведь готовлю премьеру в «Олимпии». Это очень ответственно.

В этот день — позднее Тео и все окружающие это подтверждали — в последний раз создалось впечатление, что она сможет выкарабкаться. Отдавала ли она себе отчет о своем состоянии? Была ли у нее надежда на то, что все еще наладится? Не думаю. Может быть, ей снова хотелось в это верить, но ее призыв ко мне, «своему прошлому», был последним криком утопающего.

Вдруг она сказала тихим голосом, как говорила, когда ей было шестнадцать лет: «Мне хотелось бы петь»; только теперь она сказала: «Мне бы хотелось еще петь...» Сестра сделала ей укол. Эдит еще продолжала говорить, продолжала переживать свое прошлое, но мысли ее начали путаться.

Она снова открыла глаза. Они уже мутнели. Вдруг она произнесла, очень громко, как выкрикнула: «Теперь можно и умереть, я прожила две жизни!— Она сделала паузу, потом, собравшись с силами, выдохнула: — Берегись, Момона, не делай глупостей в жизни, за каждую приходится расплачиваться...»

Я знала, что она хотела сказать. Слишком хорошо знала. Я поцеловала ее и простилась с ней.

Я поняла. Как ни отказывалась поверить, но поняла: все было кончено!

И не ошиблась. На рассвете Эдит впала в полубессознательное состояние, из которого так и не вышла.

...Кто-то сказал: «Шофер отвезет вас в аэропорт». Было около пяти, когда мы туда приехали. Подонок даже не спросил меня, не хочу ли я выпить кофе. Выкручивайся сама! В этот час аэровокзал выглядел так, как футуристы изображают пустыню после конца света. Ни живой души. Наконец мне попался служащий, более или менее любезный.

Я спросила:

— Мне нужно в Париж, а мой самолет летит только в полдень. Нет ли возможности улететь раньше?

— Я постараюсь это устроить,— ответил он.— Приходите к половине восьмого, место наверняка будет.

Я села в такси и поехала по Ницце. Этот город не из тех, что просыпаются на рассвете! Он долго потягивается. Не так-то легко в этот час найти открытое бистро, где можно выпить кофе. Да я и не сумела бы облатку проглотить, у меня стоял комок в горле. Я думала о том, что никто никогда не сможет прожить такую жизнь, как наша... Я проехала мимо «Буат а витэс», мимо отеля «Джиофредо», где мы жили, мимо пассажа «Негрэ»...

Я вернулась в аэропорт, села в самолет. Ноги подо мной подкашивались.

Вернувшись домой, я легла, но не смогла уснуть, и без конца ворочалась, сбивая простыни. Картины из нашей прошлой жизни, воспоминания нахлынули на меня, закружились в голове, трещавшей от их шума и гама... Наконец я провалилась в сон...

На следующий день ко мне поднялся сосед снизу, мальчик шестнадцати лет. Он был так возбужден, что по его лицу я не могла догадаться, какие вести он принес, хорошие или плохие. Наконец он сказал: «Твоя сестра умерла». Я это предчувствовала, но не хотела верить. Мальчик пошел купить мне газету. Это оказалось правдой. Эдит умерла. Она заснула и не проснулась. Удар был тяжелым. Если бы я не поехала в Пласкасье, я бы ее больше не увидела... Хорошо, что она мне сказала: «В понедельник будет поздно!»

Эдит привезли на бульвар Ланн. Она всегда говорила: «Я хочу умереть в Париже». Свое последнее путешествие она совершила в больничном фургоне. Тео взял большой букет мимоз, стоявший в ее комнате в Пласкасье, и положил на ее тело. Букет этот до сих пор существует на бульваре Ланн, с тех пор прошло шесть лет; все его шарики, все листья целы, но он стал серым. В нем не осталось солнца...

Никто не знал, что Эдит умерла на юге. Удобнее было говорить, что случилось это на бульваре Ланн, для того, чтобы люди приходили прощаться. Пришли все, даже те, кто ее не любил, те, кому она была безразлична... даже те, кому ни разу в жизни не пожала руки. Много фотографов — престижное событие!.. Все входили к ней в дом и выходили с соответствующим случаю выражением лица.

Простой парижский народ тоже толпился у решетки перед ее домом, он начал свое великое бдение. Женщины с продуктовыми сумками в руках, мужчины в рабочей одежде, проехав час на метро, пришли после трудового дня проститься с Эдит. Весь вечер, большую половину ночи и снова с раннего утра мимо ее гроба проходили те, кто был ей так дорог. Женщины приносили букетики скромных цветов, единственных, которые любила Эдит. (Она никогда не привозила домой корзины цветов после выступлений, она их раздавала.) Простые женщины, извиняясь, говорили служанке: «Передайте ее мужу, что я не смогу прийти завтра на похороны... Эти цветы пустяк, конечно, но они от сердца...» Женщины эти, сестры Эдит, думали о Тео. Забившись где-то в угол, он, как ребенок, оплакивал ту, которую ему дано было любить немногим более года. Он повторял: «Я не верил... Она меня приучила к чудесам!»

Около Тео его мать и сестры — последняя семья Эдит. 14 октября 1963 года Париж оплакивал Эдит. На кладбище Пер-Лашез собралось сорок тысяч человек... Похороны Эдит были такими же из ряда вон выходящими, как и ее жизнь, также перешли пределы обычного! Был теплый солнечный день. Черный цвет траура тонул в разноцветии толпы. Здесь были солдаты в мундирах, одетые в форму Иностранного легиона; они никогда не видели Эдит, но все были в нее влюблены. Одиннадцать машин с цветами следовало за катафалком; возле маленького тела, затерявшегося в большом гробу, лежала заячья лапка — ее талисман.

Ее провожали все, кто был частью ее жизни, все, кто ее любил, все, кого любила она... Только ее мужчины были уже не в голубом, а в черном...

Простые женщины в косынках оплакивали Эдит. Лишенная в жизни матери, в этот день она обрела их тысячи... Мужчины всех возрастов, даже один старый матрос в синей форменке с красной розой в руках, не стыдились слез... Когда гроб с телом Эдит понесли по аллеям кладбища, толпа обезумела, ринулась вперед, опрокидывая заграждения. Огромная людская волна захлестнула все вокруг, выплеснулась на окружающие могилы и замерла у склепа с надписью «Гассион» в секторе номер 97, поперечной аллее номер 3. Марлен Дитрих, в трауре, с черным платком на белокурых волосах, бледная под косметикой, произнесла, глядя на этих людей: «Как они ее любили!»

Гул толпы походил на ропот разгулявшегося моря, на его рокочущее дыхание. Но вдруг все замерло, наступила тишина. Отряд легионеров застыл по стойке «смирно», флажок легиона развевался в воздухе, когда преподобный отец Леклер стал читать «Отче наш».

Та, кто всю жизнь любила Бога, молилась Иисусу, пела песню, в которой обращалась к апостолу Петру, поклонялась маленькой святой Терезе из Лизье, часто искала прибежище в церкви, не имела права на заупокойную мессу... Рим отказал, заявив, что «она жила во грехе». Однако как частные лица епископ Мартэн и преподобный отец Тувенэн пришли помолиться на ее могиле.

Земли уже не было видно под цветами, а народ все продолжал идти.

На следующий день хоронили Жана Кокто. Он умер в один день с Эдит, своим большим другом, в момент, когда готовился произнести по радио речь, посвященную ее памяти. В тот вечер, 14 октября, Тео захотел остаться один. Он вернулся в перевернутую вверх дном квартиру, где пахло кладбищем от забытых цветов. На комоде лежал вырезанный из дерева лист с девизом Эдит: «Любовь все побеждает!» Все первые страницы газет были посвящены Эдит: в течение многих дней они рассказывали о ее жизни. На кладбище поверх уже увядших венков лежал большой букет сиреневых полевых цветов, перевязанный трехцветной лентой: «Малютке Пиаф от легиона».

Последняя премьера Эдит Пиаф тоже была триумфом... Вернувшись с кладбища, я бросилась на кровать. Я не плакала, я не могла больше плакать. Мое горе было сильнее слез, сильнее всех бед, которые со мной случались. От меня ушла не только сестра, но и вся та жизнь, которую мы прожили вместе.

Для меня Эдит не умерла, она уехала в турне, в один прекрасный день она вернется и позовет меня... Тихонько, только для меня она поет стихи, посвященные ей Мишелем Эмером*:

> Песня на три такта
> Была ее жизнью, а жизнь ее текла,
> Полная страданий, и, однако, ей
> Не было тяжело нести эту ношу.

---

* Здесь Симона Берто допускает неточность. Дело в том, что автор музыки и слов песни «Une chanson à trois temps» 1947 г. Анна Марли.

Прохожий, остановись,
Помолись за нее.
Человек, как бы ни был велик,
Обращается в прах...
Но оставит после себя
Песню, которую будут всегда петь,
Потому что история забывается,
А помнится только мелодия
Песни на три такта,
Чисто парижской песни...

СОДЕРЖАНИЕ

Литературно-художественное издание

ЛЕГЕНДЫ АВТОРСКОЙ ПЕСНИ

Эдит Пиаф

«ВОРОБЫШЕК» НА БАЛУ УДАЧИ

Редактор *О. Грейг*
Художник *Б. Протопопов*
Компьютерная верстка *А. Кувшинников*
Корректор *Н. Самойлова*

ООО «Алгоритм-Издат»
Оптовая торговля:
ТД «Алгоритм» 617-0825, 617-0952
Сайт: http://www.algoritm-izdat.ru
Электронная почта: algoritm-izdat@mail.ru
Интернет-магазин: http://www.politkniga.ru

ООО «Издательство «Эксмо»
127299, Москва, ул. Клары Цеткин, д. 18/5. Тел. 411-68-86, 956-39-21.
Home page: **www.eksmo.ru**   E-mail: **info@eksmo.ru**

Оптовая торговля книгами «Эксмо»:
ООО «ТД «Эксмо». 142702, Московская обл., Ленинский р-н, г. Видное,
Белокаменное ш., д. 1, многоканальный тел. 411-50-74.
E-mail: **reception@eksmo-sale.ru**

Подписано в печать 22.02.2012.
Формат 84x108$^1/_{32}$. Печать офсетная. Усл. печ. л. 18,48.
Тираж 2500 экз. Заказ № 4202083

Отпечатано с готовых файлов заказчика
в филиале «НИЖПОЛИГРАФ»,
ОАО «Первая Образцовая типография»
603950, г.Нижний Новгород, ГСП-123, ул. Варварская, 32 .

ISBN 978-5-699-55625-0